A Razão
do Amor

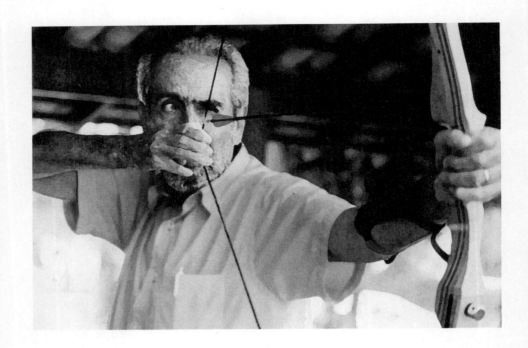

O Arqueiro

GERALDO JORDÃO PEREIRA (1938-2008) começou sua carreira aos 17 anos, quando foi trabalhar com seu pai, o célebre editor José Olympio, publicando obras marcantes como *O menino do dedo verde*, de Maurice Druon, e *Minha vida*, de Charles Chaplin.

Em 1976, fundou a Editora Salamandra com o propósito de formar uma nova geração de leitores e acabou criando um dos catálogos infantis mais premiados do Brasil. Em 1992, fugindo de sua linha editorial, lançou *Muitas vidas, muitos mestres*, de Brian Weiss, livro que deu origem à Editora Sextante.

Fã de histórias de suspense, Geraldo descobriu *O Código Da Vinci* antes mesmo de ele ser lançado nos Estados Unidos. A aposta em ficção, que não era o foco da Sextante, foi certeira: o título se transformou em um dos maiores fenômenos editoriais de todos os tempos.

Mas não foi só aos livros que se dedicou. Com seu desejo de ajudar o próximo, Geraldo desenvolveu diversos projetos sociais que se tornaram sua grande paixão.

Com a missão de publicar histórias empolgantes, tornar os livros cada vez mais acessíveis e despertar o amor pela leitura, a Editora Arqueiro é uma homenagem a esta figura extraordinária, capaz de enxergar mais além, mirar nas coisas verdadeiramente importantes e não perder o idealismo e a esperança diante dos desafios e contratempos da vida.

ALI HAZELWOOD

A Razão do Amor

Título original: *Love on the Brain*

Copyright © 2022 por Ali Hazelwood
Copyright da tradução © 2022 por Editora Arqueiro Ltda.

Publicado mediante acordo com Berkley, um selo do Penguin Publishing Group, uma divisão da Penguin Random House LLC.

Todos os direitos reservados. Nenhuma parte deste livro pode ser utilizada ou reproduzida sob quaisquer meios existentes sem autorização por escrito dos editores.

coordenação editorial: Gabriel Machado

produção editorial: Ana Sarah Maciel

tradução: Raquel Zampil

preparo de originais: Beatriz D'Oliveira

revisão: Camila Figueiredo e Rachel Rimas

diagramação e adaptação de capa: Gustavo Cardozo

capa e ilustração de capa: lilithsaur

impressão e acabamento: Lis Gráfica e Editora Ltda.

CIP-BRASIL. CATALOGAÇÃO NA PUBLICAÇÃO
SINDICATO NACIONAL DOS EDITORES DE LIVROS, RJ

H337h
    Hazelwood, Ali
        A razão do amor / Ali Hazelwood ; tradução Raquel Zampil. - 1. ed. - São Paulo : Arqueiro, 2022.
        336 p. ; 23 cm

    Tradução de: Love on the brain
    ISBN 978-65-5565-399-1

    1. Romance italiano. I. Zampil, Raquel. II. Título.

22-79781   CDD: 853
                         CDU: 82-31(450)

Meri Gleice Rodrigues de Souza - Bibliotecária - CRB-7/6439

Todos os direitos reservados, no Brasil, por
Editora Arqueiro Ltda.
Rua Artur de Azevedo, 1.767 – Conj. 177 – Pinheiros
05404-014 – São Paulo – SP
Tel.: (11) 2894-4987
E-mail: atendimento@editoraarqueiro.com.br
www.editoraarqueiro.com.br

Para os meus Grems. [DolphinBoob.gif]

1

HABÊNULA: DECEPÇÃO

EIS A MINHA CURIOSIDADE FAVORITA de todos os tempos: a Dra. Marie Skłodowska-Curie compareceu à cerimônia do próprio casamento com o vestido que usava no laboratório.

Na verdade, a história é bem legal: um amigo cientista a apresentou a Pierre Curie. Timidamente, eles admitiram ter lido os artigos um do outro e flertaram em meio a provetas cheias de urânio líquido. Em menos de um ano, ele a pediu em casamento. Mas Marie pretendia ficar na França só até obter seu diploma, então, ainda que relutante, ela o rejeitou e voltou para a Polônia.

Fuén, fuén, fuén.

Entra em cena a Universidade de Cracóvia, vilã e cupido involuntário nessa história, que negou a Marie um cargo no corpo docente porque ela era mulher (muito bonito, UdC). Atitude lamentável, eu sei, mas teve o feliz efeito colateral de jogar Marie de volta nos braços amorosos e ainda não radioativos de Pierre. Os dois pombinhos nerds se casaram em 1895, e Marie, que não estava exatamente ganhando rios de dinheiro na época, comprou um vestido de noiva confortável para ser usado no dia a dia do laboratório. Minha garota era bem pragmática.

Obviamente essa narrativa se torna bem menos legal se avançarmos uns dez anos, para o momento em que Pierre foi atropelado por uma carroça e deixou Marie e suas duas filhas sozinhas no mundo. Saltemos para 1906 e a gente chega à verdadeira moral dessa história: acreditar que as pessoas vão estar sempre por perto é má ideia. Mais cedo ou mais tarde, elas acabam partindo. Podem escorregar na Rue Dauphine numa manhã chuvosa e ter o crânio esmagado por uma carroça. Ou serem abduzidas por alienígenas e desaparecerem na vastidão do espaço. Ou talvez transem com sua melhor amiga seis meses antes do seu casamento, te obrigando a cancelar a festa e perder uma fortuna.

As possibilidades são infinitas, sério.

Pode-se dizer então que a UdC é apenas uma vilã secundária. Não me entenda mal: eu adoro imaginar a Dra. Curie voltando para a Cracóvia, bem ao estilo *Uma linda mulher*, com seu vestido de casamento/trabalho, brandindo suas duas medalhas do Prêmio Nobel e gritando: "Grande erro. *Enorme.*" Mas a verdadeira vilã, que deixou Marie chorando enquanto encarava o teto altas horas da noite, é a perda. O luto. A intrínseca transitoriedade dos relacionamentos humanos. O verdadeiro vilão é o amor: um isótopo instável, passando constantemente por uma desintegração nuclear espontânea.

E ele vai ficar impune para sempre.

Mas sabe o que é confiável? O que nunca, *jamais* abandonou a Dra. Curie em toda a sua vida? Sua curiosidade. Suas descobertas. Suas realizações.

A ciência. A *ciência* não deixa você na mão.

E é por isso que, quando a Nasa me comunica – *sim, a mim, Bee Königswasser!* – que fui escolhida como pesquisadora principal do Blink, um dos mais prestigiosos projetos de pesquisa de neuroengenharia, eu dou um berro. Grito bem alto, exultante, em minha minúscula sala sem janelas no campus de Bethesda dos Institutos Nacionais de Saúde. Grito por causa da incrível tecnologia de aprimoramento de desempenho que vou construir para ninguém menos que os astronautas da Nasa, e aí lembro que as paredes são finas como papel higiênico e que meu vizinho da esquerda uma vez registrou uma queixa formal porque eu estava escutando roqueiras alternativas dos anos 1990 sem fone de ouvido. Então tapo a boca, mordo minha mão e dou pulos tão silenciosos quanto possível enquanto explodo de euforia.

Eu me sinto exatamente como imagino que a Dra. Curie deve ter se sentido quando enfim permitiram que ela se matriculasse na Universidade de Paris, no fim de 1891: como se um mundo de descobertas científicas (de preferência não radioativas) estivesse finalmente ao alcance. Este é, sem sombra de dúvida, o dia mais importante da minha vida, e dá início a um fim de semana de comemorações *fenomenal*, cujos destaques são:

* Conto a novidade para minhas três colegas de laboratório favoritas e vamos para nosso bar de sempre, viramos várias rodadas de *lemon drops* e nos alternamos fazendo imitações hilárias daquela vez que Trevor, nosso chefe feio e de meia-idade, nos pediu que não nos apaixonássemos por ele. (Homens do mundo acadêmico tendem a nutrir muitas ilusões sobre si mesmos – exceto Pierre Curie, é claro. Pierre jamais faria isso.)

* Mudo a cor do meu cabelo de rosa para roxo. (Tenho que fazer isso em casa, porque pesquisadores juniores não podem se dar o luxo de ir ao salão. Quando termino, meu chuveiro parece uma mistura de máquina de algodão-doce com abatedouro de unicórnios, mas sei que, após o incidente do guaxinim – acredite, você não vai querer saber –, não vou conseguir meu depósito-caução de volta de qualquer maneira.)

* Dou um pulinho na Victoria's Secret e compro um conjunto de lingerie verde lindo, sem me deixar sentir culpa pelo gasto (embora faça muitos anos que alguém me viu sem roupa e, se depender de mim, vai continuar assim por muitos, muitos anos mais).

* Faço o download da planilha de treino Do Sofá à Maratona que venho planejando começar e saio para minha primeira corrida. (Depois volto para casa mancando e xingando minha precipitação e prontamente troco pela planilha Do Sofá aos 5km. Não dá para acreditar que tem gente que treina *todo dia*.)

* Faço petiscos para Fineias, o gato idoso da minha vizinha igualmente idosa, que volta e meia aparece aqui em casa em busca de um segundo

jantar. (Em sinal de gratidão, ele retalha meu All Star favorito. A Dra. Curie, em sua infinita sabedoria, provavelmente preferia cães.)

Em resumo, me divirto horrores. Nem fico triste quando chega a segunda-feira. É a mesmice de sempre: experimentos, reuniões, refeição congelada e litros de refrigerante vagabundo que engulo enquanto processo dados, mas, com a perspectiva do Blink, até mesmo o velho parece novo e empolgante.

Vou ser sincera: eu estava morrendo de preocupação. Depois de quatro pedidos de financiamento de pesquisa rejeitados em menos de seis meses, eu tinha certeza de que a minha carreira estava estagnada – talvez até acabada. Sempre que Trevor me chamava à sala dele, eu tinha palpitações e minhas mãos suavam, certa de que ele ia dizer que meu contrato anual não seria renovado. Os últimos dois anos, desde que terminei o doutorado, não foram muito divertidos.

Mas isso acabou. Um contrato com a Nasa é uma oportunidade capaz de deslanchar minha carreira. Afinal, fui escolhida após um impiedoso processo de seleção, competindo com estrelinhas como Josh Martin, Hank Malik e até mesmo Jan Vanderberg, aquele cara horrível que se dedica a falar mal da minha pesquisa como se fosse um esporte olímpico. Tive meus tropeços, muitos, mas depois de quase duas décadas obcecada pelo cérebro, aqui estou: principal neurocientista do Blink. Vou criar equipamentos para *astronautas*, equipamentos que eles vão usar no *espaço*. É assim que vou me livrar das garras úmidas e machistas de Trevor. É assim que vou garantir um contrato de longa duração e meu próprio laboratório com minha própria linha de pesquisa. Esse vai ser o ponto de virada na minha vida profissional – que, a bem da verdade, é o único tipo de vida que quero ter.

Por vários dias, me sinto em êxtase. Radiante. Radiantemente extasiada.

Então, na segunda-feira, às 16h33, meu e-mail me notifica da chegada de uma mensagem da Nasa. Leio o nome da pessoa que vai coliderar o Blink comigo, e de repente o êxtase desaparece.

– Você se lembra de Levi Ward?

– *Brennt da etwas...* Hein? – Ao telefone, a voz de Mareike está rouca e sonolenta, abafada pelo sinal ruim e pela longa distância. – Bee? É você? Que horas são?

– São 20h15 em Maryland e... – Rapidamente calculo o fuso horário. Algumas semanas atrás, Reike estava no Tajiquistão, mas agora ela está em... Portugal, eu acho. – Duas da manhã, no seu horário.

Reike grunhe, geme, resmunga e emite uma série de outros sons com os quais estou mais do que familiarizada depois de dividir um quarto com ela pelas primeiras duas décadas de nossas vidas. Eu me recosto no sofá e espero até ela perguntar:

– Quem morreu?

– Ninguém morreu. Bom, com certeza *alguém* morreu, mas ninguém que a gente conhece. Você estava mesmo dormindo? Está doente? Quer que eu pegue um avião até aí?

Fico genuinamente preocupada ao perceber que minha irmã não está na balada, ou nadando nua no mar Mediterrâneo, ou se divertindo com alguma irmandade de feiticeiros nas florestas da Península Ibérica. Dormir à noite não é do feitio dela.

– Não. Meu dinheiro acabou de novo. – Ela boceja. – Estou dando aula particular para garotos portugueses riquinhos e mimados durante o dia até juntar dinheiro suficiente para pegar um voo para a Noruega.

Não vou cair nessa de perguntar "Por que Noruega?", pois a resposta de Reike seria simplesmente "Por que não?". Em vez disso, falo:

– Precisa de dinheiro emprestado?

Não estou exatamente nadando em dinheiro, ainda mais depois das comemorações do fim de semana (prematuras, pelo visto), mas posso abrir mão de alguns dólares, se for cuidadosa. E não comer. Por alguns dias.

– Não, os pais dos pestinhas pagam bem. Argh, Bee, ontem um moleque de 12 anos tentou pôr a mão no meu peito.

– Eca. O que você fez?

– Falei que ia arrancar os dedos dele, é claro. Mas enfim... a que devo o prazer de ser brutalmente acordada?

– Desculpa.

– Aham.

Sorrio.

– Na verdade, nem ligo. – Qual é o sentido de compartilhar cem por cento do seu DNA com uma pessoa se não puder acordá-la pra uma conversa urgente? – Lembra aquele projeto de pesquisa que eu mencionei? O Blink?

– O que você vai coordenar? Da Nasa? Em que você vai usar sua ciência cerebral chique pra construir aqueles capacetes chiques que vão deixar os astronautas chiques melhores no espaço?

– É. Mais ou menos. Mas parece que não vou ser a única a coordenar o projeto. Os fundos vêm dos Institutos Nacionais de Saúde e da Nasa, que entraram em uma disputa irritante pra ver qual agência deveria ficar no comando e, por fim, decidiram ter dois coordenadores. – Com o canto do olho, percebo um lampejo laranja: Fineias, relaxando no parapeito da janela da minha cozinha. Eu o deixo entrar, dando uma coçadinha em sua cabeça. Ele mia afetuosamente e lambe a minha mão. – Você se lembra do Levi Ward?

– É algum cara com quem saí e que está me procurando porque está com gonorreia?

– O quê? Não. É um cara que conheci na pós-graduação. – Abro o armário onde guardo os sachês de ração. – Ele estava fazendo a pesquisa de doutorado em engenharia no meu laboratório e estava no quinto ano quando comecei...

– O Levidiota!

– Ele mesmo!

– Lembro! Ele não era... gato? Alto? Forte?

Reprimo um sorriso, botando comida na tigela de Fineias.

– Não sei o que pensar do fato de que a única coisa que você se lembra da minha nêmesis do doutorado é que ele tinha quase dois metros.

As irmãs da Dra. Marie Curie, a renomada física Bronisława Dłuska e a ativista da educação Helena Szalayowa, jamais focariam nisso. A menos que fossem safadas como Reike. Nesse caso, definitivamente focariam.

– *E* musculoso. Você devia era estar orgulhosa da minha memória de elefante.

– E estou. Enfim, me informaram quem vai ser o outro coordenador do projeto e...

– Não. – Reike deve ter se sentado. Sua voz de repente soa cristalina. – *Essa não!*

– Sim. – Ouço a risada maníaca da minha irmã se divertindo às minhas custas enquanto descarto o sachê vazio. – Sabe, você podia ao menos fingir que não está rindo da minha cara.

– É, podia. Mas vou fingir?
– Claro que não.
– Você chorou quando descobriu?
– Não.
– Deu com a testa na mesa?
– Não.
– Não minta pra mim. Você tá com um galo na testa?
– ... Talvez um pequeno.
– Ah, Bee... Bee, obrigada por me acordar pra me dar essa notícia maravilhosa. O Levidiota não foi o cara que te chamou de feia?

Ele nunca disse isso, pelo menos não nesses termos, mas dou uma risada tão alta que Fineias me olha assustado.

– Não acredito que você se lembra *disso*.
– Ei, eu fiquei muito ressentida. Você é supergata.
– Você só diz isso porque sou exatamente igual a você.
– Ih, nem tinha percebido.

De qualquer forma, isso não é bem verdade. Sim, Reike e eu somos baixinhas e magras. Temos os mesmos traços simétricos e olhos azuis, o mesmo cabelo preto e liso. Ainda assim, faz tempo que superamos nossa fase de *Operação Cupido* e, aos 28 anos, ninguém precisa se esforçar muito para nos diferenciar. Não quando passei a última década com o cabelo em diferentes tons de cores pastel, ou botando em prática meu amor por piercings e tatuagens. Reike, com sua vida errante e suas inclinações artísticas, é o verdadeiro espírito livre da família, mas nunca se dá o trabalho de expressar isso nas roupas e no estilo. É aí que eu, a cientista supostamente sem graça, entro para compensar.

– Então é ele? – pergunta minha irmã. – O cara que me insultou por tabela?
– Isso. Levi Ward. O próprio.

Despejo água em uma tigela para Fineias. Não foi *exatamente* assim que aconteceu. Levi nunca me insultou explicitamente. Já implicitamente...

Fiz minha primeira palestra acadêmica no segundo semestre do doutorado e levei a coisa muito a sério. Decorei o discurso inteiro, refiz o PowerPoint seis vezes, fiquei nervosa até com a escolha da roupa perfeita. Acabei me vestindo com mais elegância do que de hábito, e Annie, minha melhor amiga do doutorado, teve a ideia, bem-intencionada porém infeliz, de incitar Levi a me elogiar.

– A Bee não está ainda mais bonita hoje?

Provavelmente foi o único assunto em que ela conseguiu pensar para puxar conversa. Afinal, Annie estava sempre falando que ele era bonito de um jeito misterioso, com os cabelos escuros, os ombros largos e aquele rosto interessante e incomum; que ela queria que ele deixasse de ser tão reservado e a chamasse para sair. Só que Levi não parecia interessado em conversar. Ele me observou intensamente, com aqueles olhos verdes penetrantes. Me olhou da cabeça aos pés por vários segundos. E...

Nada. Não disse absolutamente nada.

Fez apenas uma cara que Tim, meu ex-noivo, mais tarde chamou de "expressão horrorizada" e saiu do laboratório com um aceno rígido e nenhum elogio – nem mesmo um falso, afetado. Depois disso, o doutorado – o maior antro da fofoca – fez o que sabia fazer de melhor, e a história ganhou vida própria. Alguns diziam que ele tinha vomitado no meu vestido; que ele me suplicara de joelhos para cobrir a cabeça com um saco; que ficara tão horrorizado que tentara apagar a mente bebendo cloro e, como consequência, sofrera danos neurológicos irreversíveis. Eu tento não me levar muito a sério, e fazer parte de um meme até que foi meio divertido, mas os rumores eram tão malucos que comecei a me perguntar se eu era mesmo horrorosa.

Ainda assim, nunca culpei Levi. Não levei a mal ele se recusar a fingir que me achava bonita. Ou... bem, que não me achava horrorosa. Ele sempre pareceu o tipo de homem que preferia estar entre homens. Era diferente dos garotos que me cercavam. Sério, disciplinado, um pouco introspectivo. Enérgico e talentoso. Macho alfa, seja lá o que isso signifique. Uma garota com piercing no septo e cabelo de pontas azuis não se enquadraria nos seus ideais de mulher bonita, e tudo bem.

Mas o que eu *levei* a mal foram os outros comportamentos de Levi durante o ano em que nossa formação coincidiu. Como o fato de que ele nunca se dava o trabalho de me olhar nos olhos quando eu falava com ele, ou de sempre encontrar desculpas para não ir ao clube de leitura acadêmica quando era minha vez de me apresentar. Eu me reservo o direito de sentir raiva pela maneira como ele saía de fininho de uma conversa no momento em que eu chegava, por ele me considerar tão indigna de sua atenção que nunca dizia nem mesmo "oi" quando eu entrava no laboratório, pelo modo como eu o flagrava me olhando com uma expressão intensa e contrariada, como se eu fosse alguma abominação sobrenatural. Me reservo o direito de ficar amargurada por, logo após Tim e eu ficarmos noivos, Levi tê-lo puxado de lado e dito que ele podia conseguir alguém muito melhor. Fala sério, quem faz isso?!

Mais do que tudo, eu me reservo o direito de detestá-lo por deixar claro que me achava uma cientista medíocre. O restante eu poderia ter relevado, mas a falta de respeito pelo meu trabalho... Isso sempre vai ser uma pedra no meu sapato.

Isto é, até eu jogar essa pedra no saco dele.

Levi se tornou meu arqui-inimigo jurado numa terça-feira de abril, na sala da minha orientadora do doutorado. Samantha Lee era – e ainda é – a maioral quando se trata de neuroimagem. Se existe alguma forma de estudar o cérebro de um ser humano vivo sem abrir seu crânio, Sam a criou ou se especializou nela. Sua pesquisa é brilhante, bem-fundamentada e altamente interdisciplinar – daí a variedade de doutorandos que ela orientava: neurocientistas cognitivos como eu, interessados em estudar as bases neurais do comportamento, mas também cientistas da computação, biólogos, psicólogos... engenheiros.

Mesmo no caos superlotado do laboratório de Sam, Levi se destacava. Ele tinha um talento para a resolução de problemas, bem como Sam gostava – ele elevava a neuroimagem à condição de arte. Em seu primeiro ano, Levi descobriu uma forma de construir um espectroscópio de infravermelho portátil que está intrigando pós-doutorandos há uma década. No terceiro ano, ele revolucionou o processo de análise de dados do laboratório. No quarto ano, conseguiu publicar um artigo na *Science*. E, no quinto, quando entrei no laboratório, Sam nos reuniu em sua sala.

– Tem um projeto incrível no qual estou querendo dar o pontapé inicial – disse ela com seu habitual entusiasmo. – Se conseguirmos fazê-lo dar certo, vai mudar todo o panorama da área. E é por isso que preciso da minha melhor neurocientista e do meu melhor engenheiro trabalhando juntos nele.

Era o início de uma tarde fresca de primavera. Lembro-me bem dela porque aquela manhã foi inesquecível: Tim me pedira em casamento, apoiado em um joelho no meio do laboratório. Um pouco teatral, não exatamente o meu estilo, mas eu não ia reclamar, já que significava que alguém queria ficar ao meu lado para sempre. Então eu o olhei nos olhos, engoli as lágrimas e disse sim.

Algumas horas depois, senti o anel de noivado se cravando dolorosamente em minha mão fechada.

– Não tenho tempo pra uma colaboração, Sam – disse Levi, que se encontrava o mais longe possível de mim, mas ainda conseguia preencher a pequena sala e se tornar o seu centro de gravidade. Ele não se deu o trabalho de olhar para mim. Nunca olhava.

Sam franziu a testa.

– No outro dia você disse que estava dentro.

– Eu me enganei. – Sua expressão era indecifrável. Categórica. – Desculpa, Sam. Estou ocupado demais.

Pigarreei e dei alguns passos na direção dele.

– Eu sei que sou apenas uma aluna do primeiro ano – comecei, em um tom apaziguador –, mas posso fazer a minha parte, eu juro. E...

– A questão não é essa – respondeu ele.

Seus olhos encontraram os meus brevemente, verdes, escuros, tempestuosos e frios, e por um instante ele pareceu preso, como se não conseguisse desviar o olhar. Meu coração falhou.

– Como eu disse – continuou ele –, não tenho tempo agora para assumir novos projetos.

Não lembro por que saí da sala sozinha nem por que decidi enrolar ali fora. Disse a mim mesma que estava tudo bem. Levi só estava ocupado. Todo mundo estava ocupado. O meio acadêmico é composto por um bando de gente ocupada correndo de um lado para outro. Eu mesma estava superocupada, porque Sam tinha razão: eu era uma das melhores neurocientistas no laboratório. Tinha trabalho mais do que suficiente em andamento.

Até que entreouvi a pergunta preocupada de Sam:

– Por que mudou de ideia? Você disse que o projeto seria incrível.

– Eu sei. Mas não posso. Desculpa.

– Não pode o quê?

– Trabalhar com a Bee.

Sam perguntou o motivo, mas eu não fiquei para ouvir. Fazer qualquer tipo de pós-graduação requer uma dose saudável de masoquismo, mas esperar para ouvir alguém falar mal de mim para a minha chefe estava além do meu limite. Saí como um furacão e, na semana seguinte, quando ouvi Annie tagarelando toda feliz sobre o fato de Levi ter concordado em ajudá-la no projeto de sua tese, eu já tinha parado de mentir para mim mesma.

Levi Ward, Sua Leviandade, o Dr. Levidiota, me desprezava.

A mim.

Especificamente a mim.

Sim, ele era taciturno, fechado, uma montanha ensimesmada. Era discreto, introvertido. Seu temperamento era reservado e distante. Eu não podia exigir que ele gostasse de mim e não tinha a menor intenção de fazer isso. Ainda assim, se ele conseguia ser civilizado, educado, até mesmo afável com todas as outras pessoas, poderia ter feito um esforço comigo também. Mas não, Levi Ward claramente me desprezava, e diante de tamanho ódio...

Bom, eu não tive outra escolha senão odiá-lo também.

– Você tá aí? – pergunta Reike.

– Estou – resmungo –, pensando no Levi.

– Então ele está na Nasa, é? Posso ter a esperança de que ele seja mandado pra Marte pra recuperar o *Curiosity*?

– Infelizmente, não antes de coliderar o meu projeto.

Nesses últimos anos, enquanto minha carreira quase sufocava, como um hipopótamo com apneia do sono, a do Levi foi de vento em popa... para a minha irritação. Ele publicou estudos interessantes, obteve um imenso financiamento do Departamento de Defesa e, segundo um e-mail que Sam repassou, entrou *até* na lista da revista *Forbes* dos top 10 cientistas com menos de 40 anos. A única razão de eu conseguir suportar o sucesso dele sem cortar os pulsos é que a pesquisa de Levi se afastou da neuroimagem. Isso não nos permitiu competir diretamente, e eu apenas... nunca pensava nele. Um excelente truque para facilitar a vida, que funcionou maravilhosamente bem... até hoje.

Sinceramente, hoje está uma merda.

– Eu ainda estou me divertindo horrores com isso, mas vou tentar bancar a irmã solidária – diz Reike. – Qual é o seu grau de preocupação com o fato de que vai trabalhar com ele, numa escala de 1 a ataque de pânico?

Viro o que restou da água de Fineias em um vaso de margaridas.

– Acho que ter que trabalhar com alguém que me acha uma cientista de merda justifica pelo menos uma falta de ar.

– Você é incrível. É a melhor cientista.

– Awn, obrigada. – Escolho acreditar que o fato de Reike classificar astrologia e cristaloterapia como "ciência" diminui só um pouco o elogio. – Vai ser horrível. Péssimo! Se ele ainda for como era naquela época, eu vou... Reike, você tá mijando?

Uma pausa, preenchida pelo barulho de água corrente.

– Talvez. Ei, foi você quem me acordou, e eu estava apertada. Pode continuar.

Sorrio e balanço a cabeça.

– Se Levi ainda for como na época do doutorado, vai ser horrível trabalhar com ele. Além disso, vou estar no território dele.

– Certo, porque você vai se mudar para Houston.

– Por três meses. Eu e minha assistente de pesquisa partimos na semana que vem.

– Estou com inveja. Vou ficar presa aqui em Portugal por sei lá quanto tempo, bolinada por um Joffrey Baratheon fajuto, que se recusa a aprender o que é um subjuntivo. Estou arrasada, Bee.

Ainda me espanta perceber como Reike e eu reagimos de forma diferente a ter passado a infância quicando de um lado para outro feito bolas de borracha, tanto antes quanto depois da morte de nossos pais. Fomos passadas de um parente para outro, moramos em uma dezena de países, e tudo que Reike quer é... morar em um número ainda *maior* de países. Viajar, conhecer novos lugares, experimentar coisas novas. Parece que seu cérebro está programado para ansiar por mudança. Ela fez as malas no dia em que nos formamos no ensino médio e passou a última década percorrendo os continentes, queixando-se de tédio depois de algumas semanas em qualquer lugar.

Eu sou o oposto. Quero criar raízes. Segurança. Estabilidade. Pensei que fosse conseguir isso com Tim, mas, como eu disse, confiar nos outros é um negócio arriscado. Estabilidade e amor são claramente incompatíveis, portanto agora estou focada na minha carreira. Quero um posto permanente como cientista nos Institutos Nacionais de Saúde, e conseguir o cargo no Blink é o ponto de partida perfeito.

– Sabe no que eu acabei de pensar? – perguntou Reike.

– Que você não deu descarga?

– Não posso dar descarga à noite... Os canos europeus são barulhentos. Se eu fizer isso, meu vizinho me deixa bilhetes passivo-agressivos. Mas escuta: há três anos, quando passei aquele verão trabalhando na colheita de melancias na Austrália, conheci um cara de Houston. Ele era divertido. Gato também. Aposto que consigo encontrar o e-mail dele e perguntar se está solteiro...

– Nem pensar.

– Ele tinha olhos lindos e conseguia tocar a ponta do nariz com a língua… Só, tipo, dez por cento da população consegue fazer isso.

Faço uma anotação mental para pesquisar se isso é verdade.

– Vou pra lá a trabalho, não pra namorar um cara que encosta a língua no nariz.

– Dá para fazer as duas coisas.

– Eu não namoro.

– Por quê?

– Você sabe por quê.

– Não sei nada. – O tom de Reike adquire sua costumeira teimosia. – Escuta, eu sei que a última vez que você teve um namorado…

– Ele era meu noivo.

– Dá no mesmo. As coisas podem não ter ido muito bem… – Arqueio uma sobrancelha diante do eufemismo mais eufemístico que já ouvi. – E talvez você prefira não se arriscar e proteger seu coração, mas não dá para nunca mais sair com ninguém. Você não pode apostar todas as suas fichas na ciência. Tem outras apostas melhores. Como sexo, pegação, deixar um cara te pagar um jantar vegano caro e… – Fineias escolhe justamente esse momento para miar bem alto. Bendito timing felino. – Bee! Você adotou aquele gatinho que estava querendo?

– É da vizinha.

Eu me inclino para encostar o rosto nele, um silencioso obrigada por distrair minha irmã no meio do sermão.

– Se você não quer nada com o cara da língua no nariz, pelo menos adote um gato, caramba! Você até já escolheu aquele nome idiota.

– Miau Curie é um ótimo nome… mas não.

– É o seu sonho de infância! Lembra quando a gente morou na Áustria? Como a gente brincava de Harry Potter e seu Patrono era sempre um gatinho?

– E o seu era um peixe-bolha.

Sorrio. Lemos juntas os livros em alemão poucas semanas antes de irmos morar no Reino Unido com uma prima por parte de mãe, que não estava exatamente empolgada em nos receber em seu minúsculo quarto extra. Argh, odeio me mudar. Estou triste por deixar meu apartamento em Bethesda, que é horrível, mas ainda assim muito amado.

– De qualquer forma, Harry Potter está maculado pra sempre, e eu não vou adotar um gato – declaro.

– Por quê?

– Porque ele vai morrer em treze a dezessete anos, com base em dados estatísticos recentes, e partir meu coração em milhares de pedaços.

– Ah, pelo amor de Deus.

– Me contento em amar os gatos dos outros e nunca saber quando eles morrem.

Ouço um baque, provavelmente Reike se jogando na cama.

– Você sabe qual é a sua doença? Se chama…

– Já te falei que não é uma doença…

– … apego evitativo. Você é patologicamente independente e não deixa outras pessoas se aproximarem por medo de que elas acabem te abandonando. Você criou uma muralha e tem pavor de qualquer coisa que pareça af…

A voz de Reike some em um bocejo estrondoso e eu sinto uma onda de carinho por ela. Mesmo que seu passatempo favorito seja pesquisar meus traços de personalidade no Google e me diagnosticar com distúrbios imaginários.

– Vai dormir, Reike. Ligo pra você em breve.

– Tá, ok. – Outro pequeno bocejo. – Mas eu tenho razão. E você tá errada.

– É claro. Boa noite, baby.

Desligo e fico mais alguns minutos acariciando Fineias. Quando ele escapa para a brisa fresca da noite de início da primavera, começo a arrumar a mala. Enquanto dobro jeans skinny e blusas coloridas, encontro uma peça que não vejo há algum tempo: um vestido de algodão azul com poás amarelos – o mesmo azul do vestido de noiva da Dra. Curie. Comprei na Target, coleção de primavera de cerca de cinco milhões de anos atrás. Doze dólares, pegar ou largar. Era o que eu estava usando quando Levi decidiu que eu não passo de um joanete ambulante, a criatura mais repugnante do mundo.

Dou de ombros e enfio o vestido na mala.

2

NERVO VAGO: BLECAUTE

– A PROPÓSITO, dá para pegar lepra de tatus.

Descolo o nariz da janela do avião e olho para Rocío, minha assistente de pesquisa.

– Sério?

– É. Eles a pegaram de humanos há milênios e agora estão devolvendo pra gente. – Ela dá de ombros. – Vingança, prato frio, essas coisas.

Examino seu belo rosto em busca de sinais de que ela esteja mentindo. Os olhos escuros e grandes, com delineado forte, são inescrutáveis. O cabelo dela é tão Vantablack que absorve 99 por cento da luz visível. Os lábios são cheios e estão curvados para baixo em seu típico biquinho.

Não. Não consigo descobrir.

– Isso é verdade? – pergunto.

– Eu mentiria pra você?

– Na semana passada você jurou que Stephen King estava escrevendo um *spin-off* do Ursinho Pooh.

E eu acreditei. Como acreditei que Lady Gaga era declaradamente satanista e que as raquetes de badminton eram feitas de ossos e intestinos humanos. A misantropia gótica e caótica, além do sarcasmo impassível e sinistro, são suas marcas registradas, e eu já deveria saber que não posso levá-la a sério. O problema é que, de vez em quando, ela vem com alguma história maluca que, após uma inspeção mais detalhada (ou seja, uma pesquisa no Google), se revela verdadeira. Por exemplo, você sabia que *O massacre da serra elétrica* foi inspirado em uma história real? Antes de Rocío, eu não sabia. E dormia significativamente melhor.

– Não acredite, então. – Ela dá de ombros, voltando à sua apostila para admissão no doutorado. – Vai lá fazer carinho em tatus leprosos e morrer.

Ela é tão esquisita. Eu a adoro.

– Ei, tem certeza de que vai ficar bem estando longe do Alex pelos próximos meses?

Eu me sinto um pouco culpada por afastá-la do namorado. Quando eu tinha 22 anos, se alguém me pedisse para ficar longe de Tim por meses, eu morreria. Por outro lado, a retrospectiva comprova, para além de qualquer dúvida, que eu era uma completa idiota, e Rocío parece bastante entusiasmada com a oportunidade. Ela planeja se candidatar ao programa de neurociência da Johns Hopkins no segundo semestre, e ter a experiência da Nasa no currículo não será nada mau. Ela até me abraçou quando lhe ofereci a oportunidade de vir comigo – um momento de fraqueza do qual tenho certeza de que ela se arrepende profundamente.

– "Bem"? Você tá brincando? – Ela me olha como se eu fosse louca. – Três meses no Texas... Sabe quantas vezes vou conseguir ver La Llorona?

– La... o quê?

Ela revira os olhos e rapidamente põe seus AirPods.

– Você não sabe *nada* mesmo sobre fantasmas feministas famosos.

Reprimo um sorriso e me volto para a janela. Em 1905, a Dra. Curie decidiu investir o dinheiro do seu Prêmio Nobel na contratação de seu primeiro assistente de pesquisa. Eu me pergunto se ela também acabou trabalhando com uma garota emo, levemente assustadora, adoradora de Cthulhu. Fico olhando as nuvens até me entediar, então pego meu celular no bolso e me conecto ao Wi-Fi de bordo gratuito. Olho rapidamente para Rocío, me certificando de que ela não está prestando atenção, e viro a tela para o outro lado.

Não sou uma pessoa muito dada a segredos, sobretudo por preguiça: me recuso a assumir o trabalho cognitivo de não me contradizer em mentiras e omissões. No entanto, eu tenho, sim, um segredo. Uma única informação que nunca compartilhei com ninguém – nem mesmo com minha irmã. Não me entenda mal, eu confio plenamente em Reike, mas também a conheço bem o bastante para visualizar a seguinte cena: ela flertando com um pastor escocês que conheceu em uma *trattoria* na Costa Amalfitana, usando um vestido de verão esvoaçante. Eles decidem preparar os cogumelos que acabaram de comprar de um fazendeiro bielorrusso, e no meio do caminho ela deixa escapar a única coisa que foi expressamente proibida de falar: que sua irmã gêmea, Bee, administra uma das contas mais populares e polêmicas do Twitter Acadêmico. O primo do pastor escocês é um ativista enrustido dos direitos masculinos e me envia pelo correio um gambá morto, me delata para seus amigos insanos e eu sou demitida.

Não, obrigada. Amo o meu emprego (e os gambás) demais para isso.

Criei o @OQueMarieFaria no meu primeiro semestre do doutorado. Eu estava dando uma aula de neuroanatomia e resolvi enviar para os meus alunos uma pesquisa anônima no meio do semestre, pedindo um feedback sincero sobre como melhorar o curso. O que eu recebi... não foi nada disso. Disseram que minhas aulas seriam mais interessantes se eu as desse nua. Que eu devia engordar um pouco, botar silicone, parar de pintar meus cabelos com "cores não naturais", me livrar dos piercings. Até um número de telefone me mandaram, para o caso de "um dia eu estar no clima de um pau de 25 centímetros". (Aham, claro.)

As mensagens foram bem chocantes, mas o que me fez ir chorar no banheiro foram as reações dos outros alunos no meu grupo – inclusive Tim. Eles riram dos comentários e os consideraram brincadeiras inofensivas e me dissuadiram de denunciá-los ao chefe do departamento, dizendo que eu estava fazendo tempestade em copo d'água.

Obviamente, eram todos homens.

(Sério: por que homens existem?)

Naquela noite, fui dormir chorando. No dia seguinte, me levantei, me perguntei quantas mulheres nas áreas STEM (ciências, tecnologia, engenharia e matemática) se sentiam tão sozinhas quanto eu e, por impulso, criei o @OQueMarieFaria no Twitter. Incluí uma montagem malfeita da Dra. Curie de óculos de sol e uma bio de uma linha: *Deixando a tabela periódica mais feminina desde 1889 (ela/dela)*. Minha intenção era só gritar no vazio. Sinceramente, não pensei que alguém sequer veria meu primeiro tuíte. Mas estava errada.

> @OQueMarieFaria O que a Dra. Curie, primeira professora na Sorbonne, faria se um de seus alunos pedisse que ela desse suas aulas nua?
>
> @198888 Encurtaria a meia-vida dele
>
> @annahhhh ENTREGARIA ELE PRO PIERRE!!!
>
> @emily89 Botaria um pouco de polônio nas calças dele pro pinto murchar
>
> @bioworm55 Detonaria ele DETONARIA ELE
>
> @lucynthesea Isso aconteceu com você? Nossa, eu sinto muito. Uma vez um aluno fez um comentário sobre a minha bunda e foi tão escroto, e ninguém acreditou em mim.

Passada mais de meia década, depois de um punhado de comentários positivos do *Chronicle of Higher Education*, um artigo no *New York Times* e cerca de um milhão de seguidores, a OQMF é o meu lugar preferido da internet. O melhor é que acho que isso também vale para muitas outras pessoas. A conta evoluiu, tornando-se uma espécie de comunidade terapêutica, usada por mulheres nas áreas STEM para contar suas histórias, trocar conselhos e... reclamar.

Ah, nós reclamamos. Reclamamos muito, e é maravilhoso.

> @BiologySarah Ei, @OQueMarieFaria se não recebesse o crédito em um projeto que foi originalmente ideia dela e no qual ela trabalhou por mais de um ano? Todos os outros autores são homens, porque *óbvio* que sim.

– Nossa. – Retuíto a mensagem de Sarah com o seguinte comentário:

Marie colocaria um pouco de rádio no café deles. Além disso, ela consideraria denunciar isso ao Serviço de Integridade em Pesquisa da sua instituição, certificando-se de documentar cada etapa do processo 🖤

Envio a mensagem, tamborilo no braço da poltrona e espero. Minhas respostas não são a principal atração da conta, nem de longe. A verdadeira razão para as pessoas acessarem a OQMF é...

Exato. Isso. Sinto meu sorriso aumentar quando os comentários começam a chegar.

@DraAllixx Isso aconteceu comigo também. Eu era a única mulher e única pessoa não branca na lista de autores e meu nome de repente desapareceu durante as revisões. Me mande uma DM se quiser conversar, Sarah.

@AmyBernard Sou membro da associação Mulheres na Ciência, e temos orientação para situações como essa no nosso site! (Infelizmente elas são comuns.)

@TheGeologician Passando pela mesma situação agr @BiologySarah. Denunciei ao SIP e ainda tá rolando, mas será um prazer conversar se você precisar desabafar.

@SteveHarrison Cara, a verdade: você tá mentindo pra si mesma. Suas contribuições não têm valor suficiente para justificar a autoria. Sua equipe te fez um favor te deixando acompanhar a pesquisa, mas se você não é inteligente o bastante, está FORA. Nem tudo está ligado ao fato de ser mulher, às vezes você só é um fracasso 🙍

É uma verdade universalmente reconhecida que uma comunidade de mulheres tentando cuidar da própria vida deve estar querendo a opinião de um homem aleatório.

Há muito aprendi que me envolver numa discussão com os senhores das áreas STEM, que moram em porões e vão para a internet procurando briga, nunca é uma boa ideia; a última coisa que desejo é fornecer diversão gratuita para seus egos frágeis. Se querem relaxar um pouco, eles podem se matricular em uma academia ou jogar videogames de tiro em terceira pessoa. Como gente normal.

Então me preparo para ocultar a deliciosa contribuição de @SteveHarrison, mas percebo que alguém o respondeu.

@Shmacademics É, Marie, às vezes a gente é só um fracasso. Steve entende disso.

Dou uma risadinha.

@OQueMarieFaria Ai, Steve. Não seja tão duro com vc mesmo.

@Shmacademics Ele é só um cara diante de uma mulher pedindo a ela que faça o dobro do que ele jamais fez para provar que é digna de se tornar cientista.

@OQueMarieFaria Steve, seu velho romântico.

@SteveHarrison Vão se foder. Essa pressão ridícula para ter mulheres nas STEM está acabando com as STEM. As pessoas deviam ser contratadas porque são boas, NÃO PORQUE TÊM VAGINA. Mas agora todo mundo acha que tem que contratar mulheres e elas roubam vagas de homens MAIS QUALIFICADOS. Esse vai ser o fim das STEM E ESTÁ ERRADO.

@OQueMarieFaria Dá pra ver que você tá chateado, Steve.

@Shmacademics Coitadinho.

Steve bloqueia nossos perfis, e eu dou outra risadinha, atraindo um olhar curioso de Rocío. @Shmacademics é outra conta imensamente popular no Twitter Acadêmico e de longe a minha favorita. Ele tuíta principalmente sobre o fato de que deveria estar escrevendo artigos, zomba do elitismo e da torre de marfim na academia e critica ciência de má qualidade ou tendenciosa. De início, desconfiei um pouco dele – sua bio diz "ele/dele", e sabemos como homens cis podem se comportar na internet. Mas acabamos formando uma espécie de aliança. Quando os senhores das áreas STEM se ofendem com a simples ideia de mulheres na ciência e começam a se meter em minhas menções, ele me ajuda a ridicularizá-los um pouco. Não sei bem quando começamos a nos falar por DM, quando parei de temer que ele secretamente fosse um participante aposentado do movimento Gamergate querendo me expor publicamente, ou quando comecei a considerá-lo um amigo. Mas já faz alguns anos que conversamos sobre meia dúzia de coisas diferentes algumas vezes por semana, sem nem mesmo sabermos o nome um do outro. É estranho saber que Shmac teve piolho três vezes no segundo ano, mas não em que fuso horário ele mora? Um pouco. Mas também é libertador. Além do mais, expressar suas opiniões on-line pode ser muito perigoso. A internet é um mar cheio de peixes cibercriminosos sinistros e, se Mark Zuckerberg pode cobrir a webcam de seu laptop com fita adesiva, eu me reservo o direito de me manter dolorosamente anônima.

O comissário de bordo me oferece um copo d'água trazido em uma bandeja. Balanço a cabeça em recusa, sorrio e mando uma DM para Shmac.

MARIE: Acho que Steve não quer mais brincar com a gente.

SHMAC: Acho que Steve não ganhou muitos abraços quando era girino.

MARIE: kkkk

SHMAC: Como tá a vida?

MARIE: Boa! Começo um projeto novo bem legal na semana que vem. Vou escapar do meu chefe nojento.

SHMAC: Não acredito que esse cara ainda tá no mercado.

MARIE: O poder de conhecer as pessoas certas. E da inércia. E vc, como vai?

SHMAC: O trabalho anda interessante.

MARIE: Interessante de um jeito bom?

SHMAC: Interessante de um jeito político. Então, não.

MARIE: Tenho até medo de perguntar. E o resto?

SHMAC: Estranho.

MARIE: O gato fez cocô no seu sapato de novo?

SHMAC: Não, mas outro dia encontrei um tomate na minha bota.

MARIE: Manda fotos da próxima vez! O que tá rolando?

SHMAC: Nada sério.

MARIE: Ah, vai!

SHMAC: Como é que vc sabe que alguma coisa tá rolando?

MARIE: Sua falta de pontos de exclamação!

SHMAC: !!!!!!!11!!1!!!!!

MARIE: Shmac...

SHMAC: Para sua informação, estou suspirando profundamente.

MARIE: Claro. Me conta!

SHMAC: É uma garota.

MARIE: Uhuuul! Me conta TUDO!!!!!!!11!!1!!!!!

SHMAC: Não tem muito o que contar.

MARIE: Você conheceu ela agora?

SHMAC: Não. Já conheço faz tempo, e agora ela reapareceu.

SHMAC: E ela é casada.

MARIE: Com você?

SHMAC: Infelizmente, não.

SHMAC: Desculpa… estamos reestruturando o laboratório. Preciso ir antes que alguém destrua um equipamento de 5 milhões. A gente se fala depois.

MARIE: Tá bom, mas vou querer saber tudo sobre esse seu caso com uma mulher casada.

SHMAC: Quem me dera.

É bom saber que Shmac está sempre a um clique de distância, ainda mais agora que estou indo para os braços gelados e pouco acolhedores do Levidiota.

Passo para o app de e-mail para verificar se Levi finalmente respondeu a mensagem que enviei há três dias. Foram somente duas linhas – *Oi, quanto tempo! Estou ansiosa para trabalharmos juntos outra vez. Gostaria de marcar um encontro para discutirmos o Blink este fim de semana?* –, mas ele devia estar ocupado demais para responder. Ou só me despreza demais. Ou as duas coisas.

Argh.

Recosto a cabeça no apoio e fecho os olhos, me perguntando como a Dra. Curie lidaria com Levi Ward. Ela provavelmente esconderia alguns isótopos radioativos nos bolsos dele, pegaria pipoca e observaria a desintegração nuclear fazer seu trabalho.

É, isso mesmo.

Após alguns minutos, caio no sono. Sonho que Levi é meio tatu: sua pele tem um leve brilho verde-amarelado, e ele está tirando um tomate de sua bota com um equipamento caro. Mesmo com tudo isso, a coisa mais estranha é que finalmente está sendo simpático comigo.

Somos acomodadas em pequenos apartamentos mobiliados em um alojamento bem perto do Centro Espacial Johnson, a apenas uns dois minutos do Sullivan Discovery Building, onde vamos trabalhar. Nem acredito que vou morar tão perto do trabalho.

– Aposto que você ainda vai conseguir se atrasar sempre – diz Rocío, e eu a fuzilo com o olhar enquanto destranco a porta.

Não é culpa minha se passei boa parte da juventude na Itália, onde o horário é apenas uma sugestão.

O lugar é consideravelmente mais bonito do que o apartamento que alugo – talvez por causa do incidente com o guaxinim, mas provavelmente porque compro noventa por cento da minha mobília na seção de promoção da Ikea. Tem uma sacada, uma lava-louça e um vaso sanitário cuja descarga funciona cem por cento das vezes, o que é um imenso progresso em minha qualidade de vida. Uma verdadeira mudança de paradigma. Animada, abro e fecho cada armário (estão todos vazios; não sei bem o que eu esperava), tiro fotos para mandar para Reike e para meus colegas de trabalho, prendo meu ímã favorito da Marie Curie na geladeira (uma foto dela segurando uma pipeta que diz "Sou foda"), penduro meu bebedouro de beija-flores na sacada, e então...

Ainda são duas e meia da tarde. Argh.

Não que eu seja uma dessas pessoas que odeiam ter tempo livre. Eu poderia facilmente passar cinco horas cochilando, revendo *The Office* e comendo jujuba, ou passando para a Segunda Etapa do programa Do Sofá aos 5km, ao qual ainda estou muito... ok, *meio* comprometida. Mas estou aqui! Em Houston! Perto do Centro Espacial! Prestes a começar o projeto mais legal da minha vida!

Hoje é sexta-feira, e só preciso me apresentar na segunda, mas estou transbordando de ansiedade. Então mando uma mensagem para Rocío perguntando se ela quer ir dar uma olhada no Centro Espacial comigo ("Não") ou sair para jantar ("Eu só como carcaças de animais").

Ela é tão má. Amo.

Minha primeira impressão de Houston é: enorme. Seguida de perto por: úmida. E então por: *muito* úmida. Em Maryland, ainda há restos de neve no chão, mas o Centro Espacial já está verde e exuberante, um misto de espaços abertos, edifícios grandes e antigas aeronaves da Nasa em exibição. Há famílias visitando o lugar, parecendo um pouco um parque de diversões. Não acredito que vou ver foguetes pelos próximos três meses a caminho do trabalho. Isso com certeza ganha do guarda de trânsito pervertido que trabalha no campus dos Institutos.

O Discovery Building fica na periferia do centro. É amplo, futurista e tem três andares com paredes de vidro e um sistema de escadas de aspecto complicado que não consigo decifrar de imediato. Entro no saguão de mármore, me perguntando se minha nova sala terá uma janela. Não estou acostumada a luz natural; a súbita absorção de vitamina D pode me matar.

– Sou Bee Königswasser. – Sorrio para o recepcionista. – Começo aqui na segunda, e estava pensando se não poderia dar uma olhadinha...

Ele abre um sorriso de desculpas.

– Não posso deixá-la entrar se não tiver um crachá. Os laboratórios de engenharia ficam lá em cima... Área de alta segurança.

Certo. Ok. Os laboratórios de engenharia. Os laboratórios do Levi. Ele provavelmente está lá em cima, mergulhado no trabalho. Engenhando. Laboratoriando. Não respondendo aos meus e-mails.

– Tudo bem, eu entendo. Vou...

– Dra. Königswasser? Bee?

Eu me viro. Há um jovem louro atrás de mim. Ele é bonito de um jeito comum, tem altura mediana e sorri para mim como se fôssemos velhos amigos, embora não me pareça familiar.

– ... Oi?

– Eu ouvi sem querer, e escutei o seu nome... Sou Guy. Guy Kowalsky.

A ficha cai imediatamente. Abro um sorriso.

– Guy! Que bom te conhecer pessoalmente.

Quando fui notificada sobre o Blink, Guy foi o meu contato para questões de logística, e trocamos alguns e-mails. Ele é astronauta (*um astronauta de verdade!*) e trabalha no Blink enquanto está em terra. Ele parecia tão familiarizado com o projeto que de início supus que o lideraria ao meu lado.

Ele aperta minha mão calorosamente.

– Adoro o seu trabalho! – diz Guy. – Li todos os seus artigos... Será ótimo ter você no projeto.

– Idem. Mal posso esperar para colaborar.

Se eu não estivesse desidratada do voo, provavelmente choraria. Nem creio que esse homem, esse homem simpático e agradável, que me fez mais gentilezas em um minuto do que o Dr. Levidiota em um ano inteiro, podia ter sido colíder comigo. Eu devo ter feito algo que deixou algum deus puto. Zeus? Eros? Deve ser Poseidon. Não devia ter feito xixi no mar Báltico durante minha juventude desperdiçada.

– Que tal eu te mostrar o prédio? Você pode entrar como minha convidada.

Ele dá um aceno de cabeça para o recepcionista e gesticula para que eu o siga.

– Não quero atrapalhar o seu trabalho... de astronauta – falo.

– Estou em um intervalo entre missões. Fazer um tour com você é muito melhor do que resolver bugs.

Ele dá de ombros com um charme juvenil. Vamos nos dar muito bem, já sei disso.

– Você mora em Houston há muito tempo? – pergunto ao entrarmos no elevador.

– Cerca de oito anos. Vim para a Nasa assim que terminei o doutorado. Me inscrevi para o Corpo de Astronautas, fiz o treinamento, depois veio a missão. – Faço uns cálculos mentais. Significa que ele tem uns 30 e tantos anos, mais do que pensei. – Passei os últimos dois anos, mais ou menos, trabalhando no precursor do Blink. Na engenharia da estrutura do capacete, projetando o sistema sem fio. Mas chegamos a um ponto em que precisávamos ter um especialista em neuroestimulação a bordo. – Ele me dirige um sorriso caloroso.

– Mal posso esperar pra ver o que vamos projetar juntos – comento.

Também mal posso esperar para descobrir por que a liderança do projeto foi dada a Levi, e não a alguém que está na pesquisa há anos. Parece injusto. Com Guy *e* comigo.

As portas do elevador se abrem, e ele aponta um café de aspecto pitoresco no canto.

– Aquele lugar ali... Ótimos sanduíches e o pior café do mundo. Está com fome?

– Não, obrigada.

– Tem certeza? Por minha conta. Os sanduíches de ovo são quase tão bons quanto o café é ruim.

– Eu não como ovo.

– Me deixa adivinhar: vegana?

Faço que sim. Eu me esforço para quebrar os estereótipos que afligem o meu povo e não uso a palavra "vegana" em meus três primeiros contatos com alguém que acabei de conhecer, mas se é a pessoa quem a menciona, então não tenho o que fazer.

– Vou te apresentar à minha filha, então. Ela acabou de anunciar que não vai mais comer produtos de origem animal. – Ele suspira. – No fim de semana passado, coloquei leite de vaca no cereal, achando que ela não ia perceber a diferença. Ela me disse que a equipe jurídica dela vai entrar em contato.

– Quantos anos ela tem?

– Acabou de fazer 6.

Eu dou uma risada.

– Boa sorte!

Parei de comer carne aos 7 anos, quando me dei conta de que os deliciosos nuggets de *pollo* que minha avó siciliana servia quase todo dia e as *galline* fofinhas ciscando pela fazenda estavam mais... conectados do que eu suspeitara a princípio. Uma reviravolta impressionante, eu sei. Reike não ficou tão abalada: quando expliquei, toda nervosa, que "os porcos também têm família – mãe, pai e irmãos que vão sentir falta deles", ela apenas assentiu, pensativa, e disse: "O que você está dizendo é que devíamos comer a família toda?" Uns dois anos depois, passei a ser totalmente vegana. Enquanto isso, minha irmã estabeleceu como meta de vida comer produtos de origem animal suficiente para duas pessoas. Juntas, deixamos a pegada de carbono de uma pessoa normal.

– Os laboratórios de engenharia ficam nesse corredor – diz Guy. O espaço é uma mistura interessante de vidro e madeira, e dá para ver o interior de algumas das salas. – Um pouco entulhado, e a maioria das pessoas está de folga hoje... Estamos reposicionando alguns equipamentos e reorganizando o espaço. Temos muitos projetos em andamento, mas o Blink é a menina dos olhos de todo mundo. Os outros astronautas volta e meia aparecem só pra perguntar quanto tempo ainda falta para seu capacete estiloso ficar pronto.

Sorrio.

– Sério?

– Sério.

Fazer um capacete estiloso para astronautas é literalmente a descrição do meu trabalho. Posso acrescentá-la ao meu perfil no LinkedIn. Não que alguém ainda use o LinkedIn.

– Os laboratórios de neurociência... os seus laboratórios... ficam à direita. Por aqui tem... – O celular dele toca. – Desculpa... se importa se eu atender?

– De jeito nenhum.

Sorrio ao ver que a capinha do celular dele tem um castor (o engenheiro da natureza) e desvio o olhar.

Eu me pergunto se Guy acharia tosco da minha parte tirar algumas fotos do edifício para meus amigos verem. Decido que não ligo tanto, mas, quando pego o celular, ouço um barulho vindo do corredor mais à frente. É baixinho e alegre, e parece muito com um...

Miau.

Torno a olhar para Guy. Ele está ocupado, explicando a alguém muito jovem como colocar *Moana* na TV, então resolvo investigar. A maior parte das salas está vazia, laboratórios cheios de equipamentos grandes e indecifráveis que parecem pertencer a... bem, à Nasa.

Miau.

Dou meia-volta. A poucos metros, me olhando com uma expressão curiosa, há um lindo filhote de gato malhado.

– Ei, quem é você?

Estendo a mão lentamente. A gatinha se aproxima, fareja meus dedos delicadamente e esfrega a cabeça na minha mão em boas-vindas.

Eu dou uma risada.

– Que fofinha. – Eu me abaixo para coçar debaixo do queixo dela, e a gata mordisca meu dedo, uma mordidinha carinhosa, de brincadeira. – Você não é a gatinha mais perfeitinha do mundo? Que *felinidade* te encontrar aqui.

Ela me dirige um olhar de desprezo e me dá as costas. Acho que ela entende trocadilhos.

– Ei, foi só uma brincadeira de *miau* gosto. – Outro olhar fuzilante. Então ela pula em um carrinho próximo, sobre o qual estão caixas e equipamentos precariamente empilhados quase até o teto. – Aonde você vai?

Estreito os olhos, tentando descobrir onde ela foi parar, e é então que me dou conta. Os equipamentos? Precariamente empilhados? O empilhamento está precário *mesmo*. E a gatinha mexeu neles o suficiente para desalojá-los. E vai cair tudo na minha cabeça.

Neste.

Exato.

Momento.

Tenho menos de três segundos para sair do lugar. Isso é péssimo, porque todo o meu corpo de repente parece feito de pedra e não responde aos comandos do meu cérebro. Eu fico ali, aterrorizada, paralisada, e fecho os olhos enquanto um emaranhado caótico de pensamentos gira em minha cabeça. *A gatinha está bem? Será que vou morrer? Ah, meu Deus, eu vou morrer. Esmagada por uma bigorna de tungstênio, como o Coiote do Papa-Léguas. Sou um Pierre Curie do século XXI, prestes a ter o crânio esmagado por uma carroça puxada por cavalos. Só que não tenho uma cadeira no departamento de física da Universidade de Paris para deixar para minha adorável esposa, Marie. E mal fiz um décimo de toda a ciência que pretendo fazer. E eu queria tantas coisas e eu nunca... ai, meu Deus, a qualquer segundo agora...*

Alguma coisa se choca contra o meu corpo, me lançando de lado contra a parede.

Sinto apenas dor.

Por alguns segundos. Então a dor passa, e só escuto *barulho*: metal retinindo ao cair no chão, gritos horrorizados, um "miau" agudo a distância e, perto do meu ouvido... alguém arfando. A dois centímetros de mim.

Abro os olhos, arquejando em busca de ar, e...

Verde.

Tudo que vejo é verde. Não verde-escuro, como a grama lá fora; não verde-opaco, como os pistaches que comi no avião. Esse verde é claro, penetrante, intenso. Familiar, mas difícil de identificar, parecido com...

Olhos. Estou olhando para os olhos mais verdes que já vi. Olhos que já vi antes. Olhos cercados por cabelos pretos ondulados e um rosto anguloso e acentuado e lábios cheios, um rosto que é imperfeitamente bonito de uma forma ofensiva. Um rosto ligado a um corpo grande e sólido – um corpo que está me prendendo contra a parede, um corpo feito de peito largo e coxas que poderiam se passar por troncos de árvores. Facilmente. Uma está encaixada entre minhas pernas e me mantém de pé. Inabalável. Esse homem até *cheira* como uma floresta – e *essa boca*. Essa boca ainda está arfando em cima de mim, provavelmente pelo esforço de me proteger de mais de trezentos quilos de maquinário de engenharia mecânica e...

Eu *conheço* essa boca.

Levi.

Levi.

Faz seis anos que não vejo Levi Ward. Seis felizes e abençoados anos. E agora aqui está ele, me apertando contra uma parede em pleno Centro Espacial da Nasa, e ele parece... parece...

– Levi! – grita alguém. Os ruídos metálicos cessam. O que era para cair já se assentou no chão. – Você está bem?

Levi não se move nem desvia os olhos. Sua boca se movimenta, assim como o pescoço. Seus lábios se abrem para dizer alguma coisa, mas nenhum som sai. Em vez disso, uma mão, ao mesmo tempo apressada e gentil, se ergue para segurar o meu rosto. É tão grande que eu me sinto perfeitamente aninhada. Envolta em um calor aconchegante e verde. Resmungo quando o toque deixa minha pele, um som queixoso e involuntário saído do fundo da minha garganta, mas paro quando percebo que a mão só está se deslocando para a minha nuca. Para o meu ombro. Para a testa, empurrando o cabelo para trás.

É um toque cauteloso. Premente, mas delicado. Demorado, mas urgente. Como se ele estivesse me estudando. Tentando se certificar de que estou inteira. Memorizando meu rosto.

Levanto os olhos e, pela primeira vez, percebo a preocupação profunda e indisfarçada nos olhos dele.

Seus lábios se mexem e penso que talvez... ele esteja sussurrando meu nome? Várias vezes seguidas? Como se fosse um tipo de prece?

– Levi? Levi, ela está...

Minhas pálpebras se fecham, e tudo fica escuro.

3

GIRO ANGULAR: PRESTE ATENÇÃO

NOS DIAS ÚTEIS, costumo programar o alarme para as sete da manhã – e depois me vejo apertando o botão de soneca de três ("grande sucesso") a oito vezes ("espero que um enxame de gafanhotos raivosos me ataque no caminho do trabalho, me permitindo assim encontrar consolo no frio abraço da morte"). Na segunda-feira, no entanto, o inédito acontece: às 5h45 já estou de pé, alerta e animada. Cuspo meu aparelho de contenção, corro para o banheiro e nem espero a água esquentar para entrar no chuveiro.

Esse é o meu nível de ansiedade.

Enquanto despejo leite de amêndoas no meu cereal de aveia, cumprimento a Dra. Curie fodona.

– O Blink começa hoje – digo ao ímã. – Mande boas energias. Segura a radiação.

Não me lembro da última vez que estive tão animada. Provavelmente porque nunca fiz parte de algo tão legal. Diante do armário, tento escolher uma roupa e me concentro nisso – na mais pura *animação* – para evitar pensar sobre o que aconteceu na sexta-feira.

Para ser franca, não há muito sobre o que pensar. Eu só lembro até o momento em que desmaiei. Sim, caí nos braços viris de Sua Leviandade como uma histérica do início do século XX com inveja do pênis.

Não há nada de novo nisso. Eu desmaio o tempo todo: quando fico algum tempo sem comer; quando vejo imagens de aranhas grandes e peludas; quando estou sentada e me levanto rápido demais. A curiosa incapacidade do meu corpo de manter uma pressão sanguínea mínima em face de acontecimentos comuns do dia a dia faz de mim, como Reike gosta de dizer, uma fã das síncopes. Os médicos ficam intrigados, mas no fim não se preocupam. Há muito que aprendi a sacudir a poeira depois de recobrar a consciência e seguir com a minha vida.

Sexta-feira, no entanto, foi diferente. Despertei alguns instantes depois – a gatinha não estava à vista –, mas meus neurônios ainda deviam estar enlouquecidos, porque tive uma alucinação que *jamais* poderia acontecer: Levi Ward me carregando como se eu fosse uma noiva até o saguão e me acomodando gentilmente em um dos sofás. Em seguida devo ter tido outra alucinação: Levi Ward dando um esporro no engenheiro que deixara o carrinho sem supervisão. Aquilo só podia ter sido um sonho febril, por inúmeras razões.

A primeira é que Levi é aterrorizante, mas não *desse jeito*. Ele é mais o tipo mate-todos-com-sua-fria-indiferença-e-seu-desprezo-silencioso do que o tipo de explosões raivosas. A menos que ele tenha adotado um novo nível de aterrorizante desde que trabalhamos juntos pela última vez, e nesse caso... Que maravilha.

A segunda é que é difícil, e por "difícil" quero dizer impossível, imaginá-lo se posicionando contra alguém que não seja eu em qualquer acidente em que eu esteja envolvida. Sim, ele salvou a minha vida, mas há uma grande chance de que nem soubesse quem eu era quando me empurrou contra a parede. Afinal, é o Dr. Levidiota. O homem que uma vez ficou em pé durante uma reunião de duas horas, em vez de se sentar na última cadeira vazia porque a cadeira estava ao meu lado. O homem que abandonou um jogo de pôquer que estava ganhando porque alguém me incluiu. O homem que abraçou todos no laboratório em seu último dia na universidade, e prontamente mudou para um aperto de mão quando chegou a minha vez. Se ele visse alguém me esfaqueando, provavelmente me culparia por cair em cima da faca – e depois pegaria sua pedra de amolar.

Evidentemente, meu cérebro não estava em sua melhor forma na sexta.

Eu posso ficar aqui parada, olhando para o armário e me torturando com o fato de que minha nêmesis do doutorado salvou a minha vida. Ou posso desfrutar da minha animação e escolher uma roupa.

Opto por um jeans skinny preto e uma blusa de poá vermelha. Prendo o cabelo em tranças que deixariam uma camponesa holandesa orgulhosa, passo batom vermelho e ponho um mínimo de acessórios – os brincos habituais, meu piercing de septo favorito e a aliança da minha avó materna na mão esquerda.

É um pouco estranho usar a aliança de casamento de outra pessoa, mas é a única recordação que tenho da minha *nonna*, e gosto de usá-la quando preciso de sorte. Reike e eu nos mudamos para Messina para morar com ela logo depois que nossos pais morreram. Acabamos tendo de nos mudar novamente apenas três anos depois, quando ela faleceu, mas de todos os nossos breves lares, de todos os parentes, a Nonna foi a que mais nos amou. Assim, Reike usa o anel de noivado dela e eu uso a aliança de casamento. Justo. Faço rapidamente um tuíte animador no @OQueMarieFaria (Uma ótima segunda! MANTENHAM A CALMA E A *CURIE*SIDADE, AMIGOS 👾👾👾👾👾) e saio.

– Animada? – pergunto a Rocío quando passo para buscá-la.

Ela me dirige um olhar sombrio e diz:

– Na França, a guilhotina foi usada até 1977.

Entendo isso como um convite a me calar, e é o que faço, sorrindo como uma idiota. Ainda estou sorrindo quando tiramos a foto para o crachá da Nasa e quando mais tarde nos encontramos com Guy para uma visita formal. É um sorriso movido a energia positiva e esperança. Um sorriso que diz "vou arrasar nesse projeto" e "olha como vou estimular o seu cérebro" e "sou a rainha da neurociência".

Um sorriso que fraqueja quando Guy passa seu crachá e abre mais uma sala vazia.

– E aqui é onde vai ficar o aparelho de estimulação magnética transcraniana – diz ele. Apenas mais uma variação da mesma frase que já ouvi. De novo. E *de novo*.

– *Aqui é onde vai ser o laboratório de eletroencefalografia.*

– *Aqui vocês vão fazer a admissão de participantes, quando o Conselho de Revisão aprovar o projeto.*

– *Aqui vai ser a sala de testes que você pediu.*

Apenas muitas salas que um dia vão ser, mas que ainda não são. Embora a comunicação entre a Nasa e os Institutos Nacionais de Saúde indicasse que todo o necessário para realizar o estudo estaria aqui quando eu começasse.

Tento continuar sorrindo. Espero que seja apenas um contratempo. Além disso, quando a Dra. Curie recebeu o Prêmio Nobel, em 1903, ela não tinha nem um laboratório apropriado e fazia toda a sua pesquisa em um barracão adaptado. *A ciência sempre arruma um jeito*, digo a mim mesma na voz de Jeff Goldblum.

Então Guy abre a última porta e diz:

– E aqui é a sala que vocês duas vão dividir. Seu computador deve chegar logo.

E é nesse momento que meu sorriso se transforma numa carranca.

A sala é bonita. Grande e iluminada, com mesas agradavelmente sem ferrugem e cadeiras que vão oferecer a quantidade ideal de apoio lombar. E mesmo assim...

Para começar, fica o mais distante possível dos laboratórios de engenharia. Não estou brincando: se alguém pegasse um transferidor para encontrar x (isto é, o ponto mais longe da sala de Levi), descobriria que x = minha mesa. Nada de espaços de trabalho interdisciplinares e layouts colaborativos... Mas isso está quase em segundo plano, porque...

– Você disse *computador*? No singular? – Rocío parece horrorizada. – Tipo... um?

Guy faz que sim.

– O que vocês colocaram na sua lista.

– Nós precisamos de, tipo, uns *dez* computadores pro tipo de processamento de dados que fazemos – observa ela. – Estamos falando de estatística multivariável. Análise de componentes independentes. Escalonamento multidimensional e particionamento recursivo. Seis sigma...

– Então vocês precisam de mais?

– Compre pelo menos um ábaco pra gente.

Guy hesita, confuso.

– O quê?

– Nós colocamos cinco computadores na nossa lista – intervenho, olhando de esguelha para Rocío. – Vamos precisar de *todos* eles.

– Tudo bem. – Ele assente, pegando seu celular. – Vou anotar para falar com Levi. Vamos nos encontrar com ele agora. Venham comigo.

Meu coração acelera – provavelmente porque da última vez que vi Levi, meu cérebro confabulou que ele estava me carregando no estilo *A força do destino*, e a vez anterior foi o desfecho de um ano inteiro em que ele me tratou como se eu fosse uma auditora fiscal. Fico mexendo nervosamente na aliança da minha avó e imaginando que desastre de proporções galácticas me aguarda nessa próxima reunião, quando algo chama minha atenção através da parede de vidro.

Guy percebe.

– Quer dar uma espiada no protótipo do capacete? – pergunta ele.

Meus olhos se arregalam.

– É isso que está aí dentro?

Ele assente e sorri.

– Apenas a carcaça por enquanto, mas eu posso te mostrar.

– Seria incrível – respondo, sem fôlego.

É constrangedor o quanto pareço ofegante quando fico animada. Preciso seguir com meu programa Do Sofá aos 5km.

O laboratório é muito maior do que eu esperava: dezenas de bancadas, máquinas desconhecidas coladas à parede e inúmeros pesquisadores em várias estações. Sinto uma breve onda de ressentimento – como o laboratório de *Levi*, ao contrário do *meu*, está totalmente equipado? –, mas me acalmo no instante em que vejo aquilo.

Aquilo.

O Blink é um projeto complexo, delicado e importante, mas sua missão é suficientemente clara: usar o que conhecemos sobre estimulação magnética do cérebro (minha especialidade) para projetar capacetes especiais (especialidade de Levi) que reduzirão os "intervalos de atenção" de astronautas – aqueles pequenos lapsos de atenção que são inevitáveis quando muitas coisas acontecem ao mesmo tempo. É o ápice de décadas de acúmulo de conhecimento: de um lado, engenheiros aperfeiçoando a tecnologia de estimulação *wireless* e, do outro, neurocientistas mapeando o cérebro. Agora, aqui estamos.

Neurociência e engenharia, um casamento abençoado pelo padrinho milionário Blink.

É difícil expressar quanto isso é inovador – duas faixas separadas de pesquisa abstrata transpondo o espaço entre a academia e o mundo real. Para qualquer cientista, essa perspectiva seria emocionante. Para mim, depois do ligeiro desastre por que minha carreira passou nos últimos dois anos, é um sonho se realizando.

Ainda mais agora, que estou diante de provas tangíveis da existência desse sonho.

– Esse é o...?

– É.

– Uau – murmura Rocío, e pela primeira vez ela não soa como uma adolescente lovecraftiana rabugenta.

Eu a zoaria por isso, mas não consigo focar em nada além do protótipo do capacete. Guy está dizendo alguma coisa sobre o design e o estágio de desenvolvimento, mas eu me desligo de suas palavras e chego mais perto. Eu sabia que a peça seria feita de uma combinação de Kevlar e tecido de fibra de carbono, que o visor teria recursos térmicos e de rastreamento ocular, que a estrutura seria otimizada para hospedar novas capacidades. O que eu não sabia era que ele ficaria tão lindo. Uma peça de hardware estonteante, projetada para abrigar o software que fui contratada para criar.

Está lindo. Está elegante. Está...

Errado.

Todo errado.

Franzo a testa, olhando mais de perto o padrão de furos na camada interna.

– Isso aqui é para a vazão da neuroestimulação?

O engenheiro trabalhando na estação do capacete me dirige um olhar confuso.

– Esta é a Dra. Königswasser, Lamar – explica Guy. – A neurocientista dos Institutos Nacionais de Saúde.

– A que desmaiou?

Eu sabia que ficaria marcada por isso, porque é o que sempre acontece. Meu apelido no ensino médio era Bee Sais de Amônia. Maldito seja meu inútil sistema nervoso autônomo.

– A própria. – Sorrio. – Essa é a posição final dos furos de vazão?

– Deveria ser. Por quê?

Eu me inclino, chegando mais perto.

– Não vai funcionar.

Segue-se um breve silêncio, durante o qual estudo o restante da grade.

– Por que diz isso? – pergunta Guy.

– Eles estão muito próximos... Os furos, quero dizer. Parece que vocês usaram o Sistema Internacional 10-20, que é ótimo para gravar dados cerebrais, mas para a neuroestimulação... – Mordo o lábio. – Aqui, por exemplo. Essa área vai estimular o giro angular, correto?

– Talvez. Deixe eu conferir...

Lamar corre para olhar um gráfico, mas eu não preciso de confirmação. O cérebro é o único lugar onde nunca me perco.

– Parte superior... O estímulo na frequência correta vai aumentar a atenção... que é exatamente o que queremos, certo? Mas o estímulo na parte inferior pode causar alucinações. As pessoas experimentam a sensação de estarem sendo seguidas por uma sombra, de estarem em dois lugares ao mesmo tempo, coisas assim. Pense nas consequências de alguém no espaço passando por essa experiência. – Bato na parte interna do capacete com a unha. – As saídas precisam ser mais espaçadas.

– Mas... – Lamar parece seriamente angustiado. – Este é o design do Dr. Ward.

– É, provavelmente o Dr. Ward não sabe nada sobre o giro angular – murmuro, distraída.

O silêncio que se segue deveria ter me alertado. Pelo menos, eu deveria ter percebido a mudança repentina na atmosfera do laboratório. Mas não noto e continuo observando o capacete, anotando mentalmente possíveis modificações e alterações, até que alguém pigarreia em algum lugar no fundo da sala. É quando ergo os olhos e o vejo.

Levi.

Parado na entrada.

Olhando para mim.

Só olhando. Uma montanha alta, austera, de cume nevado. Com sua expressão – a mesma de anos atrás, silenciosa e séria. Um verdadeiro monte Fuji de desdém.

Merda.

Minhas bochechas queimam. Óbvio. Mas *é óbvio* que ele acabou de me pegar falando mal de suas habilidades neuroanatômicas na frente da sua equipe, como uma grande idiota. Esta é a minha vida, afinal de contas: uma ardente e inoportuna bola de fogo de constrangimento.

– Boris e eu estamos na sala de conferência. Vamos para a reunião? – pergunta ele, a voz um barítono grave e severo.

Meu coração bate forte. Vasculho meu cérebro em busca de algo para dizer em resposta. Então Guy fala e percebo que Levi não está se dirigindo a mim. Na verdade, ele está me ignorando completamente, assim como o que acabei de dizer.

– Sim. Já estávamos indo para lá. Acabamos fazendo uma parada.

Levi assente e se vira, uma ordem silenciosa e clara para segui-lo, que todos parecem ansiosos para obedecer. Ele era assim no doutorado também. Um líder nato. Uma presença imperativa. Uma pessoa que ninguém gostaria de contrariar.

Então eu entro em cena. Uma antiga e orgulhosa participante da lista de seus desafetos, que acaba de renovar o contrato com umas poucas e simples palavras.

– *Esse* é o Dr. Ward? – sussurra Rocío quando entramos na sala de conferência.

– É.

– Ótimo. O timing foi *excelente*, chefe.

Eu me retraio.

– Quais são as chances de ele não ter me ouvido?

– Não sei. Quais são as chances de que a higiene pessoal dele deixe muito a desejar e ele tenha imensas bolas de cera nos canais auditivos?

A sala já está lotada. Suspiro e ocupo o primeiro lugar vazio que encontro, só para perceber que é bem em frente à cadeira de Levi. Nível de constrangimento: nuclear. Hoje estou fazendo escolhas cada vez melhores. Comemorações explodem quando alguém coloca duas grandes caixas de donuts no centro da mesa – os funcionários da Nasa claramente ficam tão entusiasmados com comida grátis quanto os acadêmicos comuns. As pessoas começam a querer escolher o seu e a se acotovelar, e Guy grita acima do caos:

– Aquele do canto, com a cobertura azul, é vegano.

Eu lhe dirijo um sorriso agradecido e ele pisca para mim. Ele é tão legal, esse meu quase colíder.

Enquanto espero a multidão se dispersar, faço um inventário da sala. A equipe de Levi parece um Festival da Linguiça®. Só os Picas das Galáxias. O bom e velho Clube do Bolinha. Além de Rocío e de mim, há uma única mulher, uma jovem loura que no momento está vidrada no celular. Meu olhar está hipnotizado pelas ondas douradas perfeitas de seu cabelo e o brilho rosa de suas unhas. Tenho que me obrigar a desviar o olhar.

Ah. Um Festival da Linguiça® é ruim, mas pelo menos está um pequeno passo à frente da Pintolândia®, que é como Annie e eu chamávamos as reuniões acadêmicas com apenas uma mulher na sala. Já estive em situações assim inúmeras vezes no doutorado, e elas variam de desconfortavelmente segregadoras a absurdamente aterrorizantes. Annie e eu costumávamos combinar de participar de reuniões juntas – o que não era tão difícil, já que éramos simbióticas.

Infelizmente, nenhum dos meus pares do sexo masculino jamais entendeu como o Festival da Linguiça® e a Pintolândia® são horríveis para as mulheres. "O doutorado é estressante para todos", dizia Tim quando eu me queixava do meu comitê consultivo inteiramente masculino. "Continue seguindo o exemplo de Marie Curie: ela era a única mulher em toda a ciência na época e ganhou dois Prêmios Nobel."

Obviamente a Dra. Curie *não* era a única cientista mulher na época. A Dra. Lise Meitner, a Dra. Emmy Noether, Alice Ball, a Dra. Nettie Stevens, Henrietta Leavitt e inúmeras outras estavam ativas, com mais talento científico em seus dedinhos do pé do que o cuzão do Tim jamais terá. Mas Tim não sabia disso. Porque, como agora percebo, Tim era burro.

– Estamos prontos para começar.

O ruivo calvo na cabeceira da mesa bate palmas, e as pessoas correm para seus lugares. Eu me inclino para a frente para pegar meu donut vegano, mas minha mão congela em pleno ar.

Ele não está mais ali. Inspeciono a caixa várias vezes, mas só sobraram alguns de canela. Então levanto os olhos e vejo a cobertura azul desaparecendo atrás dos dentes de Levi quando ele dá uma mordida. Uma mordida na droga do *meu* donut. Há dezenas de alternativas, mas pasmem: o Levidiota escolheu o único que eu podia comer. Que tipo de *babaca* negligente e arrogante rouba a única opção disponível de um vegano faminto e carente?

– Eu sou o Dr. Boris Covington – começa o ruivo.

Ele parece um ovo cozido ruivo, exausto e desgrenhado, como se tivesse vindo correndo para a reunião, enquanto há cinco pilhas de papéis em sua mesa esperando por ele.

– Estou encarregado de supervisionar todos os projetos de pesquisa aqui no Discovery Institute, o que faz de mim o chefe de vocês. – Todos riem, com algumas vaias bem-humoradas. A equipe de engenharia parece ser uma turma barulhenta. – Vocês já sabem disso... com a notável exceção da Dra. Königswasser e da Srta. Cortoreal, que estão aqui para garantir que não falhemos em um de nossos projetos mais ambiciosos até agora. Levi será o ponto de contato delas, mas todos, por favor, façam com que elas se sintam bem-vindas.

Todos aplaudem, exceto Levi, que está ocupado terminando seu (*meu*) donut. Que grande babaca.

– Agora vamos fingir que fiz um discurso impressionante e passar para a atividade favorita de todos: uma dinâmica para quebrar o gelo.

Quase todos reclamam, mas acho que sou fã do Boris. Ele parece muito melhor do que meu chefe nos Institutos Nacionais de Saúde. Por exemplo, já está falando há um minuto inteiro e não disse nada abertamente ofensivo.

– Quero que digam seu nome, cargo e... vamos de filme favorito. – Mais resmungos. – Silêncio, crianças. Levi, você começa.

Todos na sala se voltam para ele, que engole o *meu* donut bem devagar. Observo o pescoço dele e uma estranha mistura de sensações-fantasma me atinge. *A coxa dele entre as minhas. Eu sendo pressionada contra a parede. O cheiro amadeirado na base de seu...*

Espera. *O quê?*

– Levi Ward, engenheiro-chefe. E... – Ele lambe um pouco de açúcar do lábio inferior. – *Star Wars: O Império contra-ataca*.

Ah, ele só pode estar de brincadeira. Primeiro rouba o meu donut, e agora o meu filme favorito?

– Kaylee Jackson – continua a loura. – Sou gerente de projeto do Blink... e *Legalmente loira* – diz ela, em um tom parecido com o das garotas da irmandade de Elle Woods, o que me faz gostar dela instintivamente. Rocío, porém, fica tensa ao meu lado. Quando olho para ela, suas sobrancelhas estão franzidas.

Estranho.

Há pelo menos trinta pessoas na sala, e a dinâmica para quebrar o gelo logo fica entediante. Eu tento prestar atenção, mas Lamar Evans e Mark Costello começam a discutir se *Kill Bill: Volume 2* é melhor do que o *Volume 1*, e sinto uma estranha comichão no centro da testa.

Quando me viro, Levi está me fitando intensamente, os olhos cheios desse sentimento que pareço despertar nele. Ainda estou um pouco ressentida por causa do donut, sem contar que ele ainda não respondeu ao meu e-mail, mas lembro a mim mesma o que Boris acabou de dizer: ele é meu principal colaborador. Portanto, banco a simpática e lhe dirijo um sorriso cauteloso e lento, que espero que transmita a mensagem "Desculpa pela alfinetada do giro angular" e "Espero que a gente trabalhe bem juntos" e "Ei, obrigada por salvar minha vida!".

Ele rompe o contato visual sem retribuir o sorriso e toma um gole de café. Meu Deus, eu o odeio tanto...

– Bee. – Rocío me cutuca com o cotovelo. – É a sua vez.

– Ah, hã, certo. Me desculpem. Bee Königswasser, chefe de neurociência. E... – Hesito. – *Star Wars: O Império contra-ataca*.

Com o canto do olho vejo o punho de Levi se fechar sobre a mesa. Droga. Eu devia ter dito *Avatar*. Assim que a reunião acaba, Kaylee vem falar com Rocío.

– Srta. Cortoreal. Posso chamá-la de Rocío? Preciso da sua assinatura neste documento.

Ela sorri com gentileza e estende uma caneta, que Rocío não aceita. Em vez disso, ela fica paralisada, encarando Kaylee, boquiaberta, por vários segundos. Tenho de lhe dar uma cotovelada nas costelas para fazê-la descongelar. Interessante.

– Você é canhota – observa Kaylee enquanto Rocío assina. – Eu também. Canhotos são os melhores, não são?

Rocío não tira os olhos do papel.

– Canhotos têm mais tendência a enxaquecas, alergias, privação do sono, alcoolismo e, em média, vivem três anos menos que os destros.

– Ah. – Os olhos de Kaylee se arregalam. – Eu, hã, não...

Eu adoraria ficar e testemunhar mais dessa excelente interação entre a Patricinha e a Gótica, mas Levi está saindo da sala. Por mais que eu deteste a ideia, precisaremos conversar em algum momento, então corro atrás dele. Quando o alcanço, estou lamentavelmente sem fôlego.

– Levi, espera!

Posso estar exagerando, mas algo na maneira como ele para, rígido, me faz lembrar um presidiário sendo apanhado pelos guardas instantes antes de fugir da prisão. Ele se vira devagar, corpulento, mas surpreendentemente gracioso, todo preto e verde e com seu rosto estranhamente solene.

Na verdade, essa era uma questão no doutorado. Algo a debater enquanto se esperava os participantes aparecerem e as análises serem apresentadas: *Levi é mesmo bonito? Ou ele apenas tem 1,92 metro e a estrutura do Colosso de Rodes?* Havia muitas opiniões circulando. Annie, por exemplo, era totalmente do time "ele é lindo, teria um caso tórrido com ele". E eu respondia *ai, credo* e ria, e a chamava de traidora. E… sim. Acabou que era verdade, só que por razões completamente diferentes.

Em retrospecto, não sei bem por que eu ficava tão chocada com o fã-clube dele. Não é nada tão bizarro que um homem sério e taciturno, que tem vários artigos publicados na *Nature Neuroscience* e que parece capaz de levantar com um só braço todo o corpo docente, fosse considerado atraente.

Não que eu o considerasse. Ou algum dia vá considerar.

Na verdade, eu com certeza *não* estou pensando de novo na coxa dele encaixando-se entre as minhas pernas.

– Oi. – Abro um sorriso hesitante. Ele não retribui, então continuo: – Obrigada pelo outro dia. – Nenhuma resposta ainda. Então avanço mais um pouco: – Eu não estava, sabe… na frente daquele carrinho de brincadeira. – Preciso parar de mexer na aliança da minha avó. Imediatamente. – Tinha uma gata, então…

– Uma gata?

– Sim. Malhada. Um filhote. Branca, com manchas pretas e cor de laranja nas orelhas. Ela era tão fofinha… – Percebo o olhar cético dele. – É sério. Tinha uma gata mesmo.

– *Dentro* do prédio?

– Sim. – Franzo a testa. – Ela pulou no carrinho. Fez as caixas caírem.

Ele assente, claramente duvidando. Fantástico, agora ele acha que eu estou inventando a gata.

Espera. Será que *estou* inventando a gata? Será que era uma alucinação? Será que eu...

– Posso ajudar com alguma coisa?

– Ah. – Eu coço a nuca. – Não. Eu só queria, ah, te dizer que estou muito animada para trabalharmos juntos novamente. – Ele não responde de imediato, e um pensamento terrível me ocorre: Levi não se lembra de mim. Ele não tem ideia de quem sou. – Hã, nós trabalhamos no mesmo laboratório na Pitt. Eu era uma caloura quando você se formou. Não tivemos muito tempo juntos, mas...

Seu maxilar se contrai, então relaxa imediatamente.

– Eu lembro – diz ele.

– Ah, ótimo. – É um alívio. Meu arqui-inimigo do doutorado ter se esquecido de mim teria sido um pouco humilhante. – Achei que talvez não lembrasse, então...

– Meu hipocampo funciona. – Ele desvia o olhar e acrescenta, um tanto áspero: – Pensei que você estivesse na Universidade Vanderbilt. Com o Schreiber.

Estou surpresa que ele saiba disso. Quando fiz planos para trabalhar no laboratório do Schreiber, o melhor dos melhores na minha área, Levi já tinha saído há muito tempo da Pitt. Claro que isso não valeu de nada, porque depois de todos os acontecimentos de dois anos atrás, acabei me virando para encontrar outro emprego. Mas eu não gosto de pensar naquela época. Então digo apenas "Não", mantendo meu tom neutro para evitar expor meu pescoço para a hiena sedenta por sangue.

– Estou nos Institutos Nacionais de Saúde. Trabalhando para Trevor Slate. Mas ele é ótimo também.

Na verdade, não é. E não só porque gosta de ficar me lembrando que mulheres têm cérebros menores que homens.

– Como está o Tim?

Bom, *essa* é uma pergunta cruel. Eu sei que Tim e Levi estão sempre colaborando. Eles até apresentaram um painel juntos na principal conferência da nossa área, no ano passado, logo Levi sabe que eu e Tim cancelamos o casamento. E mais: ele deve estar ciente do que Tim fez comigo. Pelo simples motivo de que todos sabem o que Tim fez comigo. Colegas de laboratório, docentes, zeladores, a mulher que cuidava da cantina da Pitt – *todos* sabiam. Muito antes de mim.

Eu me obrigo a sorrir.

– Bem. Ele está bem.

Duvido que seja mentira. Pessoas como Tim sempre caem de pé, no fim das contas. Ao contrário de pessoas como eu, que aterrissam de bunda, quebram o cóccix e passam anos pagando as contas médicas.

– Ei, o que eu disse mais cedo, sobre o giro angular... Não foi minha intenção ser grosseira. Falei sem pensar.

– Tudo bem.

– Espero que não esteja chateado. Eu não quis passar dos limites.

– Não estou chateado.

Eu o examino. Ele não parece estar chateado. Mas também não parece não estar chateado. Parece o bom e velho Levi: silenciosamente sério, indecifrável, nenhuma simpatia por mim.

– Bom. Ótimo.

Meus olhos pousam em seu bíceps volumoso, e em seguida em seu punho. Ele o está cerrando novamente. Acho que o Dr. Levidiota ainda não me suporta. Que seja. Problema dele. Talvez eu tenha uma aura ruim. Não importa... Estou aqui para fazer um trabalho e vou fazê-lo. Endireito os ombros.

– Guy me apresentou o prédio mais cedo. Percebi que nossos equipamentos ainda não chegaram. Qual é a previsão?

Ele aperta os lábios.

– Estamos trabalhando nisso. Vou te manter informada.

– Ok. Minha assistente de pesquisa e eu não podemos fazer nada até que nossos computadores cheguem. Então, quanto antes, melhor.

– Vou te manter informada – repete ele de forma sucinta.

– Legal. Quando podemos nos reunir para discutir o Blink?

– Me mande um e-mail com os horários em que você está disponível.

– Qualquer horário. Não tenho um cronograma até que meu equipamento chegue, então...

– Por favor, me mande um e-mail. – Seu tom, paciente e firme, grita: *Sou um adulto lidando com uma criança difícil*. Então não insisto mais.

– Ok. Pode deixar.

Faço que sim com a cabeça, dou um aceno de despedida sem entusiasmo e me viro para ir embora.

Mal posso esperar para trabalhar com esse cara por três meses. Adoro ser tratada como se fosse um fiapo tirado do umbigo em vez de um acréscimo valioso à equipe. Foi por isso que fiz um doutorado em neurociência: para alcançar o status de inconveniente e ser tratada de forma condescendente pelos Levidiotas da vida. Sorte a minha que...

– Tem mais uma coisa – diz ele.

Faço meia-volta, intrigada. A expressão dele está tão fechada quanto de hábito, e... Por que é que voltei a pensar na sensação da coxa dele entre as minhas? *Agora não, pensamentos inconvenientes.*

– O Discovery Building tem um código de vestimenta.

Não compreendo suas palavras imediatamente. Então entendo, e olho para as minhas roupas. Ele não pode estar se referindo a mim, pode? Estou usando jeans e camiseta. *Ele* está de jeans e camiseta da Maratona de Houston. (Meu Deus, provavelmente ele é uma daquelas pessoas detestáveis que publicam as estatísticas de seu treino nas redes sociais.)

– Sim? – eu o incito, esperando que se explique.

– Piercings, certas cores de cabelo, certos... tipos de maquiagem são inaceitáveis.

Vejo seus olhos pousarem em uma das tranças sobre meu ombro e então subirem até um ponto acima da minha cabeça. Como se ele não suportasse me olhar por mais do que uma fração de segundo. Como se minha aparência, minha *existência*, o ofendesse.

– Vou pedir que Kaylee te envie o manual.

– Inaceitáveis?

– Exato.

– E você está me dizendo isso porque...?

– Por favor, certifique-se de seguir o código de vestimenta.

Eu quero chutar as canelas dele. Ou talvez socá-lo. Não... O que eu quero mesmo é segurar o queixo dele e obrigá-lo a fitar mais um pouco o que ele claramente considera meu rosto feio e ofensivo. Em vez disso, ponho as mãos nos quadris e sorrio.

– Que interessante. – Mantenho o tom de voz agradável. Porque sou uma pessoa agradável, caramba. – Porque metade da sua equipe está usando moletom ou short, tem tatuagens visíveis, e Aaron, acredito que seja esse o nome dele, tem um alargador na orelha. Isso me faz pensar se não estão sendo usados dois pesos e duas medidas na questão do gênero.

Ele fecha os olhos, como se estivesse tentando se controlar. Como se estivesse lutando contra uma onda de raiva. Raiva de quê? Dos meus piercings? Do meu cabelo? Do formato do meu corpo?

– Apenas certifique-se de seguir o código de vestimenta.

Não posso acreditar nesse idiota.

– Você está falando sério?

Ele faz que sim. De repente, estou com tanta raiva que não aguento ficar na presença dele.

– Muito bem. Vou fazer um esforço para estar *aceitável* a partir de agora.

Eu me viro e retorno à sala de conferência. Se meu ombro roça o peito dele ao passar, estou ocupada demais – me controlando para não lhe dar uma joelhada nas bolas – para me desculpar.

4

GIRO PARA-HIPOCAMPAL: SUSPEITA

MEU SEGUNDO DIA NO BLINK é quase tão bom quanto o primeiro.
– Como assim não podemos entrar na nossa sala?
– Eu já falei. Alguém escavou um fosso ao redor dela e o encheu de jacarés. E de ursos. E de mariposas carnívoras. – Olho em silêncio para Rocío e ela suspira, passando sua identificação pelo leitor junto à porta. Ele pisca uma luz vermelha e faz um ruído monótono. – Nossos crachás não funcionam.
Reviro os olhos.
– Vou procurar Kaylee. Ela provavelmente sabe como resolver.
– Não!
Rocío parece em pânico, o que é bem incomum, e ergo uma sobrancelha.
– Não?
– Não chame Kaylee. Vamos… derrubar a porta. No três? Um, dois…
– Por que não posso chamar a Kaylee?
– Porque não. – Ela engole em seco. – Não gosto dela. Ela é uma bruxa. Pode amaldiçoar nossas famílias. Nossos primogênitos terão as unhas dos pés encravadas por séculos a fio.
– Pensei que você não quisesse filhos.

– E não quero. Estou preocupada com você, chefe.

Inclino a cabeça.

– Ro, isso é insolação? Será que devo comprar um chapéu para você? Houston é muito mais quente que Baltimore...

– Talvez a gente devesse ir pra casa. Nossos equipamentos nem estão aqui mesmo. O que vamos fazer?

Ela está *muito* esquisita. Embora, para ser justa, ela seja sempre esquisita.

– Bom, eu trouxe meu notebook, então podemos... Ah, Guy!

– Oi. Vocês têm tempo pra responder a algumas perguntas?

– Claro. Você poderia abrir a porta da nossa sala? Nossos crachás não estão funcionando.

Ele abre a porta e imediatamente me faz perguntas sobre estimulação do cérebro e cognição espacial, e mais de uma hora se passa.

– Pode ser difícil alcançar estruturas profundas, mas podemos encontrar um outro caminho – digo a ele, por fim. Há um papel cheio de diagramas e cérebros estilizados entre nós. – Assim que os equipamentos chegarem, posso te mostrar. – Mordo o interior da bochecha, hesitante. – Ei! Posso te perguntar uma coisa?

– Se eu quero sair com você?

– Não, eu...

– Ótimo, porque eu prefiro ficar em casa.

Sorrio. Guy me lembra um pouco o meu primo inglês – irresistível, com um sorriso adorável.

– Eu... Existe um motivo para os equipamentos de neuro não terem chegado ainda?

Sei que meu contato deveria ser Levi, mas no momento ele está ignorando os três e-mails que enviei. Não sei como fazer com que ele responda. Usando a fonte Comic Sans? Escrevendo em cores primárias?

– Humm. – Guy olha ao redor. Rocío está concentrada em seu notebook, com os AirPods nos ouvidos. – Ouvi Kaylee dizer que é um problema de autorização.

– Autorização?

– Para que a verba seja desembolsada e os novos equipamentos sejam instalados, muitas pessoas precisam aprovar.

– Quem precisa aprovar? – pergunto.

– Bem, Boris. Os superiores dele. E Levi, é claro. Qualquer que seja o atraso, tenho certeza de que ele vai resolver logo.

A probabilidade de que o atraso seja do próprio Levi é semelhante a de eu cometer um erro no preenchimento do meu imposto de renda (ou seja, muito alta), mas não falo nada.

– Você conhece Levi há muito tempo? – pergunto.

– Há anos. Ele era muito amigo do Peter. Acho que foi por isso que entrou na seleção para o Blink. – Quero perguntar quem é Peter, mas Guy parece supor que eu já sei. Será alguém que conheci ontem? Sou péssima com nomes. – Ele é um engenheiro fantástico e um grande líder de equipe. Ele era do Laboratório de Propulsão a Jato quando eu saí na minha primeira missão espacial. Sei que ficaram tristes quando ele foi transferido.

Franzo a testa. Esta manhã passei por ele conversando com os engenheiros, e todos riam de alguma anedota esportiva que Levi acabara de contar. Escolho acreditar que estavam só puxando o saco dele. Tudo bem, ele é bom no que faz, mas não é possível que seja um chefe querido, é? Não pode ser o mesmo Dr. Levidiota de temperamento intratável e personalidade invernal. E, já que estamos falando no assunto, por que decidiram transferir alguém do Laboratório de Propulsão a Jato em vez de entregar a chefia a Guy?

Só pode ser uma punição divina. Acho que chutei muitos filhotes de cachorro numa vida passada. Talvez eu tenha sido o Drácula.

– Levi é um cara legal – continua Guy. – Um bom amigo também. Ele tem uma picape, me ajudou com a mudança quando minha ex me botou pra fora.

Óbvio que é. *Óbvio* que ele dirige um veículo com uma pegada ecológica imensa e que provavelmente é responsável pela morte de vinte gaivotas por dia. Enquanto mastiga o *meu* donut vegano.

– Além disso, às vezes levamos as crianças para brincarem juntas. Beber algumas cervejas e conversar sobre *Battlestar Galactica* melhora muito a experiência de vigiar duas crianças de 6 anos discutindo sobre quem vai ser a Moana.

Meu queixo cai. *O quê?* Levi tem um *filho*? Uma criança pequena, *humana*?

– Eu não me preocuparia com os equipamentos, Bee. Levi vai cuidar disso. Ele é ótimo em resolver as coisas. – Guy pisca para mim ao se levantar. – Mal posso esperar para ver o que vocês dois, gênios, vão inventar.

Levi vai cuidar disso.

Observo Guy sair e me pergunto se algum dia palavras mais agourentas do que essas já foram proferidas.

Uma curiosidade sobre mim: sou uma pessoa razoavelmente tranquila, mas tenho fantasias muito violentas.

Talvez eu tenha uma amígdala hiperativa. Talvez seja excesso de estrogênio. Talvez seja a falta de modelos parentais enquanto eu crescia. Realmente não sei a causa, mas o fato é que às vezes fantasio sobre assassinar pessoas.

Com "às vezes", quero dizer "com frequência".

E com "pessoas", quero dizer Levi Ward.

Meu primeiro devaneio vívido acontece no meu terceiro dia na Nasa, quando me imagino matando Levi com veneno. Ficaria satisfeita com um fim rápido e indolor, desde que eu pudesse parar orgulhosamente sobre seu corpo sem vida, chutar suas costelas e proclamar: "Isso é por não responder a nenhum dos meus sete e-mails." Depois eu pisaria despreocupadamente em uma de suas mãos descomunais e acrescentaria: "E isso é por nunca estar na sua sala quando eu tento encurralar você." É uma fantasia legal. Ela me sustenta em meu tempo livre, que é… muito. Porque minha capacidade de fazer meu trabalho depende da minha capacidade de estimular cérebros magneticamente, o que, por sua vez, depende da chegada do meu maldito equipamento.

No quarto dia, estou convencida de que Levi precisa ser esfaqueado com lâminas de aço. Eu o embosco no refeitório compartilhado do segundo andar, onde ele está servindo café numa caneca de Star Wars com uma imagem do Baby Yoda. Nela está escrito *Melhor engenheiro você é!* e é tão fofa que ele não a merece. Eu me pergunto se ele a comprou ou se foi um presente do filho. Nesse caso, ele também não merece o filho.

– Ei. – Sorrio para ele, apoiando o quadril na pia. Meu Deus, como ele é alto. E largo. Parece um carvalho de mil anos. Alguém com um corpo desses não combina com uma caneca nerd. – Como vai?

Ele abaixa a cabeça para me olhar, e por uma fração de segundo seus olhos parecem em pânico. Acuados. Rapidamente o olhar se dissolve em sua habitual ausência de expressão, mas não antes que sua mão escorregue, derramando um pouco de café, quase causando queimaduras de terceiro grau.

Sou um troll das cavernas. Tão desagradável que o deixo desastrado. É esse o meu poder.

– Oi – diz ele, secando-se com papel toalha. Nada de "Tudo bem". Nada de "E você?". Nada de "Nossa, o tempo tá úmido hoje".

Suspiro internamente.

– Alguma notícia dos equipamentos?

– Estamos resolvendo.

É espantoso como ele é bom em *olhar* para mim sem me *ver* de verdade. Se fosse uma modalidade olímpica, ele teria medalha de ouro e sua fotografia estamparia uma caixa de cereal.

– Por que ainda não chegaram, exatamente? – questiono. – Algum problema com a verba dos Institutos?

– Autorizações. Mas estamos...

– Resolvendo, sim. – Ainda estou sorrindo. Uma polidez homicida. Os estudos da neurociência sobre reforço positivo são categóricos: tudo é uma questão de dopamina. – Estamos esperando autorizações de quem?

Seus muitos e enormes músculos se retesam.

– Algumas pessoas.

Ele olha para mim e depois para o meu polegar, que está girando a aliança da minha avó. Levi imediatamente desvia o olhar.

– Quem está faltando? Talvez eu possa falar com eles. Ver se consigo agilizar as coisas.

– Não.

Certo. Óbvio.

– Posso ver os desenhos do protótipo? Fazer algumas anotações?

– Estão no servidor. Você tem acesso.

– Tenho? Mandei um e-mail pra você sobre isso e sobre...

O celular toca no bolso dele. Levi verifica quem é e atende com um "oi" suave, antes que eu possa continuar. Ouço uma voz feminina do outro lado. Levi não olha para mim ao articular silenciosamente as palavras "Com licença" e sair da cozinha. Fico só.

Só com meus sonhos de apunhalar esse homem.

No quinto dia, minhas fantasias evoluem novamente. Estou a caminho da minha sala, arrastando um galão de água até o bebedouro e considerando a possibilidade de usá-lo para afogar Levi (seu cabelo parece comprido o suficiente para que eu possa segurá-lo enquanto empurro sua cabeça para debaixo d'água, mas eu também poderia amarrar uma bigorna em seu pescoço). Então ouço vozes do lado de dentro e paro para escutar.

Ok, tudo bem: para bisbilhotar.

– ... em Houston? – pergunta Rocío.

– Cinco ou seis anos – responde uma voz grave. É Levi.

– E quantas vezes você viu La Llorona?

Pausa.

– É aquela mulher da lenda?

– Não é uma *mulher* – responde ela com desdém. – É um fantasma alto, de cabelos escuros. Enganada por um homem, ela afogou os próprios filhos como vingança. Agora ela se veste de branco, como uma noiva, e soluça nas margens dos rios e córregos por todo o Sul.

– Porque está arrependida?

– Não. Está tentando atrair outras crianças para a água e afogá-las. Ela é incrível. Eu quero ser como ela.

A risada suave dele me surpreende. Assim como o tom de sua voz, gentil e brincalhão. Caloroso. Como assim?

– Nunca tive o... hã, prazer, mas posso recomendar trilhas nas proximidades que têm veios d'água. Vou mandar pra você por e-mail.

O que está *acontecendo*? Por que ele está *conversando*? Como uma *pessoa normal*? Sem grunhidos nem acenos de cabeça, nem palavras pela metade, mas sim com frases de verdade? E por que ele está prometendo enviar *e-mails*? Ele sabe fazer isso? E por que, por que, *por que* estou pensando no jeito como ele me prendeu contra aquela parede estúpida? *De novo*?

– Seria ótimo. Normalmente evito a natureza, mas estou pronta para desbravar o ar limpo e a luz do sol por minha celebridade favorita.

– Não acho que ela se qualifique como...

Entro na sala e imediatamente paro, aturdida pela visão mais extraordinária que já tive.

O Dr. Levi Ward. Está. Sorrindo.

Aparentemente, o Levidiota sabe sorrir. Para pessoas. Ele possui os músculos faciais necessários. No entanto, no segundo em que entro, seu sorriso de menino com covinhas se desfaz e seu olhos escurecem. Talvez ele só saiba sorrir para *algumas* pessoas. Talvez eu não seja considerada uma "pessoa".

– Bom dia, chefe. – Rocío acena para mim de sua mesa. – Levi abriu a porta pra mim. Nossos crachás ainda não estão funcionando.

– Obrigada, Levi. Alguma ideia de quando vão passar a funcionar?

Verde gelado. O verde pode ser gelado? O verde dos olhos dele certamente consegue.

– Estamos providenciando.

Ele se dirige para a porta e acho que vai sair, mas em vez disso ele pega o galão de água que arrastei até aqui, levanta-o com uma das mãos – *uma! mão!* – e o encaixa no topo do bebedouro.

– Você não precisa...

– Não custa nada – diz ele.

Ele devia ir para a cadeia por causa desses bíceps. Pelo menos, por um tempinho. Além disso, por favor, prendam-no por sair antes que eu pudesse perguntar se nossos equipamentos chegarão algum dia, se ele vai responder aos meus e-mails em algum momento, se algum dia serei merecedora de um período composto com múltiplas orações.

– Chefe?

Devagar, me viro para Rocío. Ela está me encarando com um olhar questionador.

– Sim?

– Acho que o Levi não gosta muito de você.

Suspiro. Eu não deveria envolver Rocío nessa nossa estranha rixa – em parte porque parece pouco profissional, mas também porque não tenho certeza do que ela vai deixar escapar no momento mais inadequado. Por outro lado, não faz sentido negar o óbvio.

– A gente já se conhecia antes de trabalhar aqui. Levi e eu.

– Antes de você anunciar publicamente que ele não sabe merda nenhuma de neurociência, é isso?

– É.
– Entendi.
– Entendeu mesmo?
– Claro. Vocês viveram uma paixão que aos poucos azedou, culminando no dia em que você flagrou Levi em um abraço íntimo com seu mordomo, esfaqueou-o no abdome 69 vezes e o abandonou à morte... só pra se espantar ao encontrá-lo ainda vivo quando chegou a Houston.

Inclino a cabeça.

– Você acha mesmo que dois cientistas poderiam pagar um mordomo?

Ela pondera.

– Ok, essa parte é pouco realista.

– Levi e eu fizemos doutorado juntos. E nós... – Francamente, não faço ideia de como dizer isso com diplomacia. Quero dizer "não nos dávamos bem", mas nunca nos demos nem bem nem mal. Nunca nem interagíamos, porque ele me desencorajava ou me evitava. – Ele nunca foi meu fã.

Ela assente como se achasse a ideia compreensível. Traidorazinha. Eu a amo.

– Ele odiou você à primeira vista ou o sentimento foi crescendo aos poucos?

– Ah, ele... – Eu me detenho.

Na verdade, não faço ideia. Tento recordar a primeira vez que nos encontramos, mas não consigo. Deve ter sido no meu primeiro dia de aula do doutorado, quando Tim e eu entramos para o laboratório da Sam, mas não tenho nenhuma lembrança. Ele já era vagamente hostil comigo bem antes do incidente na sala da Sam, quando se recusou a trabalhar comigo, mas não consigo situar quando tudo começou. Interessante. Acho que Tim ou Annie talvez saibam. Só que prefiro ter uma morte lenta por envenenamento por cobalto do que falar com um deles de novo.

– Não tenho certeza. – Dou de ombros. – As duas coisas?

– A antipatia de Levi tem ligação com o fato de que eu passei a última semana no TikTok porque não tenho um computador decente pra trabalhar?

Desabo na minha cadeira. Desconfio que as duas coisas estão muito relacionadas, mas não posso provar, nem sei o que fazer a respeito. É uma situação de isolamento. Pensei em falar com outras pessoas aqui na Nasa, ou mesmo nos Institutos, mas eles apenas diriam que Levi precisa de mim para ter sucesso no projeto e que a ideia de que ele estaria se *auto*ssabotando só para *me* sabotar é totalmente absurda. Eles podem até pensar que sou eu que estou errada, uma vez que ainda não me provei competente como líder de projeto.

E há mais uma coisa a considerar. Uma coisa que não quero dizer em voz alta, nem mesmo quero que passe pela minha cabeça, mas aí vai: se a minha carreira é uma muda de árvore, a de Levi é um baobá. Pode suportar muito mais. Ele tem um histórico de financiamentos aprovados e colaborações de sucesso. O fracasso do Blink seria um tropeço na estrada para ele, e um desastre com perda total para mim.

Estou sendo paranoica? Provavelmente. Preciso cortar o café e parar de passar minhas noites arquitetando a morte de Levi. Ele está me enlouquecendo. Enquanto isso, não sabe nem meu sobrenome.

– Não sei, Ro. – Suspiro. – Os dois fatos podem estar relacionados. Ou não.

– Humm. – Ela se balança para a frente e para trás na cadeira. – Será que ajudaria lembrar que o plano de vingança dele está prejudicando não só as *suas* perspectivas de carreira, mas também as de um espectador inocente? A propósito, o espectador inocente sou eu.

Reprimo um sorriso.

– Obrigada por explicar.

– Sabe o que você deveria fazer?

– Por favor, não diga "esfaquear Levi no abdome 69 vezes".

– Eu não ia dizer isso. É um conselho bom demais para desperdiçar com você. Não, você devia perguntar a @OQueMarieFaria. No Twitter. Você conhece?

Fico paralisada. Meu rosto esquenta. Estudo a expressão de Rocío, mas está tão rabugenta e entediada como sempre. Por alguns instantes considero a possibilidade de dizer que nunca ouvi falar, mas parece uma reação desproporcional.

– Conheço.

– Imaginei, porque você é fã da Marie Curie. Você tem, tipo, três pares de meia da Marie Curie. – Tenho sete, mas apenas murmuro "hum", evasiva. – Você pode mandar um tuíte pra Marie contando seu problema. Ela vai retuitar e você vai receber conselhos. Eu faço perguntas a ela o tempo todo.

Sério?

– Verdade? Do seu Twitter profissional?

– Ah, não, eu uso contas anônimas. Não quero que os outros saibam dos meus assuntos particulares.

– Por quê? – pergunto.

– Eu reclamo muito. De você, por exemplo.

Tento não sorrir. É muito difícil.

– O que foi que eu fiz?

– Sabe os pratos veganos da Lean Cuisine que você sempre come na sua mesa?

– Sei.

– Têm cheiro de peido.

Naquela noite levo uma cadeira para a sacada e observo o bebedouro de beija-flor vazio e deprimente, tentando formular uma pergunta da maneira mais vaga possível.

> @OQueMarieFaria ... se ela suspeitasse que um colaborador armou uma *vendetta* contra ela e está sabotando um projeto conjunto dos dois?

Quando coloco em palavras, parece tão estúpido que não consigo enviar. Em vez disso, pergunto ao Google se estou na faixa etária para ideação paranoide – merda, estou – e ligo para Reike para atualizá-la sobre os últimos acontecimentos.

– Como assim você quase *morreu*? Você viu sua vida passar diante dos seus olhos? Pensou em mim? Nos gatos que você nunca adotou? No amor que nunca se permitiu sentir? Suas muralhas ruíram?

Não sei por que insisto em contar à minha irmã cada uma das pequenas humilhações que acontecem comigo. Minha vida é mortificante o suficiente sem seus comentários impiedosos.

– Não pensei em nada.

– Você pensou na Marie Curie, não pensou? – Reike ri. – Sua esquisita. Como o Levidiota conseguiu salvar você? De onde ele veio?

Essa é realmente uma boa pergunta. Não faço ideia de como ele conseguiu intervir tão depressa.

– Provavelmente só estava no lugar certo na hora certa.

– E agora você *deve* uma a ele. Seu arqui-inimigo. Que delícia!

– Você está se divertindo um pouco demais.

– Bee, passei o dia ensinando dativo em alemão por trinta euros. Eu mereço.

Suspiro. O bebedouro de beija-flor continua inconsolavelmente vazio, e meu coração se aperta. Sinto saudade de Fineias. Sinto saudade das quinquilharias que acumulei no meu apartamento de Bethesda, que o faziam parecer um lar. Sinto saudade de Reike – de vê-la pessoalmente, abraçá-la, de estar no mesmo fuso horário que ela. Sinto saudade de saber onde ficam as azeitonas no supermercado. Sinto saudade de fazer ciência. Sinto saudade do entusiasmo que senti durante meus três dias de comemoração, quando pensei que o Blink seria a maior oportunidade da minha vida. Sinto saudade de não ter que pesquisar no Google se estou tendo um surto psicótico.

– Estou louca? Levi está mesmo me sabotando?

– Você não está louca. Se estivesse, eu também estaria. Genes, essas coisas.

– Conhecendo Reike, não considero isso tranquilizador. Nem um pouco. – Mas, por mais que ele te deteste, é difícil acreditar que esteja te sabotando. Esse nível de ódio exige tanto esforço, motivação e comprometimento que é basicamente amor. Duvido que ele se importe tanto. Meu palpite é que ele está apenas sendo homem e não está te ajudando ativamente. E é por isso que você deve ter uma conversa calma porém firme com ele.

Suspiro de novo.

– Provavelmente você tem razão.

– Provavelmente?

Sorrio.

– Muito provavelmente.

– Hum. Me conta sobre Guy, o Astronauta. Ele é gato?

– Ele é legal.

– Ah. Não é gato, então.

Quando vou para a cama, estou convencida de que Reike está certa. Preciso ser mais firme nas minhas exigências. Tenho um plano para a próxima semana: se não houver uma data para a chegada dos meus equipamentos na segunda-feira pela manhã, vou confrontar Levi civilizadamente e dizer a ele que pare com a enrolação. Se as coisas ficarem feias, vou ameaçar usar o vestido de novo. Isso foi claramente sua kryptonita. Eu estaria disposta a lavar roupa todas as noites e submetê-lo a isso pelo restante da minha estada em Houston.

Sorrio para o teto, pensando que ser repugnante às vezes tem suas vantagens. Eu me viro e, quando os lençóis farfalham, estou quase de bom humor. Cautelosamente otimista. O Blink vai dar certo; vou fazer com que dê.

E, então, a segunda-feira acontece.

5

AMÍGDALA: RAIVA

O DIA COMEÇA COM TREVOR, meu chefe dos Institutos Nacionais de Saúde, querendo conversar "assim que você puder, Bee", o que me faz gemer enquanto como meu mingau de aveia.

A neurociência é um campo relativamente novo, e Trevor é um cientista medíocre que teve a sorte de estar no lugar certo quando toneladas de cargos e oportunidades de financiamento na área foram criadas. Vinte anos depois, ele já tinha feito contatos suficientes para evitar ser demitido – embora eu suspeite fortemente que, se lhe fosse apresentado um cérebro humano, ele não seria capaz de apontar o lobo occipital.

Ligo para ele no caminho para o trabalho, o ar úmido da manhã instantaneamente formando uma camada grudenta na minha pele. As primeiras palavras dele são:

– Bee, em que altura do Blink vocês estão?

Ah, vou muito bem, obrigada. E você?

– Prestes a começar a segunda semana.

– Mas em que pé está o projeto? – Ele se irrita. – Os trajes estão prontos?

– Capacetes. São capacetes.

Um detalhe que parece fácil de lembrar, uma vez que estudamos o cérebro.

– Que seja – diz ele com impaciência. – Estão prontos?

Sinto *tão pouco* a falta dele. Mal posso esperar que o Blink torne o meu currículo impressionante e eu possa ser promovida a um cargo que não exija tomar conhecimento da sua existência.

– Não, não estão. O prazo previsto é de três meses. Ainda nem começamos.

Pausa.

– Como assim não começaram?

– No momento eu nem tenho equipamento. Não tenho aparelho de eletroencefalograma. Não tenho o aparelho de estimulação magnética transcraniana. Não tenho *computadores*, nem mesmo acesso à minha sala. Tudo que eu solicitei no meu requerimento, há *semanas*, ainda está para chegar.

– O *quê*?

– Existem autorizações misteriosas que precisam ser obtidas. Mas é impossível descobrir *de quem* são essas autorizações.

– Está falando *sério*?

Meu coração bate mais depressa ao ouvir a indignação na voz dele. Trevor parece zangado – será que tenho um aliado? Um aliado horrível, mas útil. Se ele fizer pressão nos bambambãs nos níveis mais altos, eles vão intervir e Levi não vai mais poder enrolar.

Ah, meu Deus. Por que não liguei para Trevor no primeiro dia?

– Eu *sei*, é uma estupidez, uma perda de tempo, uma atitude nada profissional. Não tenho certeza de quem pode nos ajudar a resolver essa situação, mas...

– Então acho melhor você descobrir. O que *você* está fazendo aí há uma semana? Visitando o museu espacial? Bee, você não está de férias.

– Eu...

– É *sua* responsabilidade dar andamento ao Blink. Para que acha que foi contratada?

Certo. Foi por *isso* que não liguei para Trevor.

– Eu não tenho nenhum poder nem conexões aqui. Meu contato é o Levi, e qualquer coisa que eu faça é...

– Obviamente o que você faz não é suficiente. – Ele respira fundo. – Me escute com atenção, Bee. George Kramer me ligou ontem à noite. – Kramer é o chefe do nosso instituto, tão distante do meu humilde cargo de cientista que demoro um instante para situar seu nome. – Na sexta-feira, ele conversou com o diretor dos Institutos Nacionais de Saúde e com dois membros do Congresso. O consenso geral é de que o Blink é o tipo de projeto que os contribuintes recebem com entusiasmo. Mistura astronautas e cérebros, o que já provou ser bem aceito pelo norte-americano médio. São tópicos sexy. – Eu me encolho. Não aguento mais ouvir Trevor e seu mau hálito usarem a palavra "sexy". – Além disso, é uma colaboração entre duas agências governamentais que já são queridas pela população. Isso vai fazer bem à imagem da atual administração, e eles *precisam* de uma boa imagem.

Franzo a testa. Ele está falando há mais de um minuto e não mencionou a ciência nenhuma vez.

– Não estou entendendo.

– Significa que estão prestando muita atenção no Blink, no momento. No *seu* desempenho. Kramer quer atualizações semanais, a partir de hoje.

– Ele quer uma atualização *hoje*?

– E toda semana a partir de hoje.

Bem, isso vai ser um problema. O que esperam que eu diga a ele? Que não tenho nenhum progresso a relatar? Ou será que ele aceita uma lista proibida para menores de fantasias de assassinato muito intrincadas que tenho tecido com relação ao Dr. Levi Ward? Estou flertando com a ideia de transformá-las em uma HQ.

– E Bee – continua Trevor –, Kramer não quer saber de tentativas. Ele quer *resultados.*

– Espere um minuto. Posso dar a Kramer quantas atualizações ele quiser. Mas isto é ciência, e não relações públicas. Eu quero resultados tanto quanto ele, mas estamos falando sobre desenvolver um equipamento que vai alterar a atividade cerebral de astronautas. Não vou apressar experimentos e cometer um erro possivelmente fatal...

– Então você está fora do projeto.

Meu queixo despenca. Paro no meio da faixa de pedestres – até que um Nissan buzina e, sobressaltada, corro para a calçada.

– O quê... o que você disse?

– Se não tomar jeito, vou tirar você e mandar outra pessoa.

– Por quê? *Quem?*

— Hank. Ou Jan. Ou outra pessoa. Você sabe o tamanho da lista? Quantas pessoas se candidataram a esse cargo?

— Mas essa é a questão! Consegui o Blink porque sou a mais qualificada, você não pode simplesmente mandar outra pessoa!

— Posso, se você passou uma semana inteira aí e não conseguiu fazer nada. Bee, não importa se você é a melhor profissional em neuroestimulação que eu tenho.... Se não tomar uma atitude logo, você está fora.

Quando chego à minha sala, meu coração está disparado e a cabeça, um caos. Trevor pode me tirar do Blink? Não. Ele não pode. Ou talvez possa. Não faço ideia.

Merda, claro que pode! Ele pode fazer o que quiser, especialmente se tiver como provar que não estou fazendo o bastante. E vai ter, graças ao Levidiota. Meu Deus, eu o odeio. Minhas fantasias homicidas chegam à sua forma final: empalamento vertical. Ao estilo de Vlad. Vou espetar a estaca bem diante da janela do meu quarto. Seu sofrimento vai ser a última coisa que verei antes de dormir e a primeira ao acordar. Vou passar néctar no corpo dele para que os beija-flores se banqueteiem com seu sangue. Um plano infalível.

Rocío pediu para tirar a manhã de folga. Estou sozinha na sala, livre para fazer o que meu coração deseja: bater com a cabeça na mesa. Quais são minhas opções? Preciso de uma resposta definitiva sobre quando os equipamentos vão ser entregues, mas não sei a quem perguntar. Guy vai me encaminhar para Levi, Levi vai se recusar a falar comigo e...

Eu me sento ereta na cadeira quando uma ideia começa a se formar na minha mente. Dois minutos depois estou ao telefone com a StimCase, a empresa que produz o sistema que eu uso.

— Aqui é a Dra. Bee Königswasser, do Sullivan Discovery Institute, Nasa. Gostaria de verificar o status do nosso pedido. É um sistema de estimulação magnética transcraniana.

— Claro. — A voz da mulher no atendimento ao cliente é baixa e tranquilizadora. — A senhora tem o número do pedido?

— Hum... não estou com ele aqui. Minha assistente saiu. Mas deve constar como pesquisador principal o meu nome ou o do Dr. Levi Ward.

— Só um momento, então. Ah, sim. Está em nome do Dr. Ward. Mas parece que o pedido foi cancelado.

Meu estômago se retorce em nós. Aperto com força os dedos ao redor do telefone para impedir que ele caia.

– Por favor, poderia... – Pigarreio. – Poderia verificar novamente?

– O pedido deveria ter sido enviado na segunda passada, mas o Dr. Ward cancelou na sexta-feira anterior.

No dia em que Levi me viu em Houston pela primeira vez. No dia em que ele salvou minha vida. No dia em que ele decidiu que não tinha intenção nenhuma de trabalhar comigo, jamais.

– Eu... Certo. – Faço que sim, embora ela não possa me ver. – Obrigada.

O barulho do telefone sendo desligado é ensurdecedor e fica ecoando na minha cabeça por longos instantes.

Não sei o que fazer. O que eu faço? Merda. *Merda*. Sabe quem ia saber o que fazer? A Dra. Curie, claro. E também: Annie. Quando ela estava no terceiro ano, um cara roubou suas fibras ópticas, então ela instalou uma sub-rotina no computador dele que abria um pop-up com vídeos pornô toda vez que ele digitava a letra *x*. Ele quase abandonou o doutorado. Naquela noite, comemoramos bebendo sangria de melancia e reinventando a Macarena no terraço do prédio onde ela morava.

Obviamente, o que Annie sabe ou *não* sabe é irrelevante. Ela não faz mais parte da minha vida. Ela fez as escolhas dela. Por motivos que eu jamais vou entender. E eu...

– Bee?

Pouso o celular na mesa, enxugo as mãos suadas no jeans e olho para a porta.

– Oi, Kaylee.

Ela está usando um vestido de renda rosa-choque que parece o oposto de como estou me sentindo.

– Rocío está?

– Não, ela foi fazer uma prova. – Engulo em seco, minha mente ainda desorientada por causa do telefonema. *Telefonemas*. – Posso ajudar em alguma coisa?

– Não. Eu só queria perguntar a ela... – Ela dá de ombros, constrangida, enrubesce um pouco, mas logo depois acrescenta: – Fiquei surpresa por vocês não estarem na reunião hoje de manhã.

Inclino a cabeça.

– Que reunião?

– Com os astronautas.

Os nós no meu estômago se apertam. Não gosto do rumo que isso está tomando.

– Os astronautas?

– É, a que Levi e Guy organizaram. Uma reunião de feedback. Para fazer um brainstorming de opções para os capacetes. Foi muito útil.

– Para que horas... Para que horas essa reunião estava programada?

– Para as oito. Foi marcada na semana passada e... – Kaylee arregala os olhos. – Você sabia disso, não sabia?

Desvio os olhos e balanço a cabeça. Isso é humilhante. E enfurecedor. E outras coisas também.

– Ah, meu Deus. – Ela parece genuinamente consternada. – Eu sinto *muito...* Não tenho ideia de como isso aconteceu.

Dou uma risada silenciosa e amarga.

– Eu tenho.

– Posso fazer alguma coisa para consertar? Como gerente do projeto, quero me desculpar!

– Não, eu... – Forço um sorriso. – A culpa não é sua, Kaylee. Você tem sido ótima.

Fico tentada a explicar que o chefe dela também está sendo ótimo – ótimo em ser um pé no saco. Mas não quero deixá-la em uma posição desconfortável, e não tenho certeza de que confio na minha capacidade de não explodir em uma enxurrada de insultos.

Fico sentada ali por um longo tempo depois que ela sai, olhando as mesas vazias, as cadeiras vazias, as paredes brancas vazias da minha suposta sala, onde eu supostamente deveria fazer a ciência que supostamente vai fazer minha carreira decolar e fazer de mim uma mulher feliz e realizada. Continuo sentada até minhas mãos pararem de tremer e eu não ter mais a sensação de que meu peito está sendo espremido por uma mão enorme.

Em seguida eu me levanto, respiro fundo e marcho direto para a sala de Levi.

Bato, mas não me dou o trabalho de esperar a resposta. Abro a porta, fecho-a ao passar e começo a falar imediatamente, os braços cruzados sobre o peito. Por motivos que não consigo discernir, estou sorrindo.

– Por quê?

Os olhos de Levi se erguem do computador para mim, e sua reação de incredulidade é pequena, mas visível. Sua expressão é a mesma sempre que me vê: um lampejo de pânico. Depois ele se recompõe e seu rosto todo se fecha. Ele devia fazer um esforço genuíno para ampliar sua escala emocional. O que ele acha que vou fazer? Convertê-lo à Cientologia? Vender produtos da Avon? Transmitir febre tifoide?

– De verdade, eu só quero saber por quê. Não estou nem pedindo que você pare, só preciso saber... *por quê*? Tenho cheiro de coentro? Roubei sua vaga no estacionamento, no doutorado? Pareço com a criança que derramou suco no seu Game Boy quando você estava quase zerando *A Lenda de Zelda*?

Ele pisca várias vezes e tem a audácia de parecer confuso. Tenho que reconhecer que ele tem colhões gigantes. Provavelmente para compensar o micropau.

– Do que você está falando?

Meu sorriso se torna amargo.

– Levi. Por favor.

– Não faço ideia do que você está dizendo. Mas estou muito ocupado, então...

– Pois é, eu não estou. Não estou *nem um pouco* ocupada. Não fico tão *desocupada* assim desde as férias de verão no ensino fundamental... mas você já sabe disso, então... por quê?

Ele se recosta na cadeira. Mesmo parcialmente escondido pela mesa, sua presença é impactante. Congelante. Seus olhos são abetos cobertos de neve.

– Tenho coisas para fazer agora. Podemos marcar uma reunião para outra hora?

Eu rio baixinho.

– Claro. Te mando um e-mail?

– Pode ser.

– Vai ter o mesmo número de respostas que os outros que mandei?

Ele franze a testa.

– Claro.

– Nenhuma, então.

Ele franze a testa ainda mais.

– Eu respondi a todos os seus e-mails.

– É mesmo? – Não acredito nem por um segundo. – Talvez seja um problema com o e-mail, então. Se eu checasse minha pasta de spam, eu encontraria uma mensagem sua me convidando para a reunião desta manhã?

É nesse momento que algo muda. O momento em que Levi se dá conta de que vai ter que me enfrentar. Ele se levanta, contorna a mesa e se recosta nela. Cruza os braços e me olha com a maior tranquilidade por um minuto.

Olhe só para nós. Dois arqui-inimigos se encarando casualmente, a postura falsamente relaxada, enquanto bolas de feno rolam à nossa volta. Um faroeste macarrônico moderno.

Eu atiro primeiro.

– Então tudo se resume a um grande mal-entendido de e-mails?

Ele não responde. Apenas fita algum ponto acima do meu ombro direito.

– Faz sentido – continuo. – E-mails que *deveriam* ser recebidos não chegam. E-mails que *não deveriam* ser recebidos chegam. Isso explicaria o e-mail que cancelou o pedido do meu equipamento do sistema de estimulação magnética transcraniana. Provavelmente ele se enviou sozinho. Agora e-mails estão desrespeitando as regras. Ô-ôu, o Outlook está encrencado. – A falsa calma dele está ficando menos convincente. – Pensando bem, essa é a única explicação possível, porque, na semana passada, quando perguntei se vocês tinham uma data de entrega para os meus equipamentos, você respondeu que estava *perto*. E você nunca mentiria pra mim, mentiria?

Seu rosto irritantemente bonito endurece. Sim, ainda mais do que de costume.

– Eu *não* mentiria pra você.

Ele diz isso em um tom sério, irritado, como se fosse importante que eu acredite. Rá.

– Tenho certeza que não. – Eu me afasto da porta e ando pela sala. – E você também *não* me escolheria para falar de um código de vestimenta que obviamente nunca foi aplicado nem impossibilitaria que eu entrasse na minha sala sem ter que implorar para que alguém destranque a porta.

Paro na frente de uma prateleira de livros. Entre os volumes de engenharia, noto um punhado de objetos pessoais dispersos. Eles humanizam Levi de um modo para o qual não estou preparada: o desenho de um gato preto feito por uma criança; alguns bonequinhos de filmes de ficção científica; dois porta-retratos. Em um deles, uma foto de Levi com outro homem alto de cabelos escuros, escalando uma formação rochosa, e, no outro, a foto de uma mulher. Linda, com longos cabelos louros-escuros. Jovem, provavelmente da idade de Levi. Ela sorri para a câmera, segurando um bebê de cabelos escuros e cacheados. A moldura é evidentemente feita à mão, com botões, conchas e palitos colados.

Meu coração dá um solavanco, pesado.

Eu sabia que ele tinha um filho. Repassei essa informação sem parar na cabeça desde que a descobri. E não me surpreende que ele seja casado. Ele não usa aliança, mas isso não quer dizer nada – muitas vezes eu *uso* uma aliança, e definitivamente *não* sou casada. Para ser franca, não sei por que motivo isso me abala tanto. Certamente não tenho nenhum interesse na vida romântica de Levi e não costumo sentir inveja quando as pessoas estão felizes com seus companheiros. Mas a vida em família que a fotografia invoca, assim como o tom íntimo e suave que sua voz assumiu na semana passada, quando ele atendeu a ligação... Muito claramente Levi tem um *lar*. Um lugar no mundo só para ele. Alguém para quem voltar toda noite. E, além de tudo, a carreira dele é mais estável que a minha.

Levi Ward, senhor de mil olhares raivosos e um milhão de acenos rudes de cabeça, *tem seu lugar no mundo*. E eu, não. O universo definitivamente não é justo.

Suspiro, derrotada, e me viro para encará-lo.

– Só me diz por quê, Levi.

– É uma situação complicada.

– É mesmo? Parece bem simples.

Ele balança a cabeça, pensa cuidadosamente no que dizer e acaba falando as seis palavras mais ridículas que já escutei.

– Me dê só mais alguns dias.

– Alguns dias? Levi, Rocío e eu viemos pra cá para trabalhar. Deixamos amigos, família e parceiros em Maryland, e agora estamos ociosas...

– Então voltem pra casa por alguns dias. – Seu tom é áspero. – Visite seu parceiro, volte mais tarde...

– Mas *não* é essa a questão, caramba!

Passo a mão bruscamente pela franja. Reike disse que eu deveria confrontá-lo com calma, mas o coelho já escapou da cartola e está correndo pelos campos. Tenho certeza de que os vizinhos de Levi podem me ouvir levantar a voz, e por mim tudo bem.

– O chefe dos Institutos Nacionais de Saúde está exigindo relatórios de progresso, e meu chefe está ameaçando me substituir se eu não produzir resultados logo. Eu *preciso* dos meus equipamentos. Não estou pedindo que você faça isso por mim, mas faça pelo projeto! – Devo ter me aproximado, ou talvez ele tenha chegado perto de mim, porque, de repente, posso sentir o cheiro dele. Pinho, sabonete e pele fresca. – Você ao menos se importa com o Blink?

Os olhos dele ardem.

– Eu *me importo. Nunca mais* insinue o contrário – diz ele entre os dentes, inclinando-se para a frente.

Eu nunca odiei alguém com tamanha intensidade. E nunca mais vou odiar. Acredito nisso tão profundamente quanto acredito na teoria celular.

– Você certamente não *age* como alguém que se importa.

– Você não sabe do que está falando.

– E *você* – eu me aproximo mais, enterrando o indicador no peito dele – não sabe dirigir um projeto.

– Estou pedindo que *confie* em mim.

– Confiar em você? – Dou uma risada na cara dele. – Por que eu deveria confiar em *você*?

Pressiono de novo o dedo em seu peito, e dessa vez ele segura meu pulso para me fazer parar.

Uma coisa estranha acontece. Sua mão desliza pela minha palma, e por um momento ele quase segura minha mão. Isso faz minha pele formigar e minha respiração parar – e a dele também. Deve ser a deixa para Levi se dar conta de que está me tocando – eu, a mais repugnante criatura dos sete mares. Ele solta minha mão imediatamente, como se o queimasse.

– Estou fazendo o que posso – começa ele.

– Que é *nada*.

– ... com os recursos que tenho...

– Ah, *para* com isso.

– ... e existem coisas que você não sabe...

– Então me *conta*! Explica!

O silêncio que se segue encerra a questão para mim. O jeito como seu maxilar se contrai, como ele se endireita e se vira abruptamente, afastando-se três passos, como se tivesse encerrado o assunto. Comigo. *Você nunca nem começou, seu babaca.*

– Certo. Muito bem. – Dou de ombros. – Vou procurar seu superior, Levi.

Ele me olha em choque.

– O quê?

Ah, *agora* ele está preocupado. O jogo virou.

– Preciso começar o Blink. Você não me deixa alternativa a não ser passar por cima da sua autoridade.

– Passar por cima? – Ele fecha os olhos brevemente. – Isso não existe.

– Eu... Você... – gaguejo. Meu Deus, o ego desse homem deve ter um campo gravitacional próprio. Ele é um poço humano repleto de matéria escura e arrogância. – Você *presta atenção* no que fala?

– Não faça isso.

– Por que eu *não faria*? Você vai ligar para a StimCase e providenciar meus equipamentos? Vai nos conseguir uma sala que não seja afastada de todos? Vai começar a nos convidar para as reuniões essenciais?

– Não é tão simples...

Mas que babaca!

– É, sim. É muito simples, e se você não se comprometer a resolver isso, não venha me dizer para não falar com seu superior.

– É melhor você não fazer isso.

Ele está me *ameaçando*?

– Olha, eu também pensava assim – falo. – Mas agora tenho certeza de que é melhor, sim. Me aguarde.

Dou as costas para ele e me dirijo para a porta, pronta para ir direto à sala de Boris. Porém, quando minha mão está na maçaneta, algo me ocorre e eu me viro novamente.

– E tem mais uma coisa – rosno na cara petrificada dele. – Donuts veganos são pra *veganos*, seu sem-noção.

Levi não deve ter ficado muito aflito com nossa conversa, porque nem sequer tenta ir atrás de mim. Estou cheia de raiva e quero ir direto falar com Boris, mas encontro Rocío no corredor. Ela está arrastando os pés, fitando o chão com um olhar vago, como um presidiário no corredor da morte. Ainda mais que o normal.

Eu paro. Por mais impaciente que esteja para conseguir meus equipamentos e arruinar uma carreira, acho que amo Rocío mais do que odeio Levi. Embora seja por muito pouco.

– Como foi o GRE?

O GRE é o exame de admissão à pós-graduação. É como uma prova de vestibular: um teste padronizado idiota no qual os alunos precisam tirar uma nota absurdamente alta para serem aceitos nos cursos de pós-graduação, embora não teste nada que tenha a ver com sucesso acadêmico. Eu me lembro de sofrer com as minhas notas no último ano da faculdade, morrendo de medo de não serem altas o suficiente para eu entrar nos mesmos programas que Tim. No fim, minhas notas foram mais altas que as dele, e acabei sendo aceita em muito mais instituições. Hoje vejo que eu devia ter ido para a UCLA e deixado Tim para trás. Teria me poupado muitas dores de cabeça *e* minimizado minha exposição ao Levidiota.

– Bee. – Rocío balança a cabeça, desanimada. – Para que lado fica o mar?

Aponto para a esquerda. Ela imediatamente começa a arrastar os pés naquela direção.

– Ro, primeiro você precisa sair do prédio e... O que está fazendo?

– Vou andar até o mar e afundar. Adeus.

– Espera. – Eu a contorno. – Como foi?

Ela balança a cabeça de novo. Seus olhos estão vermelhos.

– Mal – responde.

– Mal quanto?

– *Muito* mal.

– Bom, você não precisa de um percentual de 99 para entrar na Johns Hopkins...

– Tirei 40 em raciocínio quantitativo e 52 em raciocínio verbal.

Ok. Isso é baixo.

– ... e você sempre pode fazer de novo.

– Por duzentos dólares. E essa foi minha terceira vez... Meus resultados não melhoram, por mais que eu me prepare. Parece que estou com uma urucubaca. – O olhar dela se perde. – Será que é La Llorona? Será que ela quer que eu abandone a carreira acadêmica e vá assombrar os rios com ela? Talvez eu deva esquecer minhas ambições científicas.

– Não. Vou te ajudar a melhorar sua pontuação, ok?

– Como? Vai me lançar um contrafeitiço? Vai prometer a ela seu primogênito e o sangue de cem corvos virgens?

– O quê? Não, vou te dar aulas.

– Me dar aulas? – Ela franze o cenho. – E você sabe matemática?

Não comento que todo o conjunto do meu trabalho consiste em estatística de alto nível aplicada ao estudo do cérebro, em vez disso a puxo para um abraço.

– Vai ficar tudo bem, prometo.

– O que está acontecendo? Por que você está me apertando com seu corpo?

A conversa toda dura menos de dez minutos, mas isso se mostra um erro fatal. Porque quando chego ao terceiro andar do prédio, quase todo deserto, e paro diante da porta fechada da sala de Boris, pronta para dedurar Levi até o último fio de cabelo, escuto vozes lá dentro.

E uma dessas vozes é a de Levi Ward.

6

GIRO DE HESCHL: É ISSO MESMO

NÃO ACREDITO QUE ELE FOI FALAR com Boris antes de mim. Não acredito que ele passou sorrateiramente por mim enquanto eu estava conversando com Rocío. A verdade é que eu devia acreditar, pois esse é o tipo de jogada suja que aprendi a esperar dele. Então bato o pé no chão como uma criança de 6 anos pirracenta. Fui reduzida a isso. O que faço agora? Invado a sala e impeço Levi de envenenar a mente de Boris com mentiras? Espero Levi sair e concentro meus esforços em minimizar os danos? Me encolho em posição fetal e choro?

A Dra. Curie saberia o que fazer. Por outro lado, a Dra. Königswasser olha à volta como um bezerro desmamado, grata por não haver ninguém por perto para vê-la amuada diante da porta da sala do diretor de pesquisa. Quando decidi me tornar cientista, imaginei que lidaria com questões de estrutura teórica, protocolos de pesquisa, modelagem estatística. Em vez disso, aqui estou eu, levando a vida de uma adolescente no ensino médio.

E então me dou conta de que é possível distinguir algumas palavras.

– … nada profissional – diz Levi.

– Concordo – replica Boris.

– E não favorece o avanço científico. – Ele soa calmo e exasperado, o que tecnicamente deveria ser impossível, mas Levi tem um talento para dar vida a paradoxos. – A situação é insustentável.

– Concordo *plenamente*.

– Você disse isso todas as vezes que conversamos, mas duvido que compreenda como as repercussões a longo prazo podem ser catastróficas para o Blink, para os Institutos Nacionais de Saúde e para a Nasa. E isso é desagradável em nível interpessoal também.

Eu me aproximo mais da porta, os nós dos dedos brancos. Não acredito que ele está dizendo essas merdas para o Boris. *Eu* sou desagradável? *Como?* Por ser repugnante de se olhar? Estou prestes a abrir a porta com violência para me defender quando ele continua:

– Ela não pode continuar desse jeito. Alguma coisa precisa ser feita.

Ah, meu Deus. Será que estou presa em uma dimensão bizarra?

– Ok. O que você sugere que eu faça com ela?

Eu vou berrar. Qualquer coisa que Levi diga vai me fazer gritar de fúria. Já estou vibrando com um uivo preso. Ele está subindo pela minha garganta.

– Eu quero que você a deixe fazer o trabalho dela.

Subindo, subindo, subindo pela laringe, atravessando minhas cordas vocais e... espera. *O quê?* O que foi que Levi disse?

– Já fiz tudo ao meu alcance. – A voz de Boris tem um vago tom de desculpas.

Levi, por outro lado, é duro e inflexível.

– Não é suficiente. Preciso que ela tenha acesso autorizado a todas as áreas do prédio relacionadas ao Blink, que tenha um endereço de e-mail Nasa.gov, que compareça às reuniões do projeto. Preciso que cada item do equipamento que ela pediu chegue *imediatamente*... Já deviam ter chegado há séculos.

– Foi você quem cancelou o pedido que foi feito.

– Porque não era o sistema que ela pediu. Por que razão eu desperdiçaria parte do nosso orçamento em um produto inferior?

– Levi, é como eu te disse todas as vezes que você veio falar comigo sobre isso na semana passada: às vezes não se trata de ciência... mas de política.

Estou com o ouvido e as palmas totalmente colados na porta agora. Meus dedos tremem, mas eu não os *sinto*. Estou entorpecida.

– A política está acima da minha alçada, Boris.

— Mas não da minha. Já discutimos isso... As coisas mudaram muito e muito rápido. O diretor era a favor da colaboração Institutos-Nasa desde que a Nasa tivesse crédito e autonomia no projeto. Então os Institutos insistiram em ter um papel maior. A Nasa não pode aceitar isso.

— A Nasa *precisa* aceitar — reforça Levi.

— O diretor está sob grande pressão. Tudo isso pode gerar enormes consequências... Se patentearmos a tecnologia, não sei quão abrangente será a aplicação e qual será a receita disponível. Ele não quer que os Institutos fiquem com metade da patente.

Uma pausa, transbordando de frustração. Quase posso visualizar Levi passando a mão pelos cabelos.

— A Nasa não tem recursos para arcar com o projeto sozinha... — diz ele.
— Foi por isso que os Institutos de Saúde entraram, para começo de conversa. Você está me dizendo que eles preferem que o Blink simplesmente não aconteça a dividir o crédito? E quem ficará responsável pela parte da neurociência?

— A Dra. Königswasser não é a única neurocientista no mundo. Temos vários na Nasa que são...

— Que não são nem *de longe* tão bons quanto ela, não quando se trata de neuroestimulação.

Estou *mesmo* em um mundo bizarro. Mais bizarro do que eu jamais poderia imaginar. Estou no Mundo Invertido, o coração latejando nos ouvidos, e Levi Ward acaba de dizer algo de *bom* a meu respeito. Uma sensação fria e pegajosa se aloja na boca do meu estômago. Eu poderia vomitar se meu estômago não estivesse completamente vazio. Eu estava furiosa quando cheguei, mas agora a fúria está escoando.

— Vamos nos virar. Levi, o Blink passará para a próxima revisão orçamentária, e então a Nasa vai aprovar o financiamento total. Aí não vamos precisar dos Institutos de Saúde. Você ainda estará no comando.

— Isso vai ser daqui a um *ano*, e você não pode garantir que vai acontecer. Assim como não pode garantir que o protótipo Sullivan será usado.

Uma pausa.

— Filho, eu compreendo que isso é importante para você. Também é importante para mim, mas...

— Duvido.

— O quê?

A voz de Levi seria capaz de cortar titânio.

– Duvido seriamente que seja importante para você.

– Levi...

– Se é, autorize a compra do equipamento.

Um suspiro.

– Levi, eu gosto de você. Gosto de verdade. Você é um cara inteligente. Um dos melhores engenheiros que conheço... talvez o melhor. Mas você é jovem e não faz a menor ideia da pressão que todos estão sofrendo. É improvável que o Blink aconteça este ano. É melhor se acostumar com a ideia.

Segundos se passam. Não consigo ouvir a resposta de Levi, então me apoio ainda mais na porta – o que se mostra uma péssima ideia, porque ela se abre. Pulo para trás rápido o bastante para que Boris não me veja, mas quando Levi deixa a sala eu ainda estou parada ali. Ele bate a porta e começa a se afastar, pisando duro. Então nota a minha presença e fica paralisado.

Parece furioso. E grande. Furiosamente grande.

Eu deveria dizer alguma coisa. Aparentar descontração. Fazer parecer que estava apenas de passagem, à procura do armário de material de escritório. *Ah, Levi, você sabe onde guardam os apontadores de lápis?* O problema é que já é tarde demais, e enquanto estudamos um ao outro sem cerimônia, eu experimento um sentimento estranho e passageiro. Como se fosse a primeira vez que Levi me vê. Não, não exatamente: como se essa fosse a primeira vez que *eu* o vejo. Como se o complicado labirinto de espelhos através do qual temos olhado um para o outro tivesse sido estilhaçado, e os cacos, varridos.

Fraquejo e baixo os olhos para os pés. Felizmente, a sensação se dissolve enquanto fito as belas margaridas nas minhas sandálias de couro sintético.

Meus dedos precisam parar de tremer, ou vou decepá-los. Se meus canais lacrimais ousarem deixar escapar uma lágrima sequer, vou bloqueá-los para sempre. Estou quase pronta para voltar a erguer os olhos sem fazer papel de boba quando uma mão grande se fecha com firmeza no meu braço. Eu não devia ter usado uma blusa sem manga hoje.

– O que você...?

Levi leva um dedo aos lábios, sinalizando que eu fique quieta, e me afasta dali.

– Aonde... – começo, mas ele me interrompe com um sussurro.
– Shhh.

Sua mão no meu braço é gentil, porém firme. Fico consternada ao descobrir que isso parece apaziguar meu enjoo.

Sem a menor ideia do que fazer, fecho os olhos e o sigo.

Eu processo as coisas devagar. Sempre fui assim.

Quando minha *nonna* morreu, todos à minha volta estavam soluçando havia vários minutos quando finalmente entendi o que o médico de cabelos brancos estava dizendo. Quando Reike decidiu tirar uma década sabática para viajar pelo mundo, não me dei conta do quanto me sentiria sozinha até ela estar em um avião a caminho da Indonésia. Quando Tim saiu do nosso apartamento, a ficha só caiu vários dias depois, no momento que encontrei duas meias dele descasadas na secadora.

É provável que essa seja a razão de eu não compreender plenamente a enormidade do que ouvi na porta da sala de Boris até me encontrar em um dos bancos na pequena área de piquenique atrás do Discovery Building, os cotovelos apoiados nos joelhos e a cabeça nas mãos.

É um lugar tão bonito. As sombras de dois olmos e um carvalho se cruzam bem onde estou sentada. *Preciso almoçar aqui fora de agora em diante*, penso. *Assim minha comida não vai deixar o escritório fedido.* Meu estômago se revira. Pode não haver um *em diante* para esse *agora*.

– Você está bem?

Eu levanto os olhos, e levanto e levanto. Levi está parado diante de mim, ainda dominado por uma fúria gelada, porém com mais controle. Como se tivesse contado até dez para se acalmar um pouco, mas ainda estivesse disposto a virar uma mesa ou duas. Há uma ponta de preocupação em seu olhar, e por alguma razão eu penso *outra vez* no momento em que ele me segurou contra a parede, o cheiro da sua pele, a sensação de seus músculos rijos sob os meus dedos.

Tem alguma coisa *muito* errada com o meu cérebro.

– Eu verifiquei – murmura ele. – Recebi sete e-mails seus, e todas as minhas respostas foram enviadas. Não sei por que não foram entregues.

Suponho que o mesmo tenha acontecido com o convite para a reunião de hoje que Guy enviou para você, e eu assumo a responsabilidade por isso. A esta altura, você deveria ter um e-mail da Nasa.

O tempo aqui fora está agradável, mas sinto frio e calor ao mesmo tempo. Que organismo complexo eu tenho.

– Por quê? – pergunto.

Nem sei direito a que estou me referindo.

Ele suspira lentamente.

– Quanto você ouviu?

– Não sei. Muito.

Ele assente.

– A Nasa quer controle exclusivo de qualquer patente que resulte do Blink. Mas neste momento não tem orçamento para bancar o projeto, e houve uma queda de braço para incluir os Institutos de Saúde, que estão insistindo em ser coproprietários da patente. Então a Nasa decidiu que deixar o Blink ter uma morte natural é melhor do que se indispor com os Institutos.

– Então é isso? A morte natural? – pergunto.

Ele não responde, apenas continua a me observar com preocupação e algo mais, algo que não consigo definir. É desconcertante, e eu quase rio quando me dou conta do motivo: é a primeira vez que Levi mantém contato visual comigo por mais de um segundo. A primeira vez que seus olhos não se deslocam para um ponto acima da minha cabeça logo depois de encontrarem os meus.

Eu desvio o olhar. Não estou com disposição para verde-gelo.

– E se eu comunicasse aos Institutos? – questiono.

Uma breve hesitação.

– Você pode fazer isso.

– Mas...

– Sem mas. Você estaria totalmente dentro dos seus direitos – diz ele. – Eu te apoio, se precisar.

– ... *Mas?*

Olho para ele. Há pequenos arranhões em sua mão; pelos cobrem seu antebraço; o tecido da camisa está retesado nos ombros. Ele fica tão imponente deste ângulo, ainda mais que de costume. Com o que o alimentaram enquanto crescia? Fertilizante?

– Se você comunicasse aos Institutos, o único resultado que posso imaginar é que eles se retirariam e o relacionamento entre os Institutos e o braço de pesquisa humana da Nasa azedaria. O Blink iria para a prateleira até...

– ... até o próximo ano. E ainda seria um projeto exclusivo na Nasa.

De uma forma ou de outra, estou ferrada. Em um beco sem saída, como em *Ardil-22*. Nunca gostei desse livro.

– Não estou dizendo que você não deveria falar com eles – observa Levi com cautela –, mas, se o objetivo final é fazer o Blink acontecer como um projeto colaborativo, essa pode não ser a melhor jogada.

Sem falar que eu precisaria fazer Trevor acreditar que não é culpa minha. Acho que eu teria mais sorte dizendo a ele que a Nasa foi dominada por alienígenas metamorfos. Certo, vou tentar essa. Dá na mesma.

– Qual é a alternativa? – pergunto, pois não vejo nenhuma.

– Estou trabalhando nela.

– Como?

– Acho que ter Boris do nosso lado ajudaria muito. E tem... coisas que eu talvez possa usar para convencê-lo.

– E em que pé estão essas *coisas*?

Ele me lança um olhar irritado, mas sem muita intensidade.

– Nenhuma maravilha. *Por enquanto* – resmunga Levi.

Não me diga.

– Basicamente, no momento eu sou a única pessoa no mundo que quer que o Blink aconteça.

Ele franze a testa.

– Eu também quero.

Lembro a sua raiva de ainda há pouco, quando o acusei de não se importar. Meu Deus, isso provavelmente foi há menos de uma hora. Parece que faz nove décadas.

– E há outras pessoas também. Os engenheiros, astronautas, os prestadores de serviço que ficariam sem trabalho se o projeto fosse adiado. – Seus ombros largos parecem desinflar um pouco. – Embora você e eu aparentemente sejamos as pessoas de posição hierárquica mais alta no caso. É por isso que precisamos do Boris.

– Parece que, se você ficar quietinho por alguns meses, o projeto vai cair no seu colo e...

– Não. – Ele balança a cabeça. – O Blink precisa acontecer agora. Se for adiado, existe a possibilidade de que eu não esteja no comando, ou de que o protótipo original seja modificado.

Ele soa tão intransigente que me pergunto se essa é sua voz paternal de "junte seus brinquedos e vá para a cama". De fato, parece eficaz. Se algum dia eu tiver filhos, espero conseguir soar tão autoritária assim.

– Ainda assim, para você vai dar tudo certo. – Não consigo evitar o tom de amargura na voz. – Os Institutos estão fazendo cortes de pessoal, e o principal critério para mantê-las são financiamentos concluídos com sucesso. Algo que não tenho por... por motivos... motivos que têm pouco a ver com o fato de eu não tentar ou não ser uma boa cientista... o que sou, garanto que *sou* boa e...

– Eu sei que é – interrompe ele. Parece sincero. – E esse projeto não é apenas mais um trabalho para mim. Eu me transferi de equipe para estar aqui. Mexi meus pauzinhos.

Passo a mão pelo rosto. Que desastre.

– Você podia ter me dito que a Nasa estava boicotando o projeto – falo. – Em vez de me deixar acreditar que você estava...

Ele me olha sem entender.

– Que eu estava...?

– Você sabe. Tentando me derrubar pelas razões de sempre.

– As razões de sempre?

– É. – Dou de ombros. – Do doutorado.

– Que razões do doutorado?

– Ah... você sabe.

– Acho que não sei, não.

Coço a testa, exausta.

– Que você me odeia.

Ele me dirige um olhar atônito, como se eu tivesse acabado de tossir e expelir uma bola de pelos. Como se a pessoa que me evitava como se eu fosse um porco-espinho carnívoro fosse seu gêmeo malvado. Ele fica sem palavras por um momento, e então diz, de algum modo conseguindo parecer sincero:

– Bee. Eu não te odeio.

Uau. *Uau*, por tantos motivos. A mentira descarada, por exemplo, como se ele não me considerasse o equivalente humano de um sushi de posto de gasolina, mas também... essa é a primeira vez que Levi usa meu nome. Não que eu mantenha um registro nem nada assim, mas a maneira como *ele* pronuncia meu nome é tão singular que eu jamais poderia esquecer.

– Certo.

Ele continua me olhando com a mesma expressão sincera, desorientada. Eu bufo e sorrio.

– Acho que devo ter interpretado mal cada uma de nossas interações no doutorado, então.

Ele de fato disse a Boris que sou uma boa neurocientista, então talvez não pense que sou incompetente, como sempre desconfiei. Talvez ele só odeie... literalmente tudo a meu respeito. Que ótimo.

– Você *sabe* que eu não te odeio – insiste ele, com um leve tom de acusação.

– Claro que sei.

– Bee.

Ele diz meu nome outra vez, com aquela *voz*, e de repente sinto muita raiva.

– Mas é *óbvio* que sei. Como eu poderia *não* saber, quando você vem sendo tão implacavelmente frio, arrogante e inacessível? – Eu me levanto, a raiva subindo pela garganta. – Durante anos você me evitou, se recusou a colaborar comigo sem nenhum motivo válido, se negou até mesmo a manter uma conversa minimamente educada comigo, me tratou como se eu fosse nojenta e inferior... Você chegou até a dizer ao meu noivo que ele deveria se casar com outra pessoa, mas *é óbvio que você não me odeia, Levi*.

O pomo de adão dele sobe e desce. Ele me olha aflito, desconcertado, como se eu tivesse acabado de bater nele com um taco de polo – quando tudo que fiz foi dizer a verdade. Meus olhos ardem. Mordo o lábio para conter as lágrimas, mas meu corpo estúpido me trai mais uma vez e já estou chorando, estou chorando na frente dele, e eu o *odeio*.

Eu não estou brava com ele. Eu o *odeio*.

Pela forma como me tratou. Por ter a carreira sólida que eu não tenho. Por esconder a política desse projeto que não passa de uma maldita fossa de esgoto. Eu o odeio, odeio, *odeio*, com uma força que pensei que só poderia reservar para airbags defeituosos, ou para Tim, ou para a terceira mudança em um ano. Eu o odeio por me reduzir a isso, e por ficar para ver a sua obra completa.

Eu o odeio. E quero tanto não me sentir assim.
– Bee...
– Não vale a pena.
Enxugo o rosto com as costas da mão e passo por ele sem nem olhá-lo. É óbvio que Levi tem de ser enorme e dificultar *isso* também.
– Espera.
– Vou informar os Institutos sobre o que está acontecendo – digo sem parar nem me voltar para trás. – Não posso correr o risco de os meus superiores acharem que o projeto falhou por minha causa. Sinto muito se isso te deixa em má situação, e sinto muito que signifique adiar o Blink.
– Tudo bem. Mas, por favor, espera...
Não. Eu não quero esperar, nem ouvir uma palavra a mais. Continuo andando em minhas lindas sandálias de margarida até não poder mais ouvi-lo, até não poder mais ver através do borrão das minhas lágrimas. Saio do Centro Espacial e fantasio que estou indo embora de Houston, do Texas, dos Estados Unidos. Fantasio que estou embarcando em um avião e indo para Portugal para ganhar um abraço de Reike.
Fantasio durante todo o percurso até em casa, e isso não faz com que eu me sinta nem um pouco melhor.

Estou olhando para o meu celular – só isso mesmo: ruminando e olhando o telefone – quando uma notificação do Twitter aparece na tela.

> @SaoriRocks95 Sou uma aluna do segundo ano do doutorado em geologia passando por uma fase difícil. @OQueMarieFaria se tivesse a sensação de que o universo está tentando dizer a ela que desista?

Ai. Essa acertou em cheio. Minha sensação de impotência alcançou a massa crítica mais cedo hoje, na metade da discografia de Alanis Morissette e bem depois do meu segundo pote de sorvete de laranja. Tenho a sensação de que me passaram por um picador de papel. Me sinto como um cotonete usado. Um lenço biodegradável. Não sirvo para dar conselho à mariposa que está voando e batendo na minha vidraça, muito menos a uma jovem inteligente com problemas profissionais. Retuíto, torcendo para que a comunidade OQMF cuide do problema da @SabriRocks95.

– Talvez eu devesse desistir da Academia – pondero, me recostando na cadeira, encarando o ímã da Dra. Curie na cozinha americana. – Será que devo largar meu emprego?

Marie não responde. Quem cala consente? Há outras coisas que eu poderia fazer. Desenferrujar meu alemão e encontrar Reike na Grécia, onde magnatas do azeite nos empregariam para ensinar a seus herdeiros adolescentes. Vender aquela ideia que tive para uma sitcom: um estatístico bayesiano e uma frequentista se tornam colegas de quarto a contragosto. Escrever minha série de sereias para jovens adultos. Me mudar para debaixo de uma ponte e exigir que desvendem enigmas em troca de passagem segura.

Talvez eu não devesse desistir. Pelo menos uma das gêmeas Königswasser precisa de um emprego estável, para pagar a fiança quando a outra for presa por atentado ao pudor. Conhecendo Reike, isso pode acontecer a qualquer momento.

Por outro lado, quase tenho certeza de que, sem o Blink, Trevor não vai mesmo renovar meu contrato.

Minha carreira é a derradeira história de amor não correspondido, repleta de financiamentos bem avaliados que nunca foram concedidos por razões políticas, um chefe de merda em vez do chefe incrível que me estava destinado, e agora os Institutos Nacionais de Saúde e a Nasa brigando como primos no Dia de Ação de Graças. Quando sua suposta grande chance se transforma em um jogo perdido, é preciso fazer contenção de danos, certo?

Mas o que seria de mim sem a neurociência? Quem eu seria sem minha necessidade premente de corrigir as pessoas que dizem que os humanos usam apenas dez por cento do seu cérebro? (Já fizeram até um *filme* sobre isso. Pelo amor de Deus, ninguém faz checagem de fatos nos roteiros de Hollywood?) Você sabia que os conservadores tendem a ter amígdalas maiores do que os liberais? Que o hipocampo dos motoristas de táxi cresce à medida que eles memorizam os caminhos para se deslocar em Londres? Que as diferenças cerebrais predizem variações na personalidade? Nós somos nosso sistema nervoso, a combinação complexa de bilhões de neurônios disparando em padrões característicos. O que é mais empolgante do que passar a vida descobrindo o que um pequeno grupo desses neurônios pode realizar?

Evito o meu reflexo enquanto escovo os dentes. Talvez eu ame demais o que faço. Eu deveria voltar para a escola e estudar algo chato. Capacitação para leiloeiro. Arquitetura naval. Transmissão esportiva. Também deveria parar de chorar. Ou talvez não. Talvez eu devesse sentir todas as minhas emoções agora, para poder focar na solução depois. Esgotar todo o choro para amanhã explicar essa bagunça para o Trevor. Dizer a Rocío que faça as malas.

No segundo em que minha cabeça toca o travesseiro, sei que vou explodir se não fizer alguma coisa. *Qualquer coisa*. Por impulso, envio uma mensagem para Shmac.

MARIE: Você às vezes pensa em abandonar a pesquisa?

A resposta dele é imediata.

SHMAC: Com certeza hoje estou pensando.

MARIE: Você também está na merda? Quais as chances?

SHMAC: Talvez a gente seja do mesmo signo.

MARIE: kkk

SHMAC: O que está acontecendo?

MARIE: Meu projeto é um desastre. E estou trabalhando com um cara tão cuzão, mas tão cuzão, do tamanho de um cu de camelo. Aposto que ele é um daqueles babacas que não mudam para o modo avião durante a decolagem, Shmac. E provavelmente morde o picolé. Tenho certeza de que ele espirra na mão e depois aperta a mão das pessoas.

SHMAC: Estranhamente específico.

MARIE: Mas verdadeiro!

SHMAC: Não duvido.

MARIE: Como está a garota?

SHMAC: Ainda casada. Além disso, ela provavelmente me acha um grande cu de camelo.

MARIE: Impossível. Vocês já estão tendo um caso tórrido?

SHMAC: O oposto.

MARIE: Pelo menos ela ficou feia nesse tempo em que vocês não se viram?

SHMAC: Ela ainda é a coisa mais linda que eu já vi na vida.

Meu coração se aperta. Ah, Shmac…

SHMAC: Mudando de assunto, tenho pensado no quanto minha vida seria mais fácil se eu me demitisse e me tornasse um adestrador de gatos. Exceto pelo fato de que não consigo nem convencer o meu gato a não mijar no carpete da sala.

MARIE: Acho que seria complicado.

MARIE: Você às vezes sente que a gente se dedica demais a isso?

SHMAC: Nos dias ruins, com certeza.

MARIE: Existem dias bons? Algum?

SHMAC: O meu último foi no fim do ensino fundamental. Segundo lugar na feira de ciências.

MARIE: Você ganhou um vale-presente da loja de brinquedos?

SHMAC: Não. Um bonequinho da Marie Curie segurando duas provetas que brilham no escuro.

MARIE: Mds. Eu PRECISO de um desses.

SHMAC: Se algum dia nos encontrarmos pessoalmente, é seu.

Conversamos por muito tempo, e é bom poder me lamentar, mas, quando coloco o celular na mesa de cabeceira, me sinto novamente desolada. A última imagem que vejo antes de adormecer é a expressão aflita de Levi quando joguei na cara dele todas as coisas que ele fez comigo, estampada em minhas pálpebras como o pôster de um filme ao qual nunca mais quero assistir.

7

CÓRTEX ORBITOFRONTAL: ESPERANÇA

MEU ALARME TOCA, mas eu o coloco na função soneca.

Uma. Duas. Três vezes, cinco, oito, doze, por que é que ainda está tocando, por que eu programei este troço...

– Bee?

Abro os olhos. Ou quase. Eles estão embaçados, grudados de sono.

– Bee?

Merda. Sem querer, atendi a uma ligação de um número desconhecido.

– *Sessela* – balbucio. Então cuspo meu aparelho de contenção. – Desculpa, é ela.

– Preciso que você venha para cá imediatamente.

No mesmo instante, reconheço a voz de barítono.

– Levi? – Pisco, olhando o alarme. São 6h45 da manhã. Não consigo manter as pálpebras abertas. – O quê? Ir para onde?

– Você pode estar na sala do Boris às sete?

Isso me faz sentar na cama. Ou o mais perto disso que consigo a esta hora.

– Do que você está falando?

– Você quer ficar e trabalhar no Blink?

A voz dele é firme. Decidida. Escuto ruídos ao fundo. Ele deve estar ao ar livre, caminhando em algum lugar.

– O quê?

– Você já contou aos Institutos sobre o que a Nasa está fazendo?

– Ainda não, mas...

– Então você quer ficar e trabalhar no Blink?

Pressiono a palma da mão contra o olho. Isso é um pesadelo, certo?

– Achei que estivéssemos de acordo que essa opção não existe – falo.

– Talvez agora exista. Eu tenho... uma coisa. – Pausa. – Mas ainda é uma aposta.

– O que é?

– Uma coisa que vai fazer com que Boris nos apoie. – Ele hesita por um segundo. – Não posso explicar por telefone.

Isso é bem esquisito. Como se ele estivesse tentando me atrair para outro local para me traficar e me entregar a pessoas que vão extrair meus fêmures para fazer cabos de raquete de badminton.

– Não podemos nos encontrar mais tarde?

– Não. Boris tem uma chamada com o diretor da Nasa daqui a uma hora. Precisamos falar com ele antes disso.

Passo a mão pelo rosto. Estou exausta demais para isso.

– Levi, isso me parece muito estranho e eu acabei de acordar. Se você está tentando me encontrar sozinha para me assassinar, podemos só fingir que você já me matou e seguir cada um o seu caminho...

– Escuta. O que você disse ontem... – Ele deve ter entrado em algum lugar, porque o barulho ao fundo desaparece. A voz dele é intensa e profunda em meu ouvido. Acho que até posso ouvi-lo engolir em seco. – Não existe nenhum outro neurocientista com quem eu queira tocar esse projeto. Nenhum mesmo.

É um soco no meu peito. As palavras expulsam o ar dos meus pulmões, e um pensamento esquisito, absurdo e inoportuno cruza minha mente: não é *tão* surpreendente assim que esse homem melancólico e reservado tenha conquistado uma linda noiva. Não se ele é capaz de dizer coisas desse tipo.

Pelo menos agora estou acordada.

– O que está acontecendo? – questiono.

– Bee, você realmente *quer* ficar em Houston e trabalhar no Blink? –

pergunta ele novamente, mas desta vez ele faz uma pausa e acrescenta: – Comigo?

É quando sei que sou uma lunática. Insana. Uma lunática totalmente insana. Porque meu alarme mostra que são 6h45 da manhã e um calafrio desce pela minha coluna – ou onde minha coluna estaria se não tivesse derretido. Fecho os olhos bem apertados, e a palavra que sai da minha boca é:

– Quero.

Saio tropeçando do elevador dois minutos depois das sete, energizada por uma noite de sono reparador e vestida para o sucesso.

Brincadeira. Estou usando uma legging e camisa de flanela, esqueci de botar o sutiã e, tendo que escolher entre escovar os dentes e lavar o rosto, fiquei com o primeiro, o que significa que, quando Levi me vê, estou tentando freneticamente tirar remela dos olhos. Estou nervosa *e* sonolenta – a pior das combinações. Levi está aguardando perto da sala de Boris, sereno como se não estivéssemos em plena madrugada, e bate à porta no momento em que me vê. Dou uma corridinha e, quando o alcanço, também estou suada e sem fôlego.

Minha vida é deliciosa. Deliciosa como uma punção lombar.

– O que está acontecendo? – pergunto.

– Não dá tempo de explicar. Mas, como eu disse, é uma aposta. Finja que já sabe quando estivermos lá dentro.

– Sei o *quê*?

Boris grita para que entremos.

– Apenas concorde com o que eu disser – diz Levi, fazendo um gesto para que eu vá na frente.

– Por favor, me diga que esta confusão não termina em morte seguida de suicídio.

Ele abre a porta e dá de ombros, a mão nas minhas costas me conduzindo para dentro.

– Veremos.

Boris não fazia ideia de que viríamos. Ele revira os olhos e depois os estreita, uma mistura de *Estou cansado* com *Vocês dois, não* e *Não tenho tempo para isso*, e então fica de pé e coloca as mãos no quadril.

Dou um passo para trás. Que reunião trágica é esta? No que foi que eu me meti? E por que, ah, *por que* cheguei a pensar que confiar em Levi Ward era uma boa ideia?

– Não – diz Boris. – Levi, eu não vou discutir esse assunto de novo, muito menos na frente de uma funcionária dos Institutos. Tenho que me preparar para uma reunião, portanto...

A irritação em sua voz desaparece quando Levi, imperturbável, pousa seu celular na mesa. Há uma foto na tela, mas não consigo distinguir o que é. Fico na ponta dos pés e me inclino para a frente tentando ver, mas Levi puxa as costas da minha camisa e ergue uma sobrancelha, o que suponho que signifique: *É para você concordar comigo*. Fecho a cara no meu melhor estilo: *Com certeza seria ótimo saber o que está acontecendo, mas deixa pra lá...*

Quando olho para Boris, vejo uma profunda linha horizontal no meio da sua testa.

– Você fez alguma alteração no protótipo do capacete? Não me lembro de ter autorizado...

– Não fiz – responde Levi.

– Esse não parece o que eu aprovei.

– E não é.

Levi estende a mão e, quando Boris devolve o celular, ele mostra outra foto. Uma pessoa usando alguma coisa na cabeça. A linha na testa de Boris se aprofunda ainda mais.

– Quando essa foto foi tirada?

– Isso eu prefiro não dizer.

O olhar de Boris se aguça.

– Levi, se você está inventando isso por causa da conversa de ontem...

– O nome da empresa é MagTech. Eles estão muito bem estabelecidos, com sede em Roterdã, e trabalham com tecnologia científica. Não escondem que estão trabalhando com capacetes de neuroestimulação sem fio. – Uma pausa. – Eles têm um histórico bem longo de fornecimento de dispositivos de combate a forças armadas e milícias.

– Quais forças armadas?

– Qualquer uma que possa pagar.
– Em que estágio do projeto eles estão?
– Com base nesses desenhos e nas... informações do meu contato, bem perto do ponto em que o Blink está. – Ele sustenta o olhar de Boris um pouco intensamente demais. – Pelo menos, do ponto em que o Blink *estava*. Antes de ser engavetado.

Boris arrisca um rápido olhar para mim.
– Tecnicamente, o projeto nunca foi engavetado – diz ele, na defensiva.
– Tecnicamente.

Há um quê autoritário no tom de Levi, mesmo com seu chefe. Boris enrubesce. Eu arranco o celular da mão de Levi antes que ele possa guardá-lo no bolso e estudo as fotografias.

Trata-se de um capacete de neuroestimulação – os desenhos e o protótipo. Não é exatamente como o nosso, mas parecido. *Assustadoramente* parecido. Parecido do tipo *que merda, temos um concorrente*.

– Eles sabem sobre o Blink? – pergunta Boris.
– Não está claro. Mas eles não podem ter visto o nosso protótipo.
– Eles não têm um neurocientista na equipe. Pelo menos não um bom – acrescento, distraída.
– Como você sabe disso? – pergunta Boris.

Dou de ombros.
– Bem, é bastante óbvio. Estão cometendo o mesmo erro de Levi: a posição das saídas. Francamente, por que os engenheiros nunca se dão o trabalho de consultar especialistas de outras áreas? Isso faz parte do cálculo vetorial? Primeira regra da engenharia: não demonstre fraqueza. Nunca faça perguntas. É melhor terminar um protótipo errado e imprestável sozinho do que contar com a colaboração de... – Ergo a cabeça, percebo o olhar de Boris e Levi e calo a boca. Realmente minha presença não devia ser permitida em público antes do café. – A questão é... – digo, depois de pigarrear. – Eles não estão indo tão bem, e assim que começarem a testar o capacete vão se dar conta disso.

Devolvo o celular de Levi, e seus dedos roçam os meus, ásperos e quentes. Nossos olhares se encontram por uma fração de segundo e depois se desviam rapidamente.

– O desenho – aponta Boris. – E a fotografia. Onde os conseguiu?

– Isso não importa.

Boris arregala os olhos.

– Por favor, me diga que meu engenheiro-chefe não colocou em risco a carreira ao se envolver em uma leve espionagem industrial...

– Boris – interrompe Levi –, isto aqui muda as coisas. Precisamos trabalhar no Blink. Agora. Esses capacetes são conceitualmente semelhantes aos nossos. Se a MagTech chegar a um protótipo que funcione e patentear a tecnologia antes de nós, teremos jogado milhões de dólares na privada e puxado a descarga. E não temos como saber o que vão fazer com o projeto deles. Para quem vão vender.

Boris fecha os olhos e coça a testa. Deve ser o sinal de exaustão que Levi estava esperando, porque ele acrescenta:

– Bee e eu estamos aqui. Prontos. Podemos finalizar o projeto em três meses... *se* tivermos os equipamentos necessários. Podemos ir até o fim.

Boris não abre os olhos. Ao contrário: ele os fecha com mais força, como se odiasse cada segundo disso.

– Podem mesmo? Terminar em três meses?

Levi se vira para mim.

Sinceramente não faço ideia. A ciência não funciona desse jeito. Ela não obedece a prazos nem a prêmios de consolação. Pode-se projetar o estudo perfeito, dormir uma hora por noite, alimentar-se somente de desespero e comida congelada por meses a fio, e mesmo assim seus resultados podem ser o oposto do que se esperava obter. A ciência não está nem aí. A ciência é confiável em sua inconstância. A ciência faz o que quer. Meu Deus, eu amo a ciência.

Mas abro um sorriso radiante.

– Claro que podemos. E muito melhor do que esses holandeses.

– Ok. Ok. – Boris passa a mão pelos cabelos, perturbado. – Tenho uma reunião com o diretor em... droga, dez minutos. Vou fazer pressão. Falo com você mais tarde, mas... é isso. A situação é outra agora. – Ele dirige a Levi um olhar que é um misto de irritação, exaustão e admiração. – Acho que devo parabenizá-lo por trazer o Blink de volta dos mortos.

Meu estômago dá uma cambalhota. Puta merda. *Puta merda.* Vai mesmo acontecer.

– Se eu convencer o diretor – continua Boris –, não pode haver *nenhuma* margem de erro. Vocês terão que produzir os melhores capacetes de neuroestimulação do mundo.

Levi e eu trocamos um longo olhar e assentimos ao mesmo tempo. Quando saímos da sala, Boris está praguejando em voz baixa.

Estou levemente apavorada com essa reviravolta. Se conseguirmos o sinal verde, todo mundo, todo mundo mesmo, vai estar no nosso cangote. Os chefões da Nasa e dos Institutos vão voar em círculos acima de nós como abutres. Terei que explicar para algum sujeito branco e criacionista em seu décimo segundo mandato no Senado que estimulação cerebral *não* é a mesma coisa que acupressão.

Ah, mas a quem estou iludindo? Eu não me importaria com isso diante de uma oportunidade de trabalhar de verdade no Blink e consertar todos os erros desses engenheiros teimosos. Uma oportunidade que menos de uma hora atrás parecia perdida, mas agora...

Pressiono a mão contra os lábios, deixando escapar uma risada. Vai acontecer. Bem, *provavelmente* vai acontecer. Mas a Nasa em teoria está transbordando de gênios que nos levarão a Marte, certo? Eles não serão tão burros a ponto de bloquear o projeto, não se for uma situação do tipo "agora ou nunca". Não tenho ideia de como Levi fez isso, mas...

Levi.

Levanto a cabeça e lá está ele, me olhando com uma alegria contida enquanto eu sorrio para o nada feito uma idiota. Eu devia ser ríspida e mandá-lo encarar outra coisa, mas quando nossos olhares se encontram eu só quero sorrir mais. Ficamos assim por vários segundos, sorrindo como dois idiotas do lado de fora da sala de Boris, até que ele fica sério.

– Bee. – Que jeito é esse como ele fala meu nome? É o tom? Sua voz grave? Outra coisa totalmente diferente? – Sobre ontem...

Balanço a cabeça.

– Não. Eu... – Meu Deus, esse pedido de desculpas vai ser doloroso. Humilhante também. A colonoscopia das desculpas. É melhor acabar logo com isso. – Olha, você devia ter sido mais direto sobre o que estava acontecendo, mas eu provavelmente não devia ter te chamado de... babaca. Ou de sem-noção. Não sei o que eu só pensei ou o que cheguei a falar, mas... Sinto muito por ir até sua sala para te ofender.

Pronto. Feito. A colonoscopia acabou. Meus intestinos estão limpíssimos.

Só que Levi nem liga para as minhas desculpas.

– Aquilo que você disse sobre eu te odiar. Sobre as coisas que eu fiz, eu...

– Não, eu passei dos limites. Quer dizer, é verdade, mas... – Respiro fundo. – Olha, você tem todo o direito de não gostar de mim, desde que lide com isso profissionalmente. Embora, sejamos honestos, qual é o seu problema? Eu sou maravilhosa. – Dirijo a ele um sorriso malicioso, mas ele não percebe que estou brincando, porque me olha com uma versão mais branda da expressão aflita de ontem. *Oops*. Eu hesito e pigarreio. – Desculpa. Estou brincando. Sei que tem muitas coisas para não gostar em mim e você é... você, enquanto eu sou... sim. Eu. Muito diferentes. Sei que somos meio nêmesis... nemeses? Nêmesi? Seja como for, fiquei chateada porque achei que você estava deixando isso ditar seu comportamento no Blink. Mas obviamente não é o caso, então peço desculpas por ter pensado isso, e... fique à vontade para continuar. – Consigo dar um sorriso, em grande parte, sincero. – Desde que seja civilizado e justo no trabalho, você pode não gostar de mim à vontade. Pode me odiar, me abominar, me detestar até os confins do universo.

Estou falando sério. Não que eu goste da ideia de Levi me odiar, mas é um avanço tão grande em relação a ontem, quando eu pensava que sua aversão arruinaria minha carreira, que estou fazendo as pazes com essa possibilidade. Mais ou menos.

– Você se envolveu *mesmo* em espionagem industrial? – pergunto.

– Não. Talvez. Um amigo conhece alguém que trabalha para... – Levi fecha os olhos. – Bee. Você não entende.

Inclino a cabeça.

– O que eu não entendo?

– Eu não te odeio.

– Sei. – Aham. – Então você tem agido como um babaca comigo durante sete anos porque...?

Ele suspira, seu peito largo subindo e descendo. Há um tufo de pelos na manga da camisa dele. Será que ele tem um pet? Ele parece do tipo que prefere cachorros. Talvez seja o cachorro da filha.

– Porque eu *sou* um babaca. E idiota também.

– Tudo bem, Levi. Eu entendo, de verdade. Quando morávamos na França, minha irmã adorava uma das meninas da nossa sala, Ines, e eu não a suportava. Queria puxar a trança dela sem motivo. E puxei mesmo uma vez, o que foi... péssimo, porque minha tia francesa era adepta de mandar as crianças para a cama sem jantar. – Dou de ombros. Levi está apertando a ponte do nariz, provavelmente chocado com o quanto eu divago quando ainda estou meio dormindo. Mais uma coisa para ele odiar em mim, acho. – A questão é que, às vezes, não gostar de alguém é uma reação instintiva. Como se apaixonar à primeira vista, sabe? Só que... o oposto.

Ele arregala os olhos.

– Bee. – Ele engole em seco. – Eu...

– Levi! Aí está você. – Kaylee caminha em nossa direção, com um iPad na mão. Eu aceno para ela, mas Levi não para de olhar. Para mim. – Preciso da sua aprovação para dois itens, e você e Guy têm uma reunião com Jonas em... Levi?

Por razões que desconheço, ele *ainda* está olhando para mim. E sua expressão aflita está de volta. Será que ainda estou com remela?

– Levi?

Três é demais, porque ele finalmente desvia os olhos.

– Oi, Kaylee.

Eles começam a conversar, e eu me afasto com outro aceno, sonhando acordada com um café e um sutiã. Não sei por que me viro uma última vez antes de entrar no elevador. Realmente não sei por quê, mas Levi está olhando para mim novamente.

Embora Kaylee ainda esteja falando.

São duas da tarde, estou de sutiã (sim, um top esportivo é um sutiã de verdade; não, eu não aceito críticas construtivas) e tomando meu décimo primeiro café do dia quando recebo uma mensagem de Levi.

Bee, estou mandando mensagem, já que os e-mails não são confiáveis. Seus equipamentos e computadores vão chegar amanhã. Vamos marcar uma reunião para discutir o Blink assim que você puder. Kaylee estará aí em breve para criar um e-mail Nasa.gov para você poder acessar nossos servidores. Se precisar de mais alguma coisa, me avise.

Não consigo me conter. Não devo ter aprendido nada nas últimas semanas, porque faço de novo: me levanto da cadeira com um salto e saio pela sala pulando e gritando de alegria. *Está acontecendo. Está acontecendo. Está acontecendo, está acontecendo, está...*

– Hã... Bee?

Dou meia-volta. Rocío me olha de sua mesa, alarmada.

– Desculpa. – Fico vermelha e rapidamente torno a me sentar. – Desculpa. São só... boas notícias.

– O ditador do veganismo te libertou de suas garras tirânicas e você finalmente pode comer comida de verdade?

– O quê? Não.

– Conseguiu reservar um lote no cemitério perto de Marie Curie?

– Isso seria impossível, porque as cinzas dela estão guardadas no Pantheon, em Paris, e... – Balanço a cabeça. – Nossos equipamentos estão chegando! Amanhã!

Até ela sorri. Cadê uma câmera digital quando você precisa?

– Sério mesmo?

– Sim! E Kaylee está vindo criar e-mails Nasa.gov para nós... Aonde você vai?

Noto o pânico no rosto dela enquanto enfia o notebook na bolsa.

– Para casa.

– Mas...

– Como os computadores só chegam amanhã, não faz sentido ficar aqui.

– Mas ainda podemos...

Rocío sai antes que eu possa lembrar a ela que sou sua chefe – eu *vou* aprender a exercer autoridade, mas não vai ser hoje. Não me importo muito, de qualquer modo. Porque, quando a porta se fecha atrás dela, me levanto da cadeira de novo para pular um pouco mais.

8

GIRO PRÉ-CENTRAL: MOVIMENTO

FATO CURIOSO: a melhor amiga da Dra. Curie era uma engenheira.

Parece improvável, né? Eu me sento diante dos melhores e mais brilhantes membros da equipe de Levi – uma absoluta Pintolândia®, naturalmente – e penso: quem passaria tempo voluntariamente com essa laia de engenheiros? E, no entanto, é real, como milho doce pré-cozido sabor peru, vídeos de espinhas sendo estouradas e muitas outras coisas improváveis.

É doloroso até pensar nisso, mas aqui vai o meu fato menos favorito sobre Marie: depois que Pierre morreu, ela começou a se relacionar com um físico jovem e forte chamado Paul Langevin. Sinceramente, ela merecia. Minha garota era uma jovem viúva que passava a maior parte do tempo pisando em urânio como se fossem uvas para vinho. Podemos todos concordar que, se ela queria transar, a única resposta adequada deveria ter sido: "Onde gostaria que seu colchão fosse colocado, Madame Curie?" Certo?

Errado.

A imprensa soube da fofoca e crucificou a Dra. Curie por isso. Eles a trataram como se ela tivesse embarcado em um trem para Sarajevo e assassinado Franz Ferdinand com as próprias mãos. Queixavam-se das coisas mais idiotas: Madame Curie é uma destruidora de lares (Paul havia se separado da esposa *séculos* antes); Madame Curie está manchando o bom nome de Pierre (Pierre provavelmente estava torcendo por ela lá do céu dos físicos, que está cheio de cientistas ateus e macieiras para Newton e seus amigos se sentarem à sombra); Madame Curie é cinco anos mais velha do que Paul, de quase 40 (meu Deus!), e, portanto, uma papa-anjo (meu Deus!!). Se há uma coisa que os homens odeiam mais do que uma mulher inteligente é uma mulher inteligente que faz as próprias escolhas quando se trata de sua vida sexual. Tinha de tudo: muita baboseira machista e antissemita foi escrita, duelos de pistola foram realizados, as palavras "escória polonesa" foram usadas, e a Dra. Curie mergulhou em uma profunda depressão.

Mas é aí que entra a melhor amiga engenheira.

Seu nome era Hertha Ayrton, e ela era praticamente uma polímata. Pense em sua amiga do ensino médio que só tirava nota dez, mas também era a capitã do time de futebol, ajudava no clube de teatro e ainda fazia bico como líder sufragista. Hertha é conhecida por estudar arcos elétricos – relâmpagos, só que bem mais legais. Eu gosto de fantasiar que ela usava seu conhecimento científico para queimar os inimigos de Marie, transformando-os em torresmo, no estilo Zeus, mas a verdade é que o amor e o apoio que davam uma à outra se traduziam principalmente em férias juntas para escapar da imprensa francesa.

Às vezes a amizade é feita de pequenos momentos tranquilos e não envolve relâmpagos letais. Decepcionante, eu sei. Por outro lado, outras vezes a amizade é feita de traição e mágoa, e dois anos tentando esquecer que você bloqueou o número de alguém cujos pedidos de delivery costumava saber de cor.

Enfim, acredito que a moral dessa história específica seja que os engenheiros não são *todos* maus. Mas esses com quem estou tentando trabalhar costumam ser abomináveis. Como agora, por exemplo, quando Mark, o especialista em materiais do Blink, me olha nos olhos e me diz pela terceira vez em dois minutos:

– Impossível.

Ok. Vamos tentar de novo.

– Se não afastarmos mais os canais de saída...

– Impossível.

Quatro. Quatro vezes em... Opa. *Ainda* em dois minutos.

Respiro fundo, lembrando uma técnica que minha antiga terapeuta usava. Eu me consultei com ela por um curto período de tempo depois que Tim e eu terminamos, quando minha autoconfiança estava sete palmos debaixo da terra, em companhia de vermes e fósseis mesozoicos. Ela me ensinou a importância de deixar pra lá o que não posso controlar (os outros) e focar no que posso (minhas reações). Ela costumava usar essa técnica bem astuta: reformular minhas afirmações para me ajudar a alcançar os resultados desejados.

Hora de usar terapia com Mark, o engenheiro de materiais.

– Entendo que estou pedindo que você faça algo que *no momento* é impossível, dada a parte interna do capacete. – Abro um sorriso encorajador. – Mas talvez, se eu explicar o que precisa ser feito da perspectiva da neurociência, a gente possa encontrar uma maneira de alcançar um meio- -termo...

– Impossível.

Eu só não bato com a cabeça na mesa porque Levi entra na sala nesse momento, dando bom-dia com um gesto de cabeça e arregaçando as mangas da camisa de malha. Seus antebraços são fortes e absurdamente atraentes – *por que estou olhando para os braços dele?* Argh. Kaylee nos avisou que ele se atrasaria por causa de alguma coisa na escola de Penny. Que, imagino, seja o nome da filha dele. Porque Levi tem uma filha. Prometo que vou parar de repetir esse fato assim que ele se tornar menos chocante (ou seja, nunca).

Todos o cumprimentam, e sinto um sobressalto no estômago. Andamos trocando e-mails, mas não nos falamos pessoalmente desde ontem, quando dei a ele permissão oficial para me detestar – desde que faça isso de maneira profissional. Estou curiosa para ver como ele vai se portar. Já que ele se abala tão facilmente, estou usando meu menor piercing de septo e o único vestido midi que tenho. É uma oferta de paz; acho bom que ele a valorize.

– Entendo o que você está dizendo – digo a Mark. – Existem impossibilidades físicas inerentes aos materiais, mas talvez a gente possa...

Ele repete a única palavra que conhece:

– Impossível.

– ... encontrar uma solução que...

– Não.

Estou prestes a elogiar a súbita variação em seu vocabulário quando Levi intervém.

– Deixa ela terminar de falar, Mark. – Ele se senta ao meu lado. – O que você estava dizendo, Bee?

Hein? O que está acontecendo?

– O... hã, o problema é o lugar das saídas. Elas precisam ser posicionadas de outra forma se quisermos estimular a região pretendida.

Levi assente.

– Como o giro angular?

Fico vermelha. Sério, eu me desculpei por isso! Eu o fuzilo com o olhar por desdenhar de mim na frente de sua equipe, mas percebo um brilho estranho em seus olhos, como se ele... Espera. Não é possível. Ele não está brincando comigo, está?

– S-sim – gaguejo, perdida. – Como o giro angular. E outras regiões do cérebro também.

– E o que eu disse a ela – observa Mark com toda a petulância de uma criança de 6 anos que ainda não tem altura para andar na montanha-russa – é que, dada a propriedade da mistura de Kevlar que estamos usando na camada interna, a distância entre as saídas precisa permanecer do jeito que está.

Na verdade, o que ele me disse foi "Impossível". Estou prestes a fazer esse comentário quando Levi diz:

– Então vamos mudar a mistura de Kevlar.

A mim, parece um caminho perfeitamente razoável para explorar, mas as outras cinco pessoas à mesa parecem pensar que a ideia é tão controversa quanto o conceito de glúten no século XXI. Murmúrios surgem. Muxoxos ecoam. Um cara que acho que se chama Fred suspira.

– Seria uma mudança significativa – resmunga Mark.

– É inevitável. Os capacetes precisam fazer a neuroestimulação direito – rebate Levi.

– Mas não é disso que o protótipo Sullivan precisa.

Essa é a segunda vez que ouço uma menção ao protótipo Sullivan, e a segunda vez que um denso silêncio se segue a ela. A diferença é que hoje estou na sala e posso ver como todos olham constrangidos para Levi. Será ele o principal autor do protótipo? Não pode ser, visto que ele é novo no Blink. Sullivan é o nome do Discovery Institute, então será que é daí que ele vem? Quero perguntar a Guy, mas ele está instalando o equipamento com Rocío e Kaylee.

– Seremos fiéis ao protótipo Sullivan dentro do possível, mas o propósito dele sempre foi ser um veículo para a neurociência – diz Levi, firme e categórico como sempre, com aquela calma competente e autoconfiante que lhe é peculiar.

Todos assentem solenemente, mais do que se esperaria de um bando de caras que se esganam por causa de donuts e vêm trabalhar de pijama. Há claramente algo que eu não estou sabendo. Que lugar é este? Twin Peaks? Por que todo mundo é tão cheio de segredos?

Definimos detalhes por mais algumas horas, decidindo que nas próximas semanas vou me concentrar em mapear os cérebros do primeiro grupo de astronautas enquanto a engenharia refina o material do capacete. Com Levi presente, sua equipe tende a concordar mais rápido com minhas sugestões, um fenômeno chamado de Linguiça Indica®– bem, pelo menos por Annie e por mim. Em situações como uma Pintolândia® ou um Festival da Linguiça®, ter um homem concordando com você a ajuda a ser levada a sério. Quanto mais reconhecido for o homem, mais validade tem a aprovação dele no Linguiça Indica®.

Exemplo notável: a Dra. Curie não foi originalmente incluída na indicação ao Prêmio Nobel pela teoria da radioatividade *que ela havia criado*, até que Gösta Mittag-Leffler, um matemático sueco, intercedeu por ela no comitê de premiação constituído apenas por homens. Exemplo menos notável: na metade da minha reunião com os engenheiros, quando observo que não vamos conseguir estimular profundamente o lobo temporal, o Talvez Fred me diz:

– *Na verdade*, conseguimos, sim. Fiz uma disciplina de neurociência na graduação. – Ai, meu Deus. Isso foi, provavelmente, há duas semanas. – Tenho *certeza* de que estimulavam o lobo temporal medial.

Eu suspiro. Internamente.

– Com quem você estudou?

– Alguma coisa… Welch? Em Chicago?

– Jack Walsh? Da Northwestern?

– Isso.

Faço que sim e sorrio. Embora talvez eu não devesse sorrir. Talvez a razão para eu ter que lidar com essa merda é que sorrio demais.

– Jack não estimulou o hipocampo diretamente... Ele estimulou áreas occipitais conectadas ao hipocampo.

– Mas no ensaio...

– Fred – interrompe Levi, recostado em sua cadeira, fazendo-a parecer minúscula, segurando uma maçã mordida na mão direita. – Acho que podemos acreditar na palavra de uma doutora em neurociência com dezenas de publicações sobre o assunto – acrescenta ele, calmo, porém autoritário. Em seguida dá outra mordida na maçã, pondo fim na conversa.

Vê? Linguiça Indica®. Funciona sempre. E todas as vezes me dá vontade de virar a mesa, mas eu apenas passo para o tópico seguinte. O que posso dizer? Estou cansada.

E agora estou louca por uma maçã.

Meu estômago ronca quando saio da sala para encher minha garrafa de água. Estou pensando, melancólica, na refeição pré-pronta que neste momento descongela na minha mesa, quando ouço um: "miau."

Reconheço o tom animado imediatamente. É a minha gata malhada (*aquela* gatinha malhada) me espiando de trás do bebedouro.

– Oi, docinho. – Eu me ajoelho para acariciá-la. – Aonde você foi no outro dia?

Trinado, miau. Alguns ronrons.

– O que você está fazendo aqui sozinha?

Uma cabeçadinha.

– Está atrás de camundongos? Faz parte da Patrulha do Bigode? – A gata me lança um olhar fulminante e se afasta. – Tudo bem, tudo bem, eu sou boba mesmo... Você tem toda a *ração*!

Um último olhar indignado e ela dobra a esquina. Dou uma risadinha, e então ouço passos atrás de mim. Não viro a cabeça para olhar. Já até sei quem é.

– Tinha uma gata aqui – digo, encabulada.

Levi passa por mim para encher sua garrafa de água. Ele é tão alto que precisa se curvar sobre o bebedouro. Seus bíceps se movem sob o algodão da camisa. Ele já era grande assim no doutorado? Ou eu fiquei ainda mais baixa? Talvez seja o estresse. Talvez eu esteja desenvolvendo uma osteoporose precoce. Tenho que comprar tofu com cálcio.

– Certo – diz ele, evasivo. Seus olhos estão focados na água.
– Não, é verdade.
– Aham.
– É sério. Ela foi por ali.

Aponto para a direita. Levi olha naquela direção com um aceno de cabeça educado e em seguida volta para a sala, bebendo sua água.

Continuo de joelhos no meio do corredor e suspiro. Não dou a mínima se o Levidiota acredita em mim ou não.

De qualquer maneira, ele provavelmente odeia gatos.

– O equipamento está pronto. E Guy instalou nossos computadores – diz Rocío quando estamos andando de volta para nossos apartamentos.

Sorrio para o ar úmido da tarde.
– Maravilha. Como foi trabalhar com Guy e Kaylee?
– Como foi trabalhar com seu velho arqui-inimigo declarado?

Eu lhe dirijo um olhar de censura.
– Ro.

Conviver com ela é o treino perfeito para a filha adolescente que eu talvez nunca tenha.

– Foi tudo bem – murmura ela.

Seu tom me faz franzir a testa.
– Tem certeza?
– Tenho.
– Não parece. Algum problema?
– Sim. Vários. Aquecimento global, racismo estrutural, a superpopulação em nichos ecológicos, o desnecessário remake estadunidense da obra-prima do terror romântico sueco *Deixe ela entrar*...
– Rocío. – Paro na calçada. – Se alguém não estiver te tratando direito, se Guy estiver fazendo alguma coisa que te deixe desconfortável, por favor, fique à vontade para...
– Você já *conheceu* o Guy? – Ela bufa. – Ele parece um filhotinho de suricato com um coroinha.
– Isso é muito grosseiro e... – eu hesito – ... perturbadoramente preciso,

mas parece que você teve um dia ruim, então, se alguma coisa estiver te aborrecendo, eu...

Ela murmura alguma coisa que não consigo ouvir, então me inclino para perto.

– O que foi que você disse?

Outro resmungo como resposta.

– O quê? Eu não estou...

– Eu disse: *eu odeio a Kaylee*. – Ela grita tão alto que um homem empurrando um carrinho de bebê do outro lado da rua se vira para nos olhar.

– Você odeia... a Kaylee?

Ela se vira rapidamente e recomeça a andar.

– Eu já disse.

Eu me apresso para alcançá-la.

– Espera... Você está falando sério?

– Eu sempre falo sério.

Não fala, não.

– Ela fez alguma coisa contra você?

– Fez.

– Então me fala, por favor. – Ponho a mão em seu ombro, tentando tranquilizá-la. – Estou aqui para te apoiar, não importa...

– Aquele *cabelo* idiota dela – desabafa Rocío. – Os cachos parecem uma maldita espiral de Fibonacci. São logarítmicos, e o fator de crescimento é a proporção áurea... Sem falar que *parecem* ouro fiado. Por acaso ela é a Cinderela? Estamos na Disney de Paris?

Eu hesito.

– Ro, você está...

– E que pessoa que se preze usa aquele tanto de glitter? Sem ironia?

– Eu gosto de glitter...

– *Não gosta nada* – grunhe ela. Só me resta assentir. Ok. Não gosto mais de glitter. – E mais cedo ela deixou cair uma coisa, e sabe o que ela disse?

– Oops?

– "Meu *Deuso.*" Ela disse: "Ai, meu *Deuso!*"... Entende *por que* não posso trabalhar com ela?

Faço que sim para ganhar tempo. Isto é... interessante. No mínimo.

– Eu, hã, entendo que vocês são muito diferentes e talvez nunca sejam amigas, mas eu preciso que você supere sua... repulsa por lantejoulas...
– Lantejoulas *cor-de-rosa*.
– ... por lantejoulas *cor-de-rosa*, e conviva bem com ela.
– Impossível. Eu me demito.
– Olha, nenhuma dessas coisas é motivo para uma queixa formal. Não podemos policiar a noção de moda dos nossos colegas de trabalho.
Rocío franze a testa.
– E se eu te disser que ela chupou um pirulito? Do tipo que tem chiclete dentro?
– Nem assim. – Sorrio. – Sabe de uma coisa? Tudo que você acha da Kaylee, Levi acha de mim.
– Como assim?
– Ele odeia meu cabelo. Meus piercings. Minhas roupas. Tenho certeza de que acha que meu rosto combina com um filme de terror sangrento.
– Filmes de terror sangrentos são os melhores.
– Não sei por quê, mas acho que ele discordaria. Mas ele tenta ignorar o fato de que sou uma bruxa do pântano para que a gente possa trabalhar juntos. E você deveria fazer o mesmo.
Rocío recomeça a andar, chateada.
– Ele odeia mesmo a sua aparência?
– Sim. Sempre odiou.
– Estranho, então.
– O que é estranho?
– Ele fica te olhando. Muito.
– Ah, não. – Dou uma risada. – Ele faz um grande esforço para *não* me olhar. É o *crossfit* dele.
– Pelo contrário. Pelo menos quando você não está vendo. – Estou prestes a perguntar se ela bebeu, mas Rocío dá de ombros. – Que seja. Se você não vai apoiar meu ódio por Kaylee, não tenho escolha senão ligar para Alex e descarregar minha raiva nele enquanto ouço *death metal* norueguês.
Dou tapinhas nas costas dela.
– Parece que vai ser uma noite adorável.
Em casa, eu só quero me empanturrar de chocolate com pasta de amendoim e enviar para @OQueMarieFaria 12 tuítes sobre a injustiça do Lin-

guiça Indica®, mas me restrinjo a verificar minhas DMs. Sorrio quando encontro uma de Shmac:

> **SHMAC:** Como estão as coisas?
>
> **MARIE:** Por incrível que pareça, bem melhores.
>
> **SHMAC:** O cu de camelo explodiu pelos ares?
>
> **MARIE:** kkkk não. Talvez ele seja um cuzão menor do que pensei. Mas ele ainda é um cuzão, não me entenda mal. Talvez seja, sei lá, um cu de pato?
>
> **SHMAC:** Você já viu um cu de pato?
>
> **MARIE:** Não. Mas deve ser pequeno e bonitinho, certo?

Fico olhando a roda girar enquanto a imagem que ele me envia carrega. Primeiro, penso que se trata de um biquinho. Então percebo que se encontra conectado a um pequeno corpo emplumado e...

> **MARIE:** MDS, O QUE É ESSA ABOMINAÇÃO
>
> **SHMAC:** Seu colega.
>
> **MARIE:** Retiro o que eu disse! Eu des-rebaixo ele! Ele voltou a ser um cuzão do tamanho de um cu de camelo!
>
> **MARIE:** Como vai a sua namorada?
>
> **SHMAC:** Mais uma vez: quem me dera.
>
> **MARIE:** Como estão as coisas com ela?

Faz-se uma longa pausa, na qual decido agir como a adulta motivada que não sou e visto um short de corrida e minha camiseta da *Marie Curie & Os Isótopos – Tour Europeia 1911*.

SHMAC: Péssimas.

MARIE: Como assim?

SHMAC: Eu estraguei tudo.

MARIE: Não tem como consertar?

SHMAC: Acho que não. Tem muita história por trás.

MARIE: Quer me contar?

Os três pontos na base da tela piscam por um tempo, então verifico meu aplicativo Do Sofá aos 5km. Aparentemente, hoje eu preciso correr cinco minutos, caminhar um minuto, e então correr mais cinco minutos. Parece viável. Ah, a quem estou querendo enganar? Parece *apavorante*.

SHMAC: É complicado. Parte da história é que eu a conheci quando era mais novo.

MARIE: Por favor, não me diga que você era secretamente um senhor das áreas STEM.

SHMAC: Eu só era um babaca.

MARIE: Quantas mulheres você perturbou na internet?

SHMAC: Zero. Mas eu cresci em um ambiente hostil e reservado. Eu era uma pessoa bem fechada antes de me dar conta que não podia passar o resto da vida assim. Fiz terapia, o que me ajudou a descobrir como lidar com sentimentos... opressivos. Só que toda vez que falo com ela, meu cérebro apaga e eu volto a ser a pessoa de antes.

MARIE: Ui.

SHMAC: Eu nem imaginava como ela interpretava as coisas que eu fazia, mas, pensando agora, tudo faz sentido. Mas também teve uma coisa que ela disse que me faz pensar que o marido dela contou algumas mentiras que pioraram a situação.

MARIE: Você deveria dizer isso a ela. Se fosse eu, ia querer saber.

SHMAC: No fim, não faz diferença. Ela está feliz com ele.

Respiro fundo.

MARIE: Ok, escuta. Durante anos pensei que estava em um relacionamento feliz com alguém que descobri depois que era um mentiroso crônico. E, na minha experiência, relacionamentos baseados em mentiras não têm como durar. Não por muito tempo. Você estaria fazendo um favor a ela se contasse a verdade.

Não digo a ele que *nenhum* relacionamento tem como durar. As pessoas tendem a ficar na defensiva quando digo isso. Elas precisam descobrir por conta própria.

SHMAC: Sinto muito pelo que aconteceu com você.

MARIE: Sinto muito pelo que está acontecendo com você.

SHMAC: Olha só para nós. Dois cientistas desiludidos.

MARIE: Existe algum outro tipo?

SHMAC: Não que eu saiba.

Fico pensando em Shmac com o coração apertado enquanto calço os tênis. Não consigo nem imaginar como deve ser horrível estar apaixonado por uma pessoa casada. Situações dolorosas como essa justificam a missão corporativa da Bee S.A.: Nunca, *jamais* se apaixone por ninguém. Se for para sofrer de novo, que seja pela neurociência. Com certeza ela fará um trabalho muito mais limpo do que o idiota do Tim. A Dra. Curie me apoiaria nessa decisão, tenho certeza.

Então me levanto do sofá com um pulo e me aventuro no ar denso de Houston para a minha corrida.

Se eu correr no Centro Espacial, alguém que conheço pode me ver me arrastando pelo percurso, e eu não desejaria essa visão a um espectador inocente. O Google me socorre: há um pequeno cemitério a cerca de cinco minutos de distância. Ler nomes de bebês como Alford ou Brockholst em lápides pode ser uma boa distração do tormento agonizante do exercício. Ponho meus AirPods, começo um álbum da Alanis Morissette e sigo na direção do cemitério. São 18h43, o que significa que posso estar em casa, de banho tomado, a tempo de assistir *Love Island*.

Não julgue. É uma série subestimada.

Infelizmente, ficar sentada no sofá pensando em malhar não melhorou minha condição aeróbica. Percebo isso no terceiro minuto da corrida, quando desabo na frente da lápide de Noah F. Moore, 1834-1902. Eu me deito na grama, encharcada de suor, ouvindo meu coração bater nos ouvidos. Ou talvez seja só Alanis gritando.

Não nasci para isso. E com "isso" quero dizer usar meu corpo para algo mais extenuante do que andar até meu armário de guloseimas. Que, por acaso, são todos os meus armários. Sim, ok: a Dra. Curie compartilhava com o marido o amor pelo ciclismo e por caminhadas pela natureza, mas nem todos podemos ser como ela: dama, erudita *e* atleta.

Quando percebo que o sol está se pondo, me levanto do chão, me despeço de Noah e começo a voltar, mancando, para casa. Estou quase chegando à entrada quando percebo algo: *não* há entrada. Os portões altos por que passei ao chegar agora estão fechados. Tento abri-los, sacudindo-os, mas nada feito. Olho à minha volta. Os muros são altos demais para eu escalar – porque tenho 1,50 metro de altura e *tudo* é alto demais para eu escalar.

Respiro fundo. Está tudo bem. Tudo certo. Eu não estou presa aqui. Se seguir ao longo do muro, vou encontrar um trecho mais baixo que poderei escalar facilmente.

Ou não. Quinze minutos depois, quando Houston está decididamente em meio ao crepúsculo e tenho que ligar meu aplicativo de lanterna para ver alguns metros à frente, ainda não encontrei esse trecho. Avalio a situação na minha cabeça: estou sozinha (desculpa, Noah, você não conta), presa em um cemitério depois do pôr do sol, e meu telefone está com 20% de bateria. Ops.

Sinto uma onda de pânico crescer e imediatamente a domino. Não. Quieto. Pânico *malvado*. Nada de guloseimas para você. Preciso focar em métodos de resolução de problemas antes que eu chafurde no desespero. O que posso fazer?

Eu poderia gritar na esperança de que alguém me ouça, mas o que as pessoas poderiam fazer? Construir uma corda improvisada com seus cintos? Humm. Parece uma lesão cerebral traumática em potencial. Passo.

Poderia ligar para a emergência, então. Embora a emergência esteja provavelmente ocupada salvando pessoas que de fato merecem ser salvas. Pessoas que não se trancaram estupidamente em um cemitério à noite. Ligar para alguém que conheço seria melhor. Eu poderia *pedir* a alguém que me trouxesse uma escada. Sim, parece uma boa ideia.

Tenho o número de telefone de duas pessoas que moram atualmente em Houston. A segunda não conta, porque prefiro dormir aconchegada nos braços viscosos do esqueleto de Noah a ligar para ela. Mas tudo bem, porque a primeira é Rocío, que poderia pedir uma escada ao zelador e trazê-la até aqui no nosso carro alugado. Para falar a verdade, cemitérios à noite são seu hábitat natural. Ela vai adorar.

Se ao menos ela se desse o trabalho de atender ao telefone. Ligo para ela uma vez, duas... Sete vezes. Então lembro que a geração Z prefere rolar em urtigas do que falar ao telefone e mando uma mensagem. Nenhuma resposta. A droga da bateria está em 18%, os mosquitos estão picando minhas canelas e é provável que Rocío esteja transando por Skype com uma banda chamada Thorr's Hammer.

Para quem mais posso ligar? Quanto tempo Reike levaria para pegar um avião e vir até aqui? É tarde demais para pedir a ela o número do cara que encosta a língua no nariz? Quais são as chances de que Shmac more secretamente em Houston? Devo enviar um e-mail para Guy? Mas ele tem um filho. Pode não checar o e-mail à noite.

Meu telefone está em 12% e meus olhos recaem num número no registro de chamadas recebidas. Nem sequer me dei o trabalho de salvá-lo. Porque achei que nunca o usaria.

Não posso. Não posso. Não posso ligar para Levi. Ele deve estar em casa, saboreando um jantar preparado pela esposa subserviente, brincando com o cachorro, ajudando a filha com a lição de matemática. A Penny dos cachinhos pretos. Não. Eu não posso. Ele me odiaria ainda mais. E a humilhação que seria. Ele já me salvou uma vez.

Nove por cento, o mundo está um breu, e eu me odeio. Não há alternativa. Defendi com sucesso uma tese de doutorado, superei um episódio depressivo, fiz depilação total da virilha todos os meses durante anos, e mesmo assim digitar uma vez o número de Levi parece a coisa mais difícil que já fiz. Talvez eu devesse apenas passar a noite ali mesmo. Talvez um bando de linces me deixe dormir com eles. Talvez...

– Alô?

Ah, merda. Ele atendeu. Por que ele atendeu? Ele é um *millennial*, nós também odiamos falar ao...

– Alô?

– Hã, desculpa. Aqui é Bee. Königswasser. Nós, hã, trabalhamos juntos? Na Nasa?

Uma pausa.

– Eu sei quem você é, Bee.

– Certo. Sim. Então... – Fecho os olhos. – Estou com um pequeno problema e estava pensando se você poderia...

Ele não hesita.

– Onde você está?

– Então... estou num cemiteriozinho perto do Centro Espacial. Greenwood?

– Greenforest. Você está trancada?

– Eu... Como você sabe?

– Você está me ligando de um cemitério depois do pôr do sol. Os cemitérios fecham de noite.

Essa teria sido uma informação útil há 45 minutos.

– É, então... Os muros são um pouco altos e a bateria do meu telefone está morrendo, e eu estou meio...

– Fique perto dos portões. Desligue a lanterna, se estiver com ela acesa. Não fale com ninguém que você não conheça. Chego aí em dez minutos. – Uma pausa de um segundo. – Deixa comigo. Não se preocupe, ok?

Ele desliga antes que eu possa avisar que é melhor trazer uma escada. E, pensando bem, antes que eu possa pedir que venha me resgatar.

9

CÓRTEX PRÉ-FRONTAL MEDIAL: SERÁ QUE EU ESTAVA ERRADA?

NO INSTANTE EM QUE LEVI APARECE, eu quero dar um beijo nele por me resgatar dos mosquitos, e dos fantasmas, e dos fantasmas dos mosquitos. Também quero matá-lo por testemunhar a humilhação de Bee Königswasser, esse desastre humano. O que posso dizer? Eu contenho multidões.

Ele salta de uma caminhonete daquele tipo que bebe horrores e da qual eu infelizmente não tenho mais o direito de me queixar, examina o muro e se aproxima de onde estou, parando do outro lado do portão. A seu favor, se ele está achando graça da situação, não demonstra. Sua expressão é neutra quando ele pergunta:

– Você está bem?

Totalmente mortificada conta como bem? Digamos que:

– Sim.

– Que bom. Vamos fazer o seguinte: vou passar a escada entre as grades e você usa para chegar ao alto do muro. Eu te pego do outro lado.

Ele parece muito... no comando. Autoconfiante. Não que ele em geral não pareça, mas isso está tendo um novo... efeito sobre mim. Ai, meu Deus. Será que sou uma donzela em perigo?

– Como vamos pegar a escada?
– Amanhã de manhã eu passo aqui e pego.
– E se alguém roubar?
– Terei perdido uma relíquia que está na família há gerações.
– Sério?
– Não. Pronta?

Não estou, mas não importa. Ele levanta a escada como se fosse uma pena e a desliza entre as grades do portão. Não é muito legal quando eu descubro que ela é tão pesada que mal consigo segurá-la na vertical. Digo a mim mesma que tenho outros talentos enquanto ele precisa me guiar pacientemente pelo processo de soltar as travas e ajustar o mecanismo de segurança. Ele deve notar como acho irritante ser guiada, porque diz:

– Pelo menos você entende de giro angular.

Eu me viro para ele, enfezada, mas paro quando vejo sua expressão. Ele está brincando comigo *de novo*? Pela *segunda* vez? Em *um único dia*?

Que seja. Subo, o que prova ser uma boa distração. Porque meu corpo gosta de desmaiar e altura é uma causa de desmaio *muito frequente*. Estou a meio caminho da subida quando minha cabeça começa a girar. Agarro as barras laterais da escada e respiro fundo. Eu consigo. Consigo manter minha pressão arterial normal sem desmaiar. Nem estou tão alto assim. Agora, se eu olhar para baixo, posso...

– Não faça isso – ordena Levi.

Eu me viro para ele. Estou alguns centímetros acima dele, e Levi parece ainda mais bonito deste ângulo. Deus, eu o odeio. E a mim também.

– Isso o quê?

– Não olhe pra baixo. Vai ser pior.

Como é que ele sabe que...

– Olhe pra cima. Dê um passo de cada vez, devagar. Isso, ótimo.

Não sei se o conselho dele funciona ou se minha pressão arterial sobe naturalmente quando me dizem o que fazer, mas consigo chegar ao alto sem desabar como um saco de batatas. E ali me dou conta de que o pior ainda está por vir.

– Se segura na beirada do muro e vai se abaixando – diz Levi.

Ele está parado bem abaixo de mim, os braços erguidos para me pegar, a cabeça a alguns centímetros dos meus pés pendurados.

– Meu Deus. – Esqueça os desmaios. Estou prestes a vomitar. – E se você não me pegar? E se eu for pesada demais? E se nós dois cairmos? E se eu quebrar seu pescoço?

– Eu vou, obviamente você não é, não vamos e você não vai. Vamos, Bee – diz ele, paciente. – Basta fechar os olhos.

Está vendo? É nisso que você se mete quando resolve se exercitar. Fiquem no porto seguro do seu sofá, crianças.

– Está pronta? – pergunta ele em um tom encorajador.

Um salto de confiança. Com o Levidiota Ward. Deus, quando foi que minha vida se transformou nisso? Dra. Curie, por favor, me proteja.

Eu me solto. Por um segundo, fico suspensa no ar, certa de que vou me esparramar. Então dedos fortes se fecham em torno da minha cintura, e me vejo nos braços de Levi pela segunda vez em dez dias. Devo ter me lançado do muro com impulso demais, porque acabamos mais perto do que eu pretendia. A frente do meu corpo roça nele quando Levi me põe no chão, e eu sinto tudo. *Tudo*. Os músculos rígidos de seus ombros sob minhas mãos. O calor de sua pele através da camisa. Seu cinto pressionando meu abdome. O formigamento perigoso no meu ventre quando ele... O quê? *Não*.

Dou um passo para trás. É Levi Ward. Um homem casado. Pai. Um cuzão de camelo. O que eu estou pensando?

– Você está bem?

Faço que sim, um pouco desnorteada.

– Obrigada por vir tão rápido.

Ele desvia o olhar. Talvez esteja corando.

– De nada.

– Sinto muito por atrapalhar a sua noite. Tentei ligar para Rocío, mas ela estava... não sei onde.

– Fico feliz que tenha ligado pra mim.

Fica? Duvido muito.

– Enfim, muito obrigada. Como posso te retribuir? Posso pagar a gasolina?

Ele balança a cabeça.

– Vou te levar pra casa.

– Ah, não precisa. Fica a cinco minutos daqui.

– Está muito escuro e essa área mal tem calçadas.

Ele mantém a porta do passageiro aberta, e eu não tenho escolha senão entrar. Que seja. Posso sobreviver a mais um minuto perto dele.

O interior da caminhonete está limpinho e cheira bem – algo que não acreditei que fosse possível –, com um punhado de barras de cereais na traseira que fazem meu estômago se contrair de fome e uma garrafa d'água pela metade pela qual eu arriscaria contrair seus germes. Ele também dirige um câmbio manual. Hum. Exibido.

– Você está hospedada no alojamento, certo?

Faço que sim, puxando a bainha do short. Não gosto do quanto ele sobe quando me sento. Não que Levi fosse voluntariamente olhar para as minhas coxas, mas sempre fico um pouco constrangida, porque Tim costumava zombar de mim por ter pernas arqueadas. E Annie me defendia, grunhindo para ele que minhas pernas eram perfeitas e a opinião dele era desnecessária, e eu...

A caminhonete dá a partida. Uma voz familiar preenche o ambiente, mas Levi rapidamente muda para uma estação de rádio. Eu hesito. O locutor está falando sobre o sistema de votos pelo correio.

– Aquela música era... Pearl Jam?

– Era.

– *Vitalogy*?

– Aham.

Humpf. Pearl Jam não é minha banda favorita, mas é boa, e eu odeio que Levi goste de boa música. Preciso que ele ame Dave Matthews Band. Que seja fã da dupla Insane Clown Posse. Que tenha uma tatuagem do Nickelback na lombar. É o que eu mereço.

– O que você estava fazendo em um cemitério? – pergunta ele.

– Só... correndo...

– Você corre? – Ele parece surpreso. De uma forma ofensiva.

– Ei, eu sei que pareço uma banana, mas...

– Não parece – interrompe ele. – Uma banana, quero dizer. É só que, no doutorado, você...

Eu me viro para ele. O canto de sua boca está voltado para cima.

– Eu o quê?

– Uma vez você disse que tempo gasto se exercitando é tempo que nunca se recupera.

Não tenho nenhuma lembrança de dizer isso. Especialmente a Levi, já que trocamos aproximadamente 12 palavras na Pitt. Mas essa declaração de fato soa como algo que eu diria.

– Pois é, mas parece que quanto maior sua aptidão aeróbica, mais saudável seu hipocampo. Sem falar da conectividade geral da sua rede de modo padrão e de múltiplos feixes de axônios, então... – Dou de ombros. – Eu me vejo obrigada a reconhecer com ressentimento que, de acordo com a ciência, o exercício é uma coisa boa.

Ele ri. Rugas se formam nos cantos de seus olhos, e isso me faz querer continuar. Não que eu queira fazê-lo rir. Por que ia querer?

– Estou seguindo esse programa chamado Do Sofá aos 5km, mas... eca.

– Eca?

– Eca.

O sorriso dele se alarga um milímetro.

– Quanto tempo dura esse programa?

– Quatro semanas.

– Há quanto tempo você começou?

– Umas duas semanas.

– A que distância você já chegou?

– ... Trezentos metros. Caí exausta. No, hã, terceiro minuto. – Ele me dirige um olhar cético. – Para ser sincera, essa é apenas a segunda vez que corro desde o ensino fundamental.

– O calor aqui é terrível. Talvez seja melhor correr de manhã. Mas você não é uma pessoa matinal, certo?

Ele morde o lábio, pensativo. Eu me pergunto como ele poderia saber disso e me dou conta de que, infelizmente, basta apenas olhar para mim antes das onze da manhã.

– Tem uma academia no Centro Espacial a que você deve ter acesso.

– Eu cheguei. Não é grátis para terceirizados, e não tenho certeza de que a saúde do meu sistema nervoso vale setenta dólares por mês. – No rádio, Ari Shapiro está perguntando a um correspondente sobre algum processo do Facebook. – Você corre provas de cinco quilômetros?

– Não.

Meus olhos se estreitam.

– Porque você só corre maratonas e daí para cima?

– Eu... – Ele hesita, parecendo encabulado. – Corro meias maratonas, às vezes.

– Certo – digo casualmente quando ele entra no estacionamento. – Muito obrigada pelo resgate e pela carona, mas agora preciso ficar sozinha para poder te odiar em paz.

Ele ri novamente. Por que esse som é tão agradável?

– Ei, eu também não acho que correr é fácil.

Tenho certeza que não. Depois dos cinquenta quilômetros, mais ou menos.

– Bem, obrigada. É a segunda vez que você me salva.

Apesar de sermos nêmesis. Incrível, não?

– A segunda?

– É. – Solto o cinto de segurança. – A primeira vez foi no trabalho. Quando eu quase... virei panqueca...

– Ah. – Algo salta em seu maxilar com essa menção. – Foi.

– Bem, uma ótima noite pra você. – Apalpo meus bolsos. – Desculpa por... – Apalpo um pouco mais. Então me viro no assento, procuro alguma coisa que possa ter caído e não encontro nada. O banco está tão imaculado quanto quando eu entrei. – Hã...

– O que foi?

– Eu... – Fecho os olhos, tentando repassar meu dia. Vesti o short. Pus as chaves no bolso. Senti que elas batiam na minha perna enquanto eu corria, até... Merda. Acho que elas caíram quando desabei no túmulo. – Maldito Noah Moore – murmuro.

– O que foi?

– Acho que deixei minhas chaves no cemitério. – Solto um gemido. – Merda, o zelador vai embora às sete.

Jesus, qual é o problema deste dia? Mordo o lábio inferior, estudando as opções. Eu poderia dormir no sofá de Rocío e ir buscar minhas chaves de manhã bem cedo. Obviamente não sei onde Rocío está, ou se ela vai atender à porta. O fato de o meu celular estar com quatro por cento de bateria não...

Levo um susto quando Levi torna a ligar a caminhonete.

– Ah, obrigada, mas não tem necessidade de voltar ao cemitério. Eu não saberia como entrar e...

– Não vou te levar para o cemitério. – Ele não olha para mim. – Ponha o cinto.

– O quê?
– Ponha o cinto de segurança – repete ele.
Obedeço, confusa.
– Aonde vamos?
– Pra casa.
– De quem?
– Minha.
Meu queixo cai. Devo ter entendido errado.
– O quê?
– Você precisa de um lugar para ficar, não?
– Preciso, mas... o sofá da Rocío. Ou eu chamo um chaveiro. Não posso ir para a sua casa.
– Por que não?
– Porque... – digo, falando como uma criança de 12 anos estridente.

Por que ele está sendo tão legal de repente? Será que se sente culpado por não me contar sobre a confusão da Nasa? Bem, deveria se sentir mesmo. Mas eu prefiro dormir debaixo de uma ponte e comer plâncton do que ir à casa dele e ver sua vida familiar perfeita. Nada pessoal, mas a inveja me mataria. E não posso conhecer a esposa dele desse jeito, cheirando a meias sujas e cemitério. Quem sabe o que Levi já falou de mim para ela?

– Porque provavelmente você tem planos para a noite.
– Não tenho.
– E eu te atrapalharia.
– Não atrapalharia.
– Além do mais, você me odeia.

Ele fecha os olhos brevemente, exasperado, o que me preocupa. Afinal, ele está dirigindo.

– Existe alguma razão concreta para você não querer ficar na minha casa, Bee? – pergunta ele com um suspiro.
– Eu... É muita gentileza sua, mas não me sinto confortável.

Isso faz com que ele hesite. Suas mãos apertam o volante, e ele diz calmamente:

– Se você não se sente segura comigo, eu respeito totalmente. Vou levá-la de volta para a sua casa. Mas não vou embora até ter certeza de que você tem um lugar seguro para...

– O quê? Não. Eu me sinto segura com você.

Ao dizer isso, percebo o quanto essas palavras são verdadeiras, e o quanto isso é raro para mim. Geralmente há uma subcorrente constante de ameaça quando estou sozinha com homens que não conheço muito bem. Na outra noite, Guy passou no meu escritório para conversar, e mesmo que ele nunca tenha sido nada além de simpático, eu não conseguia parar de olhar para a porta. Mas Levi é diferente, o que é estranho, especialmente levando em conta que nossas interações sempre foram antagônicas. E especialmente levando em conta que ele é do tamanho de uma mansão vitoriana.

– Não é isso – digo.

– Então…?

Fecho os olhos e recosto a cabeça no apoio do banco. Não tem como eu conseguir evitar essa situação, tem? Melhor me jogar logo do precipício.

– Então, obrigada – respondo, tentando não soar tão abatida quanto me sinto. – Eu adoraria ficar na sua casa esta noite, se não for dar muito trabalho.

No instante em que vejo a casa de Levi, quero colocá-la abaixo com um lança-chamas. Porque é perfeita.

Para ser franca, é uma casa totalmente normal. Mas combina perfeitamente com o meu ideal, que, para ser franca mais uma vez, não é particularmente elevado. Meu sonho de vida sempre foi uma bela casa de alvenaria em um bairro residencial, uma família dentro da média de 2,5 filhos e um quintal para cultivar plantas que atraiam borboletas. Tenho certeza de que um psicanalista diria que isso tem a ver com o estilo de vida nômade dos meus anos de formação. Eu sou fã da estabilidade, o que posso fazer?

Obviamente, quando digo "sonho de vida", me refiro ao sonho de até uns dois anos atrás. Assim que percebi como os humanos podem ser drasticamente cruéis, descartei do sonho a parte da família. A casa, porém, permanece, pelo menos segundo a pontada em meu coração quando Levi estaciona na entrada da garagem. A primeira coisa que noto: ele cultiva hissopo em seu jardim – que é o bebedouro de beija-flores da natureza e minha planta favorita. Argh. Segunda: não há carros em frente à casa.

Esquisito. Mas algumas luzes dentro dela estão acesas, então talvez o da esposa esteja na garagem. Sim, provavelmente é isso.

Salto da caminhonete – que é injustamente alta – com os músculos já doloridos e as pernas já coçando.

– Tem certeza de que não tem problema? – pergunto.

Ele me dirige um olhar silencioso que parece dizer *já não conversamos sobre isso sete vezes?* e me conduz pelo caminho que leva até a entrada da casa, onde nos vemos cercados por uma quantidade deliciosa de vaga-lumes. Estou sentindo uma inveja *explosiva* deste lugar. E estou prestes a conhecer a cara-metade de Levi, que provavelmente me conhece como a ex-colega de laboratório feia do seu marido e me chama por algum apelidinho. Algo como FrankenBee. Ou Beezilla. Opa, esses apelidos na verdade são muito fofos. Espero que, para o bem deles, tenham inventado algo mais cruel.

O interior da casa está silencioso, e eu me pergunto se a família já está dormindo.

– Entro sem fazer barulho? – sussurro.

Ele me dirige um olhar confuso.

– Se quiser – diz ele em um volume de voz normal.

Será que as paredes são à prova de som? Ou Levi é um pai muito rigoroso, ou ele e a esposa são profissionais em arrumar a bagunça da filha. A casa está imaculada e tem pouca mobília. Não há brinquedos nem bagunça à vista. Há algumas publicações de engenharia, um punhado de pôsteres de ficção científica nas paredes e um livro de Asimov aberto na mesinha de centro – um dos meus autores favoritos. Como esse homem que detesto pode estar cercado por tudo que amo? É estarrecedor.

– Tem três quartos desocupados no andar de cima. Pode escolher o que gostar mais. – *Três* quartos desocupados? Qual o tamanho desta casa? – Um deles tecnicamente é o meu escritório, mas tem um sofá-cama. Quer tomar um banho?

– Banho?

– Eu não quis... – Ele parece nervoso. – Se quiser. Porque você correu. Não precisa. Eu não quis insinuar que...

– Que estou cheirando a virilha suada de velha?

– Hã...

– Que estou tão suja quanto um banheiro de posto de gasolina?

Agora ele está vermelho *mesmo*, e eu rio. O rubor o torna quase encantador.

– Não se preocupe. Eu estou fedendo e adoraria um banho.

Ele engole em seco e assente.

– Você vai ter que usar minha suíte. Tem toalhas e sabonete lá.

Mas a esposa dele não está...?

– Posso lavar e secar suas roupas, se quiser. Nesse meio-tempo, você veste alguma coisa minha. Embora eu não tenha nada que te sirva. Você é muito... – ele pigarreia – ... pequena.

Espera aí... Ele é divorciado? É por isso que não usa aliança? Mas, nesse caso, não teria fotos da esposa no escritório, teria? Ai, meu Deus, ela morreu? Não, Guy teria me contado. Ou não?

– Você tem um iPhone, certo? – Ele deixa a sala e retorna trazendo um carregador. – Aqui está.

Eu não o pego. Apenas encaro o seu rosto irritantemente bonito e... Meu Deus, isso está me deixando *maluca*.

– Escuta – digo, talvez em um tom mais agressivo do que deveria –, eu sei que é falta de educação, mas estou muito confusa, então vou fazer uma pergunta direta. – Respiro fundo. – *Cadê* a sua família?

Ele dá de ombros, ainda segurando o carregador.

– Não é falta de educação. Meus pais moram em Dallas. Meu irmão mais velho mora na base da Força Aérea, em Las Vegas, e o outro foi transferido recentemente para a Bélgica...

– Não *essa* família. A *outra*.

Ele inclina a cabeça.

– Meu pai tem uma família secreta sobre a qual você quer me falar ou...?

– Não. Sua filha, cadê ela?

– Minha o quê? – Ele me olha, estreitando os olhos.

– Tem uma foto dela no seu escritório – digo baixinho. – E Guy me disse que vocês levam as crianças para brincarem juntas.

– Ah. – Ele balança a cabeça e sorri. – Penny não é minha filha. Mas me deu aquela foto. Ela fez a moldura na escola.

Ela não é filha dele... *Ah*.

– Você namora a mãe dela, então?

– Não. Lily e eu namoramos por um tempo, séculos atrás, mas agora somos apenas amigos. Ela é professora, e mãe solo há um ano. Às vezes eu cuido da Penny pra ela, ou a levo à escola, se estiver atrasada. Coisas assim.

Ah.

– Ah. – Cara, como eu amo me sentir uma idiota. – Então você mora… sozinho?

Ele confirma com a cabeça. E de súbito arregala os olhos e dá um passo atrás.

– Ah. Entendi.

– Entendeu o quê?

– Por que você perguntou. Me desculpa, nem passou pela minha cabeça que você ficaria insegura de dormir aqui só comigo. Eu vou…

– Ah, não. – Dou um passo à frente para tranquilizá-lo. – Perguntei porque estava curiosa. Sinceramente, me pareceu muito estranho que você…

– Eu me dou conta do que estou prestes a dizer e fecho a boca antes de completar. Mas Levi não se deixa enganar.

– Você estava chocada que alguém tivesse se casado comigo? – pergunta ele, reprimindo um sorriso.

Exato.

– Não! Claro que não! Você é inteligente. E, hã, alto. Ainda tem cabelo. E tenho certeza de que você é mais legal com mulheres que não odeia do que costumava ser comigo!

– Bee, eu não… – Ele solta o ar com força. – Entre na caminhonete.

– Por quê?

– Vou te levar de volta pro cemitério e te entregar para os coiotes.

– *Costumava ser* – falo às pressas. – Você está sendo muito legal comigo hoje! Me salvou de um ataque de zumbis, com certeza. E de Fred e Mark!

Ele franze a testa.

– Não sei qual é o problema deles.

– Muita misoginia é o meu palpite. – Me pergunto se devo continuar. Então penso: foda-se. – Também não ajuda o fato de sua equipe ser exclusivamente masculina e quase exclusivamente branca.

Fico na expectativa de que ele me contradiga. Em vez disso, diz:

– Você tem razão. É lamentável.

– Mas você escolheu os membros.

Ele balança a cabeça.

– Eu herdei a equipe do meu antecessor.

– Ah, é?

– A única nova contratação que fiz foi Kaylee. – Ele suspira. – Eu repreendi Mark oficialmente. O comportamento de hoje está na ficha dele. E convoquei uma reunião de equipe essa tarde, na qual reiterei que você é colíder do projeto e que o que você diz é o que vale. Se alguma coisa como hoje acontecer novamente, me avise. Vou cuidar do caso. Venha, vou encontrar alguma coisa pra você vestir.

Fico um pouco abalada que ele tenha convocado uma reunião para me apontar oficialmente no Linguiça Indica®, então eu o sigo sem perguntas. O segundo andar é tão bonito quanto o primeiro, porém com mais personalidade. Avisto um toca-discos de vinil e CDs, quadros nas paredes, até mesmo uma flâmula da Pitt, idêntica à que tenho no meu apartamento. O quarto dele, porém... o quarto dele é mágico. Algo saído de um catálogo. Trata-se de um quarto de quina com duas janelas amplas, mobília de madeira, estantes do chão ao teto e, no meio da cama king-size, dormindo placidamente no edredom...

– Você é alérgica a gatos? – pergunta ele, vasculhando uma gaveta.

Balanço a cabeça, então lembro que ele não está olhando para mim.

– Não.

– De qualquer forma, é improvável que Schrödinger te perturbe. Ele está velho e ranzinza.

Schrödinger!

– Pensei que você detestasse gatos.

Ele se vira com uma expressão confusa.

– Por quê?

– Não sei. Hoje você pareceu um pouco hostil em relação à *minha* gata.

– Você quer dizer à sua gata que *não existe*?

– Félicette existe! Eu limpei a remela dos olhos dela, então...

– Félicette?

Aperto os lábios.

– É o nome da primeira gata que foi ao espaço.

Ele ergue uma sobrancelha.

– E você deu o nome dela à sua gata imaginária. Entendi.

Reviro os olhos e mudo de assunto. Não há nada que eu queira mais do que fazer carinho na bola de pelos preta enroscada na cama, mas Levi está me estendendo uma camiseta branca de gola V e...

– Você ficaria muito ofendida se eu te oferecesse uma cueca boxer que um amigo me deu de brincadeira? Ela é muito pequena, acho que nunca usei.

– São... flamingos?

Ele enrubesce.

– O tamanho não é a única razão de eu nunca ter usado. E talvez você também queira isso aqui. – Ele me estende uma pomada para alívio de coceira.

– Obrigada. Como você sabia?

Ele dá de ombros, ainda um pouco vermelho.

– Você está coçando muito as pernas.

– É, os insetos me amam. – Reviro os olhos. – Meu ex sempre dizia que ele só me mantinha por perto como isca para os mosquitos.

Revendo o comportamento de Tim, isso provavelmente nem era uma piada.

Dez minutos depois, desço as escadas, cabelos molhados e cheirando a pinho, refletindo que, de todas as montanhas-russas de eventos implausíveis que me aconteceram nas últimas semanas, o mais estranho é saber que Levi e eu usamos o mesmo desodorante. O que posso dizer? Os produtos masculinos são mais baratos, têm um cheiro mais gostoso e bloqueiam meu cecê de forma mais eficaz. Não tenho certeza de como me sinto em relação ao fato de as axilas de Levi e as minhas terem necessidades semelhantes, mas vou deixar isso de lado.

A cozinha, que é aconchegante e surpreendentemente bem equipada, cheira à refeição mais deliciosa que vou comer na vida. Levi se encontra no fogão, de costas para mim, e tenho quase certeza de que está vestindo uma camisa igual à que me emprestou, só que de outra cor. O tamanho, porém, é perfeito para ele. Em mim, parece uma tenda de circo.

– A comida vai ser... – começa ele, e então para quando se vira e me vê na sala.

Seguro a camisa dos dois lados e finjo fazer uma reverência.

– Obrigada por este vestido, meu bom senhor.

– Você... – Sua voz soa rouca. – De nada. A comida fica pronta em cinco minutos.

Eu me retraio quando ele se volta para as panelas. Não existe a menor possibilidade de ele cozinhar sem carne e laticínios. Meu Deus, por que ele está sendo tão legal?

– Obrigada, mas... – Vou até o fogão. Ele está preparando tacos. Ai. Eu amo tacos. – Não precisava.

– Eu ia fazer o meu jantar de qualquer forma.

– É muita gentileza sua, mas duvido que eu possa comer... – Paro de falar quando meus olhos pousam no recheio. Não é carne, mas cogumelos Portobello. Ao lado de um frasco de *sour cream* e um saco de cheddar ralado, ambos veganos.

Meus olhos se estreitam. Num impulso, fico na ponta dos pés e abro o armário mais próximo. Encontro quinoa, ágar-ágar em pó e xarope de bordo. No seguinte, há nozes, sementes, um pacote de tâmaras. As rugas em minha testa se aprofundam e sigo para a geladeira, que parece uma versão melhor e mais rica da minha. Leite de amêndoas, tofu, frutas, legumes e verduras, iogurte de leite de coco, missô. Ai meu Deus.

Ai. Meu. Deus.

– Ele é vegano – murmuro para mim mesma.

– Ele é.

Levanto a cabeça. Levi está me olhando com uma expressão intrigada e paciente, e eu não tenho ideia de como dizer a ele que isso é, tipo, a *décima* coisa que temos em comum. Ficção científica, gatos, ciência, desodorantes masculinos e quem sabe mais o quê. É tão incrivelmente perturbador para *mim* que nem consigo imaginar quanto *ele* odiaria, se soubesse. Brinco com a ideia de contar, mas ele não merece. Está sendo muito legal hoje. Em vez disso, apenas pigarreio.

– Hã, eu também.

– Imaginei. Quando você... brigou comigo por causa do donut.

– Ai, meu *Deus*. Eu tinha me esquecido disso. – Escondo o rosto nas mãos. – Me desculpa. De verdade. Acredite ou não, geralmente não sou uma babaca mentalmente perturbada que espanta os colegas dos produtos veganos.

– Tudo bem.

Massageio a têmpora.

– Em minha defesa, você dirige o veículo mais danoso ao meio ambiente do mundo.

– É um Ford F-150. Na verdade, ele não é tão danoso assim.

– Não? – Eu me encolho. – Bem, em minha defesa de novo, você não caçava no doutorado?

Os ombros dele enrijecem imperceptivelmente.

– Minha família inteira caça, e na adolescência participei de mais viagens de caça do que gostaria. Antes que eu pudesse dizer não.

– Que horror. – Ele dá de ombros, mas parece um pouco forçado. – Ok. Acho que não tenho defesa nenhuma. Sou apenas uma babaca.

Ele sorri.

– Eu também não sabia que você era vegana. Lembro de Tim levando almoço com carne para você na Pitt.

– É. – Reviro os olhos. – Tim achava que eu estava sendo teimosa e que se provasse carne eu ia me convencer a voltar para uma dieta comum. – Rio da expressão horrorizada de Levi. – Pois é. Ele colocava coisas não veganas na minha comida o tempo todo. Ele era *horrível* naquela época. Enfim... Há quanto tempo você é vegano?

– Vinte anos, mais ou menos.

– Ah. Qual foi o animal pra você?

Ele sabe exatamente a que me refiro.

– Uma cabra. Num anúncio de queijo. Ela parecia tão... lúcida.

Faço que sim com pesar.

– Deve ter sido muito difícil.

– Para os meus pais, com certeza foi. Brigamos sobre carne branca contar como carne por quase uma década. – Ele me entrega um prato, gesticulando para que eu me sirva. – E você?

– Uma galinha. Muito fofinha. Ela às vezes se acomodava ao meu lado e se encostava em mim. – Até que... Pois é.

Ele suspira.

– Eu sei.

Cinco minutos depois, sentados em uma mesinha de canto que eu literalmente daria meu mindinho para que fosse minha, com pratos cheios de uma comida deliciosa e cerveja importada diante de nós, algo me ocorre: estou aqui há uma hora e não me senti desconfortável – nem uma única vez. Eu estava totalmente pronta para passar a noite fingindo estar no meu lugar feliz (com a Dra. Curie, sob uma cerejeira em flor, em Nara, no Japão), mas Levi tornou as coisas estranhamente... fáceis.

– Ei – digo, antes que ele possa dar uma mordida no taco –, obrigada por hoje. Não deve ser fácil ser tão hospitaleiro com alguém com quem você não se dá muito bem ou de quem não gosta, ou hospedar essa pessoa na sua casa.

Levi fecha os olhos, como em todas as outras vezes em que mencionei o fato óbvio de que não existe nenhum afeto entre nós (ele é surpreendentemente avesso à verdade). Mas, quando os abre, ele sustenta meu olhar.

– Você tem razão. Não é fácil. Mas não pelo motivo que você pensa.

Franzo a testa, pretendendo perguntar o que exatamente ele quer dizer com isso, mas Levi é mais rápido do que eu.

– Coma, Bee – ordena ele com gentileza.

Estou faminta, então apenas obedeço.

10

CÓRTEX PRÉ-FRONTAL DORSOLATERAL: INVERDADES

— AGORA EU VOU DESLIGAR seu centro de fala.
Guy olha para cima com um suspiro de derrota.
— Cara, odeio quando fazem isso.
Dou uma risada. Guy é o terceiro astronauta que testo nesta manhã. Ele trabalha no Blink, então originalmente não estávamos planejando mapear seu cérebro, mas alguém desistiu do grupo piloto de última hora. Estimulação do cérebro é um negócio sério: é complicado prever como os neurônios vão reagir, e é ainda mais difícil em pessoas com histórico de epilepsia ou falhas elétricas. Um simples copo de café forte pode bagunçar a química cerebral o suficiente para tornar perigoso um protocolo de estimulação bem consolidado. Quando descobrimos que um dos astronautas que selecionamos tinha um histórico de convulsões, decidimos dar o lugar dele a Guy, que ficou *em êxtase*.
— Vou mirar na sua Área de Broca — aviso a ele.
— Ah, sim. A famosa Área de Broca. — Guy assente, como se conhecesse bem o assunto.
Eu sorrio.

– É o seu giro frontal posteroinferior esquerdo. Vou estimular com sequências de até 25 hertz.

– Sem nem me pagar um jantar primeiro? – Ele solta um muxoxo.

– Para ver se está funcionando, vou precisar que você fale. Pode recitar um poema, improvisar, não importa.

Os outros astronautas que testei hoje escolheram um soneto de Shakespeare e o juramento de fidelidade à bandeira dos Estados Unidos.

– Qualquer coisa?

Posiciono a bobina de estimulação a dois centímetros e meio da orelha dele.

– Sim.

– Muito bem, então. – Ele pigarreia. – *My loneliness is killing me and I, I must confess I still believe...*

Todos na sala riem ao perceberem que é "Baby One More Time". Inclusive Levi, que parece ser bem íntimo de Guy. Isso depõe a favor dele (de Guy, não de Levi; eu me recuso a depor a favor de Levi), considerando que ele provavelmente deveria ter sido o chefe do Blink. Guy parece não se importar, ao menos julgando pela conversa camarada que mantiveram sobre a escalação de algum jogo enquanto eu montava meu equipamento.

– ... *my loneliness is killing me and I, I must c...* – Guy franze a testa. – Desculpa. *I must c...* – Ele franze ainda mais o cenho. – *Must c...* – gagueja ele uma última vez, piscando rápido.

Eu me viro para Rocío, que está fazendo anotações.

– Interrupção da fala nas coordenadas MNI menos 38, dezesseis, cinquenta.

O aplauso subsequente é desnecessário, mas um tiquinho bem-vindo. Mais cedo, nessa mesma manhã, quando a equipe de engenharia inteira foi se arrastando para o laboratório de neuroestimulação para observar minha primeira sessão de mapeamento do cérebro, ficou óbvio que eles preferiam estar em qualquer outro lugar. Ficou igualmente óbvio que Levi os tinha instruído a não dar nem um pio sobre sua absoluta falta de interesse pelo meu trabalho.

Eles são caras legais. *Tentaram* fingir. Infelizmente, existe um motivo para, no ensino médio, os engenheiros tenderem a gravitar na direção do clube de robótica e não do grupo de teatro.

Felizmente, a neurociência sabe como defender sua honra. Eu só precisei pegar minha bobina e mostrar alguns truques. Com a estimulação no ponto e na frequência certos, astronautas condecorados, com Q.I. de três dígitos e gavetas cheias de diplomas de mestrado e doutorado, podem temporariamente esquecer como contar ("Uau! Sério mesmo?"), ou como mexer os dedos ("Tenso!"), ou não conseguir reconhecer o rosto de pessoas que trabalham com eles todos os dias ("Bee, como você está fazendo isso?"), e, é óbvio, como falar ("Isso é a coisa mais legal que já vi na vida.") Estimulação cerebral é incrível, e qualquer um que diga o contrário vai sofrer sua ira. E é por isso que o laboratório ainda está lotado. Os engenheiros deveriam ir embora após a primeira demonstração, mas decidiram ficar... indefinidamente, parece.

É legal converter um monte de céticos às maravilhas da neurociência. Eu me pergunto se a Dra. Curie sentia o mesmo quando compartilhava seu amor pela radiação ionizante. É claro que, no caso dela, a exposição desprotegida a isótopos instáveis, a longo prazo, acabou por provocar anemia aplástica e morte num sanatório, mas... você me entendeu. Então, eu digo:

– Acho que consegui tudo que preciso de Guy. Acabamos por hoje.

A sala irrompe em um gemido de decepção. Levi e eu trocamos um olhar divertido.

Deixando bem claro: nós não somos amigos nem nada. Um jantar juntos, uma noite dormindo em um quarto onde por acaso se encontram 75 por cento dos meus livros favoritos e uma carona sonolenta até o túmulo de Noah Moore, durante a qual ele educadamente respeitou o fato de eu não ser uma pessoa matinal e felizmente permaneceu em silêncio *não* fez de mim e de Levi amigos. Ainda nos detestamos mutuamente, lamentamos o dia em que nos conhecemos, desejamos que o diabo carregue o outro etc. Mas parece que na semana passada, enquanto comíamos tacos veganos, conseguimos formar uma aliança rudimentar e frágil. Eu o ajudo nas coisas dele e ele me ajuda nas minhas.

É quase como se estivéssemos realmente fazendo um trabalho colaborativo. Loucura, não?

No almoço, esqueço minha triste refeição congelada, pego uma pilha de artigos acadêmicos que venho pretendendo ler e sigo para as mesas de piquenique que ficam atrás do prédio. Estou mordiscando grão-de-bico há uns cinco minutos quando ouço uma voz conhecida.

– Bee! – Guy e Levi caminham na minha direção, segurando copos descartáveis e sacos com sanduíches. – Se importa se nos sentarmos com você? – pergunta Guy.

Eu me incomodo um pouco, porque esse artigo sobre eletroterapia não vai ser lido sozinho, mas balanço a cabeça. Dirijo a Levi um olhar de desculpas ("Lamento por você ser obrigado a almoçar comigo porque Guy não sabe que somos arqui-inimigos."), mas ele não parece entender e se senta na minha frente, sorrindo levemente, como se não se incomodasse. Noto o movimento dos músculos sob a camisa dele, e um frisson de calor desce por meu corpo.

Humm. Esquisito.

Guy se senta ao meu lado com um sorriso e penso, não pela primeira vez, que ele é simples, charmoso e um verdadeiro Cara Fofo®.

Isto é incrivelmente objetificante e redutivo, eu sei, e se você contar a alguém vou negar categoricamente, mas, na época do doutorado, Annie dizia que existem três tipos de homens atraentes. Não sei se ela mesma criou essa taxonomia, se foi Afrodite quem lhe revelou em sonhos ou se ela a roubou da *Teen Vogue*, mas aí vai:

Existe o tipo fofo, que consiste em caras que são atraentes de um jeito não ameaçador, acessível, em uma combinação de beleza e personalidade cativante. Tim está nesse grupo, assim como Guy e a maioria dos cientistas homens – incluindo, desconfio, Pierre Curie. Pensando bem, todos os caras que já deram em cima de mim são assim, talvez porque eu seja pequena, me vista de um jeito peculiar e tente ser simpática. Se eu fosse homem, seria um Cara Fofo®. Caras Fofos® reconhecem isso em algum nível básico e dão em cima de mim.

Depois, tem o tipo bonitão. Segundo Annie, essa categoria representa certo desperdício. O Cara Bonito® tem o tipo de rosto que você vê em trailers de filmes e anúncios de perfume, geometricamente perfeito e objetivamente incrível, mas tem um ar meio inacessível. Esses caras são tão maravilhosos que quase chegam a ser abstratos. Precisam de algo que os ancore à realidade – um desvio de personalidade, um defeito, um interesse peculiar. Caso contrário, saem flutuando em uma bolha de tédio. Claro que a sociedade não encoraja muito os Caras Bonitos® a desenvolver personalidades brilhantes, então tendo a concordar com Annie: eles são inúteis.

Por último, mas não menos importante, tem o Cara Sexy®. Annie falava por horas sobre como Levi é a epítome do Cara Sexy®, mas eu gostaria de objetar formalmente. Na verdade, nem mesmo reconheço a existência dessa categoria. É absurda a ideia de existirem homens por quem você obrigatoriamente vai se sentir atraída. Homens que provocam um formigamento pelo corpo, em quem você não consegue parar de pensar, homens que surgem em seu cérebro como flashes de luz após a estimulação do córtex occipital. Homens que são físicos, elementais, primordiais. Masculinos. Presentes. Sólidos. Parece falso, certo?

– Me fala – diz Guy, com um sorriso de Cara Fofo®. – O que há de errado com meu cérebro?

– Nada, até onde posso ver.

– Notícia fantástica. Poderia me ajudar a convencer minha ex-mulher de que estou em perfeito domínio das minhas faculdades mentais?

– Vou fazer um atestado para você.

– Legal. – Ele pisca para mim. Guy faz muito isso, estou percebendo. – E então, o que está achando de Houston?

– Na verdade, ainda não vi muita coisa. Além do Centro Espacial.

– E do cemitério – acrescenta Levi.

Olho zangada para ele e, como vingança, roubo algumas de suas uvas. Ele deixa, com um sorrisinho.

– Posso te ajudar nisso – oferece Guy.

– Claro – digo, distraída, porque estou ocupada fuzilando Levi com o olhar e me exibindo mastigando as uvas dele.

– Sério?

– Aham.

Levi ergue uma sobrancelha e morde seu sanduíche. Parece um desafio, então roubo um morango também.

– Podemos sair para jantar – diz Guy. – Está livre amanhã à noite?

No mesmo instante, Levi e eu nos viramos para ele. Volto mentalmente na conversa, tentando lembrar com o que eu concordei. Com um encontro? Um passeio por Houston? *Casamento*?

Não. Não, não, *não*. Tenho zero interesse em encontros, zero interesse em Guy e subzero interesse em um encontro com Guy. Quer saber o que eu tenho *mesmo*? Pensamentos estranhos, inconvenientes. Por exemplo, no momento estou me lembrando da sensação da mão de Levi na minha cintura enquanto eu roçava pelo corpo dele.

– Hã, eu...

– Ou neste fim de semana?

– Ah. – Olho em pânico para Levi. *Socorro. Por favor, me ajude.* – Obrigada, hã, mas na verdade eu...

– É só me dizer o melhor dia pra você. Sou flexível e...

– Guy – diz Levi, a voz grave e profunda. – Talvez você queira dar uma olhada na mão esquerda dela.

Baixo os olhos, confusa. Meus dedos ainda estão segurando o morango. O que ele... Ah. A aliança de casamento da minha avó. Eu a coloquei hoje de manhã. Um pouco de boa sorte para as sessões de mapeamento cerebral.

– Merda, me desculpe – diz Guy imediatamente. – Não fazia ideia que você...

– Ah, tudo bem. Eu não... – *Não sou casada*, quero dizer, mas seria desperdiçar a incrível desculpa que Levi me arranjou. Eu tusso. – Não fiquei chateada.

– Ok. Me desculpe mais uma vez. – Ele se inclina para Levi, perguntando em tom de conspiração: – Só por curiosidade, qual o tamanho do marido dela? E até que ponto você diria que ele é propenso à violência?

– Ah, não. – Balanço a cabeça. – Na verdade, ele não... *Existe*, penso.

– Não se preocupe – diz Levi a Guy. – Tim é um cara tranquilo.

Internamente, enterro o rosto nas mãos. Não acredito que Levi disse a Guy que sou casada com Tim. É a pior mentira, a mais refutável, de todos os tempos. Ele não poderia ter inventado alguém aleatório?

– Será que preciso arrumar um protetor genital? – pergunta Guy.

Levi dá de ombros.

– Talvez seja mais seguro.

Baixo os olhos para o meu grão-de-bico, desejando que fossem o almoço de Levi. Fruta é tão melhor. *Mentiras verossímeis* são muito melhores.

– Tem certeza de que não ficou chateada, Bee? – pergunta Guy, um tanto preocupado. – Eu não quis deixar você constrangida.

Isso é o que eu ganho por pedir ajuda ao Levidiota. Olho para ele com irritação, pego outro morango e suspiro.

– Não. Nem um pouco.

REIKE: Como assim Levi mentiu que você é casada com Tim???

BEE: Ele viu como eu estava perdida e tentou me ajudar.

REIKE: Primeiro: Guy Fieri não tinha nada que colocar você nessa posição.

BEE: O nome dele NÃO é esse!

BEE: Mas você tem razão.

REIKE: Segundo: é uma mentira péssima, facilmente refutável se Guy Fieri falar com literalmente qualquer um que te conheça. Isso vai dar problema.

BEE: Eu sei!

REIKE: Terceiro: Levi sabe que você não é casada com Tim, certo?

BEE: Sabe. Ele e Tim são colegas e colaboradores. Foi Levi quem disse a Tim para arrumar alguém melhor, na época do doutorado.

REIKE: Sinceramente, você devia só ter dito não ao Guy Fieri. Foi idiota.

BEE: Eu sei, mas você é minha irmã e eu sou humana! PRECISO DE AMOR E COMPAIXÃO, NÃO DE JULGAMENTO!

REIKE: Você precisa é de uma avaliação psiquiátrica completa.

REIKE: Mas 🖤🖤🖤

Dou um gole no *smoothie* de mirtilo e corro os olhos pelo café movimentado, esperando Rocío chegar para a nossa primeira sessão preparatória para o exame de admissão à pós-graduação.

Acho que vai dar tudo certo. É pouco provável que a minha vida conjugal (ou sua inexistência) chegue até Guy. E tenho outras coisas em que pensar. Como os protocolos de estimulação que estou criando. Ou a desigualdade de renda. Ou o fato de que faz algum tempo que não vejo Félicette, mas acho que está comendo os petiscos que deixo para ela na minha sala. Coisas importantes.

– Você sabia que sangue é o substituto perfeito para o ovo? – Rocío me cumprimenta, deslizando para a cadeira à minha frente. Eu hesito. Ela toma isso como um convite para continuar. – Sessenta e cinco gramas por ovo. Uma composição proteica extraordinariamente semelhante.

– ... Interessante. – Mentira.

– Você pode comer bolo de sangue. Sorvete de sangue. Suspiro de sangue. *Pappardelle* de sangue. Pão de ló de sangue. Omelete de sangue ou, se preferir, sangue mexido. Tiramisù de sangue. Quiche de sangue...

– Acho que já entendi.

– Ótimo. – Ela sorri. – Queria que você soubesse. Para o caso de sangue ser vegano.

Abro a boca para fazer várias observações, mas opto apenas por dizer:

– Obrigada, Ro. Muita gentileza sua. Por que seu cabelo está molhado? Por favor, não diga "sangue".

– Fui à academia. Gosto de encarnar Ofélia no rio lento, fingir que estou me afogando em um riacho dinamarquês depois que um frágil galho de salgueiro se partiu com o meu peso.

– O que ela estava fazendo trepada num salgueiro?

– Estava *enlouquecendo*. De *amor*. – Rocío me encara. – E ainda dizem que o coração da mulher é volúvel.

Certo.

– Parece que é uma piscina bacana.

– É como um quadro de Sir John Everett Millais. Exceto pelo fato de que é obrigatório usar touca de natação e proibido usar vestidos medievais. Fascistas.

– Hum. Talvez eu devesse me matricular.

– Não precisa, é gratuita para os funcionários da Nasa.

– Mas não para terceirizados, certo?

– Ninguém me fez pagar nada. – Ela dá de ombros e tira da mochila uma apostila para o exame. – Podemos começar com raciocínio quantitativo? Embora paralelogramas me façam querer me afogar num riacho dinamarquês. De novo.

Meia hora depois, entendo por que minha assistente de pesquisa – que é inteligente, fera em matemática e articulada – tem tirado notas tão baixas no GRE. O motivo fica inequivocamente claro: esse exame é estúpido demais para ela. A propósito: estamos a ponto de nos matar.

– A resposta certa é a B – repito, considerando seriamente a possibilidade de arrancar uma página do livro e enfiá-la na boca de Rocío. – Você não precisa resolver as outras opções. X é um fator de y ao quadrado...

– Você está supondo que X é um número inteiro. E se for um número racional? Um número real? Ou, pior ainda, um número irracional?

– Garanto que X não é um número irracional – sibilo.

– Como você sabe? – rosna ela.

– Bom senso!

– Só quem usa bom senso é gente burra demais para resolver pelo pi.

– Está querendo dizer que...

– Ei, garotas!

– *O quê?* – berramos em uníssono.

Kaylee nos olha espantada por cima de um drinque muito rosa.

– Não queria interromper...

– Não, não. – Sorrio, tentando tranquilizá-la. – Desculpe, nós nos empolgamos aqui. Estamos discutindo algumas... questões.

Ela está usando um macacão roxo e óculos escuros em formato de coração, e seu cabelo cai sobre o ombro numa trança que chega até o meio das costas. A bolsa tem o formato de melancia, e o colar é uma flor cor-de-rosa com a letra K no meio.

Eu quero ser ela.

– Ah! – Kaylee inclina a cabeça. – Posso ajudar?
Tem algo de sincero na pergunta, como se ela realmente estivesse interessada. Ignoro os chutes de Rocío sob a mesa e pergunto:
– Você gostaria de se juntar a nós na luta contra a hegemonia do GRE?
Não sei bem que reação eu esperava de Kaylee, mas certamente *não* era bufar, revirar os olhos e puxar uma cadeira para se sentar à nossa mesa.
– É uma indignidade. GRE, SAT, todas essas provas são porteiras institucionalizadas, e o tanto que os programas de pós-graduação os superestimam e se baseiam neles para a admissão de alunos é ridículo. Já estamos no século XXI há duas décadas, mas ainda usamos um exame que se baseia em uma conceitualização da inteligência que está tão ultrapassada quanto o Triássico. O sucesso dos programas de pós-graduação depende de qualidades que o exame não mede, e todo mundo sabe disso. Por que não avançamos para uma abordagem holística na admissão aos cursos de pós-graduação? Além disso, o GRE custa *centenas* de dólares! Quem tem condições financeiras para isso? Ou para cursos preparatórios, apostilas, tutores? Vou lhes dizer quem não tem: *quem não é rico*.
– Ela balança o dedo na minha direção, precisa e furiosamente graciosa. Estou hipnotizada. – Vocês sabem quem costuma se sair mal nos exames padronizados? Mulheres e indivíduos marginalizados. É uma profecia autorrealizadora: grupos constantemente considerados menos inteligentes pela sociedade entram muito mais ansiosos em situações em que serão testados e acabam tendo um desempenho inferior. Isso se chama Ameaça do Estereótipo, e existem toneladas de estudos sobre o assunto. Assim como existem toneladas de estudos mostrando que o GRE faz um péssimo trabalho em prever quem vai terminar o mestrado ou o doutorado. Mas os diretores de admissão dos cursos de pós-graduação de todo o país não se importam e insistem em usar um instrumento feito para privilegiar homens brancos ricos. – Ela balança o cabelo. – Por mim, a gente botava fogo em tudo.
– Botar fogo... em quê? – pergunto.
– *Em tudo* – diz Kaylee, ferozmente, em sua voz aguda. Depois, ela suga delicadamente o drinque pelo canudo. Eu *realmente* quero ser ela.
Olho rapidamente para Rocío, depois olho de novo com mais atenção. Ela está fitando Kaylee com a respiração acelerada, a boca entreaberta e o

rosto vermelho. Sua mão direita aperta a apostila como se fosse a beirada de uma ribanceira.

– Ro, você está bem? – pergunto.

Ela faz que sim, sem desviar o olhar.

– Enfim – continua Kaylee, dando de ombros –, por que estamos falando do GRE?

– Rocío vai fazer a prova, e eu estava ajudando. E... – pigarreio – os resultados foram contraditórios. Acho que a gente estava prestes a se matar por causa de números irracionais...

– Era isso mesmo – murmura Rocío.

– Ah – Kaylee agita a mão com leveza –, vocês não deviam estar falando de números irracionais. O problema do GRE é que quanto menos você sabe, melhor você se sai.

Dirijo a Rocío meu melhor olhar de *eu te disse*. Ela me chuta de novo.

– Se você faz um curso preparatório, eles te ensinam mais truquezinhos úteis para passar do que matemática de verdade – diz Kaylee.

– Você fez o GRE? – pergunta Rocío.

– Fiz. Essa coisa de gerente é um trabalho temporário... Vou começar meu doutorado em educação no outono. Na Johns Hopkins.

Rocío franze a testa.

– Você... vai para a Johns Hopkins?

– Vou! – confirma Kaylee, feliz. – Meus pais me pagaram um curso preparatório, e tenho um monte de anotações. Além disso, eu me lembro de quase tudo. Posso te ajudar.

Rocío se vira para mim com uma expressão de choque que quase me faz rir. *Quase.* Em vez disso, pego meu *smoothie* e me levanto.

– É muita gentileza sua. – Rocío tenta me chutar de novo, mas eu desvio. – Vou dar uma olhada na academia do Centro Espacial. Rocío disse que talvez seja gratuita.

– É, sim. Levi me mandou alterar seu status no outro dia.

– O status de quem?

– O seu. E da Rocío. – Ela dá uma piscadela. – Mudei vocês para membros da equipe no sistema, para vocês terem algumas vantagens.

– Ah, obrigada! Isso foi muito... – *Inesperado? Atípico? Alguma coisa que você deve ter inventado agora, afinal, por que ele faria isso?* – ... generoso.

– Levi é incrível. O melhor chefe que já tive. Ele pressionou a Nasa para que me dessem plano de saúde! – Ela sorri e se vira para Rocío, que parece pronta para se afogar em um riacho dinamarquês. De novo. – Por onde você quer começar?

Rocío me incinera com os olhos enquanto me despeço com um aceno. Sinceramente, ela está em excelentes mãos. E nem merece isso. Na calçada, pego o celular e digito rapidamente um tuíte.

> @OQueMarieFaria… se um dos maiores obstáculos no acesso à educação superior fosse o GRE, que é: 1) caro; 2) pouco eficiente para prever o sucesso na pós-graduação em termos gerais; e 3) preconceituoso em relação a indivíduos de baixa renda, de minorias raciais e homens não cis?

Enfio o celular no bolso, e meus pensamentos retornam à academia. Provavelmente Levi só quer que eu possa frequentá-la para que ele não tenha que me resgatar de um cemitério diferente a cada semana. Sinceramente, não posso culpá-lo.

É. Com certeza é isso.

11

NÚCLEO ACCUMBENS: APOSTA

— LEVI? VOCÊ PODE ME ENVIAR o projeto mais recente...
— Os projetos estão no servidor — murmura ele com uma minichave de fenda entre os dentes, sem erguer os olhos do monte de fios e placas em que está trabalhando.

Já passa das nove da noite de uma sexta-feira. Todos os outros foram embora. Estamos sozinhos no laboratório de engenharia, como aconteceu na maioria das noites dessa semana, mergulhados no que passei a chamar de nosso Silêncio Hostil Companheiro®. É muito parecido com outros tipos de silêncio, exceto pelo fato de eu saber que Levi não gosta de mim, e de Levi saber que eu sei que ele não gosta de mim e que também não gosto dele. Mas Levi não menciona isso, e eu tampouco penso no assunto. Porque não temos motivos.

Então, sim. Nosso Silêncio Hostil Companheiro® é basicamente um silêncio companheiro normal. Ficamos sentados um de frente para o outro em diferentes bancadas de trabalho. Reduzimos a iluminação para ver as silhuetas das árvores lá fora. E nos concentramos em nossas respectivas tarefas. De vez em quando, trocamos comentários, pensamentos, dúvidas relacionados ao Blink. Poderíamos fazer essas coisas em nossos respectivos escritórios, mas olhar por cima do meu notebook e fazer uma pergunta verbalmente é muito melhor do que escrevê-la em um e-mail. Digitar: *Oi, Levi* e *Grata, Bee* é muito chato.

Além disso, Levi traz lanches para o trabalho. Os lanches são para ele, mas Levi é péssimo em medir porções e sempre acaba sobrando. Até agora já comi mix de frutas secas e cereais, guacamole e bolachas, biscoitos de arroz, pipoca, batata frita com pasta de feijão e cerca de quatro tipos de barrinhas energéticas, tudo feito em casa.

É, ele cozinha muito melhor do que eu algum dia serei capaz.

Não, não sou orgulhosa demais para recusar a comida que ele oferece. Não sou orgulhosa demais para recusar comida de *ninguém*.

Além disso, estou em Houston há um mês, e já estamos perto de uma versão funcional do protótipo. Mereço celebrar me empanturrando um pouco.

– O projeto *antigo* está no servidor, não o novo – falo.

Ele tira a chave de fenda da boca.

– Está, sim. Eu coloquei lá.

– Não é o arquivo certo.

Ele ergue os olhos.

– Pode olhar de novo, por favor?

Reviro os olhos e suspiro alto, mas obedeço. Porque hoje ele fez barrinhas de chocolate meio-amargo e pasta de amendoim, e estavam incríveis.

– Olhei. Ainda não está aqui.

– Tem certeza?

– Tenho.

– Tem que estar.

Ele me lança um olhar impaciente, como se eu o estivesse tirando da tarefa crucial de proteger os códigos nucleares do país.

– Não está. Quer apostar?

– O que você quer apostar?

– Vejamos. – A cara dele quando descobrir que estou certa vai ser melhor do que sexo. E bem melhor do que sexo com Tim. – Um milhão de dólares.

– Eu não tenho um milhão de dólares. Você tem?

– Claro que sim, sou uma cientista júnior – respondo, e ele dá uma risadinha. Alguma coisa palpita dentro de mim, e eu ignoro. – Vamos apostar Schrödinger.

– Não vou apostar meu gato.

– Porque sabe que vai perder.

– Não, porque meu gato tem 17 anos e precisa que suas glândulas anais sejam espremidas regularmente. Mas se você ainda o quiser...

Faço uma careta.

– Não, deixa pra lá.

Tamborilo os dedos no antebraço, me perguntando o que mais Levi tem que eu quero. Eu poderia fazê-lo cozinhar para mim todos os dias por um mês, mas ele meio que já faz isso sem se dar conta. Por que mexer em time que está ganhando?

– Se eu ganhar, você faz uma tatuagem – declaro.

– De quê?

– Uma cabra. Viva – acrescento, sendo generosa.

– Não posso.

– Por quê?

– Já tenho uma.

Eu rio.

– Ah, já sei! Sua caneca de *Melhor engenheiro*.

– O que tem?

– Quero uma. Mas tem que ser de "neurocientista", obviamente.

Ele ergue a sobrancelha.

– Isso é a mesma coisa que alguém comprar a própria caneca de *Melhor chefe do mundo*. Parabéns, você é oficialmente o Michael Scott da Nasa.

– E com orgulho. Ok – digo, virando meu computador para que ele possa ver. – Fechado. Venha se maravilhar com a falta de projetos no servidor.

– Espera. E eu?

– O que tem você?

– O que *você* vai fazer se *eu* ganhar?

– Ah. – Dou de ombros. – O que você quiser. Estou certa mesmo. Quer o meu suado milhão de dólares?

– Não. – Ele balança a cabeça, pensativo.

– Quer que eu vá à sua casa espremer as glândulas anais do Schrödinger durante toda a minha estada em Houston?

– Tentador, mas Schrödinger é extremamente reservado em relação ao seu ânus. – Ele bate com o dedo no queixo másculo e esculpido. Hã? E por que eu estou prestando atenção nisso? – Se eu ganhar, você vai se inscrever para uma corrida de cinco quilômetros aqui em Houston.

Dou de ombros.

– Claro. Vou me inscrever em uma...

– E vai correr.

Caio na gargalhada.

– Não existe a menor chance.

– Por quê?

– Porque no momento estou na etapa quatro do meu programa, e ainda sou incapaz de correr sequer um quilômetro sem cair morta. Participar de uma corrida de cinco quilômetros parece tão agradável quanto fazer uma sangria. Com sanguessugas.

– Eu corro com você.

– Você quer dizer que vai andar ao meu lado com suas pernas de cem quilômetros?

– Eu treino você.

– Ah, Levi... Levi... Pobre criança. – Aponto para mim mesma. Hoje estou usando um piercing incrustado na narina, leggings com estampa de galáxia e uma regatinha branca. Meus cabelos roxos estão soltos, caindo sobre os ombros. Tenho certeza de que uma das tatuagens nas minhas costas está visível. Tudo em mim grita *kryptonita do Levi*. – Está vendo este corpo magricela, atrofiado, sem músculos? Ele foi criado para viver em simbiose parasitária com um sofá. Ele resiste a treinos com a força de muitos milhões de ohms.

Levi de fato fica observando meu corpo por um tempo considerável, até que desvia os olhos, o rosto vermelho. Coitado. Deve ser uma visão difícil para ele.

– Isso não tem importância, não é? Já que você tem certeza de que vai ganhar...

– Verdade. – Dou de ombros. – Feito. Venha sentir o sabor amargo da derrota.

Ele de fato se aproxima, e alcança a minha bancada com poucos passos daquelas ridículas pernas de cem quilômetros de comprimento. No entanto, ele não para na frente do notebook que eu convenientemente virei para ele. Em vez disso, ele dá a volta na bancada, ficando atrás de mim, e então vira o computador na nossa direção. Para eu testemunhar melhor seu massacre iminente, suponho.

– Mal posso esperar para beber suas lágrimas na minha nova caneca – murmuro.

– Veremos.

Ele apoia a mão esquerda na bancada e pega o mouse com a outra. Mesmo no meu banco alto, ele ainda é muitos centímetros mais alto do que eu, e acaba me envolvendo em seus braços. Eu deveria me sentir desconfortável, sufocada, mas ele me deixa espaço suficiente para que eu não me importe. Além disso, sei que não significa nada. Porque é o Levi. E eu sou a Bee. Na verdade, o calor que ele irradia é quase agradável, com o ar-condicionado na potência máxima. Ele poderia ter uma segunda carreira de sucesso como cobertor pesado.

– Que estranho. – Pela voz, sei que seu rosto está franzido. – O arquivo desapareceu.

– A caneca pode ser de 500 ml?

– Deveria estar aqui. – Ele se inclina para a frente, e seu queixo roça o topo da minha cabeça. Não é horrível. É meio que o oposto. – Eu o salvei.

– Será que você não sonhou? Às vezes, de manhã, eu penso que me levantei e escovei os dentes, mas ainda estou na cama. Porém, com minha caneca nova, vou ter uma motivação extra para acordar e tomar meu café.

– Estranho.

Pena que ele não está prestando atenção à minha fanfarrice. Estou fazendo um bom trabalho em me gabar, modéstia à parte.

– Olha. – Ele digita rapidamente, a parte interna de seus braços roçando os meus, e puxa o histórico de atividades. – Viu? Alguém... eu... salvou o arquivo às 13h16. Então, às 16h23, outra pessoa o removeu...

Sei exatamente aonde ele está querendo chegar. Inclino o pescoço para trás a fim de olhar para ele, que já está me fitando, seus olhos cinco centímetros acima dos meus. Meu Deus, *que olhos*. Ele inventou um novo tom de verde.

– Não fui eu! – disparo.

– Você quer meu gato tanto assim?

– Bem menos agora que sei dos problemas colorretais.

– E a minha caneca?

– Muito, mas juro que não fui eu!

Ele murmura com ceticismo. Posso sentir sua respiração no meu rosto. Menta, com um toque de pasta de amendoim.

– Estou inclinado a acreditar, mas só porque não é a primeira vez que isso acontece.

– Como assim?

– Sabe a lista de frequências dos eletrodos parietais que você me enviou ontem? Aquela que você enviou por e-mail *e* colocou no servidor? Não estava na pasta.

Franzo o cenho.

– Mas eu coloquei lá.

– Eu sei. Os engenheiros também já se queixaram de arquivos desaparecidos e colocados em lugares errados, de arquivos corrompidos. Entre outras coisinhas.

– Provavelmente um erro do servidor.

– Ou pessoas fazendo besteira.

– Dá para saber quem moveu o arquivo?

Ele digita mais alguns comandos.

– Não a partir dos logs. O sistema não é codificado dessa maneira. Mas sabe o que *dá* para fazer? – Balanço a cabeça, batendo em algum ponto de seu peito. – Dá para descobrir para onde o arquivo foi movido e se ainda está no servidor, mas em uma pasta diferente. O que, no caso dos projetos, é... bem aqui.

– Ah, perfeito. Isso é exatamente o que eu estava... – Meus dentes estalam quando fecho a boca. – Espera aí.

– Em que corrida vamos nos inscrever? – Ele está contendo um sorriso. – Em junho costuma ter uma que é temática, sobre o espaço...

– Nem vem! – Eu me viro para Levi. – O arquivo *não* estava onde deveria estar.

– Os termos da aposta eram que o arquivo deveria estar no servidor. – Ele me dirige um sorriso satisfeito. – Aposto que você está feliz por eu não ter concordado com a oferta das glândulas anais.

– Você sabe que eu quis dizer *em uma pasta específica*.

– Que pena que você não especificou, então.

Ele pousa a mão no meu ombro em um falso gesto de conforto – considero seriamente a possibilidade de mordê-la –, e é ridículo o quanto cada parte dele faz com que eu pareça ainda menor. Sabe o que também é ridículo? A maneira como aqueles pensamentos estúpidos e inconvenientes de seu corpo apertado contra o meu estão sempre voltando. E que tê-lo tão perto me lembra sua coxa encaixada entre as minhas pernas, firme e insistente contra a minha...

– O que vocês estão fazendo?

Boris se encontra parado na entrada do laboratório, e meu primeiro instinto é me afastar de Levi e gritar que *não foi nada, não foi nada, estávamos apenas trabalhando*. Mas a distância entre nós é perfeitamente apropriada. Só parece que não porque Levi é muito grande. E quente. Porque é o Levi.

– Estávamos prestes a nos inscrever em uma corrida de cinco quilômetros – diz ele. – Como você está, Boris?

– Cinco, é? – Ele fica parado no vão da porta, nos estudando com sua habitual expressão de cansaço. – Na verdade, venho trazer notícias.

– Más notícias?

– Não são boas.

– Então são ruins.

Boris se aproxima, segurando um papel.

– Vocês estão planejando ir à Imagens do Cérebro Humano?

A ICH é uma das muitas conferências acadêmicas sobre neurociência. Não é considerada particularmente importante, mas ao longo dos anos cultivou uma reputação "festiva": acontece em cidades divertidas, com muitos eventos-satélites e patrocínios do mercado privado. É onde neurocientistas jovens e populares fazem networking e ficam bêbados juntos.

Mas eu não sou popular. E Levi não é neurocientista.

– Não – respondo a Boris. – Onde vai ser este ano?

– Em Nova Orleans. No próximo fim de semana.

– Legal. Você está planejando ir?

Ele balança a cabeça e estende a folha.

– Não. Mas tem alguém que está.

– A MagTech? – pergunta Levi, lendo por cima do meu ombro.

– Estamos de olho neles. A empresa vai apresentar uma versão de seus capacetes na ICH.

– Já deram entrada na patente?

– Ainda não.

– Então ir a público parece...

– Um movimento pouco inteligente? – sugere Boris. – Acho que eles estão querendo visibilidade para atrair novos investidores. E é uma ótima oportunidade para descobrirmos em que ponto estão.

– Está sugerindo que a gente mande alguém a Nova Orleans para fazer um relatório comparando o progresso da MagTech ao nosso?

– Não. – Boris sorri pela primeira vez desde que entrou na sala. – Estou *mandando* vocês dois fazerem isso.

– Eu só não acho que ir para Nova Orleans de carro para brincar de Inspetor Bugiganga seja um bom jeito de gastar nosso tempo – digo a Levi, que está me acompanhando até em casa, depois de insistir muito (*"Houston é perigosa à noite"*, *"Nunca se sabe quem está à espreita"*, *"Ou você me deixa te acompanhar até em casa ou vou segui-la a três metros de distância. Você quem sabe."*). Ele está empurrando a bicicleta, que aparentemente usa para ir trabalhar na maioria dos dias. Humpf. Ele é bom em tudo. Seu capacete, preso ao cinto, bate em sua coxa a cada poucos passos. O ritmo tranquilizante oferece um pano de fundo sólido para as minhas queixas.

– Somos, pelo menos, o Inspetor Columbo.

– Bugiganga supera Columbo de longe – observo. – Não me entenda mal. Eu entendo que é importante ficar de olho na concorrência, mas não seria melhor mandar outra pessoa?

– Ninguém mais está tão familiarizado com o Blink quanto nós, e você é a única pessoa que sabe a parte de neurociência.

– Mas o Fred fez aquela disciplina na graduação...

Levi sorri.

– Pelo menos é no fim de semana. Não vamos perder dias de trabalho.

Ergo a sobrancelha. Nós dois temos trabalhado todos os fins de semana.

– Por que você aceitou isso tão fácil?

Ele dá de ombros.

– Escolho com cuidado minhas batalhas com Boris.

– Essa não vale a pena? Você vai ter que passar dois dias grudado na pessoa que você mais despreza na história.

– Elon Musk também vai?

– Não... *eu*.

Ele suspira profundamente, esfregando a testa.

– Já falamos disso, Bee. Além do mais, nossa equipe vive errando em coisas básicas, como backup de arquivos – acrescenta ele, seco. – Eu não confiaria a eles um trabalho de... espionagem.

Levi sorri ao pronunciar a última palavra, e meu coração dá um salto. Inexplicavelmente, estou captando uma energia típica de Cara Fofo® vindo dele... Talvez porque, quando está se divertindo, ele fique muito fofo.

– Ainda acho que não é erro humano – respondo, tentando não pensar em coisas como fofura.

– Seja como for, vou convocar uma reunião com os engenheiros e dar um esporro para eles serem mais cuidadosos.

– Espera. – Paro diante do meu prédio. – Você não pode fazer isso se não tiver certeza de que é alguém da equipe.

– Eu *tenho* certeza.

– Mas não tem nenhuma prova. – Ele me olha com uma expressão confusa. – Não dá para acusá-los de uma coisa que eles podem nem ter feito, né?

– Eles fizeram.

Bufo, frustrada.

– E se for uma coincidência estranha?

– Não é.

– Mas você... – Aperto os lábios. – Escuta, nós dividimos a liderança. Devemos tomar decisões disciplinares juntos, o que significa que você não pode acusar ninguém de nada até que eu esteja de acordo também. E isso só vai acontecer quando tivermos provas de que alguém da equipe está fazendo besteira.

Ele me olha de cima, com uma expressão suave e divertida, como se achasse minha irritação particularmente cativante. *Que sádico.*

– Tudo bem? – insisto.

Levi concorda.

– Tudo bem. – Ele solta o capacete do cinto e o prende sob o queixo. Eu definitivamente *não* noto a flexão de seus bíceps. – E, Bee...

– Oi?

Ele monta na bicicleta e começa a se afastar.

– Vou te informar assim que decidir de qual corrida vamos participar.

Ele me dá as costas, mas mesmo assim mostro o dedo para ele.

12

ESTRIADO VENTRAL: DESEJO

SHMAC: Aquele tuíte sobre o GRE está virando uma coisa meio séria, hein?

Está mesmo.

Se por "meio" ele quer dizer "muito". E se por "coisa" ele quer dizer "loucura total".

Não faço ideia de como isso aconteceu. No dia em que publiquei o tuíte, fui para a cama depois de ler comentários de pessoas falando de suas experiências negativas com o exame. Quando acordei, havia uma hashtag (#AdmissõesJustasNaPós) e dezenas de associações de mulheres e minorias nas áreas STEM tinham anunciado um boicote ao exame, encorajando os alunos a entregarem seus formulários de candidatura a cursos de pós-graduação sem as notas do teste.

@OliviaWeiBio Se todos aderirem, os programas de pós-graduação não terão alternativa senão nos avaliar com base na nossa experiência, CV, trabalhos anteriores e habilidades. Basicamente, o que já deveriam estar fazendo.

Já mencionei como amo mulheres nas áreas STEM? Porque eu *amoooo* mulheres nas áreas STEM.

Duas horas depois, uma jornalista do *The Atlantic* me mandou uma mensagem, pedindo uma entrevista. Depois, a CNN. Depois, o *Chronicle of Higher Ed*. E depois a Fox News (até parece!). Eu me uni a Shmac para atingir um público ainda mais amplo, e juntos publicamos um ensaio de mil palavras resumindo a falta de evidências científicas que respaldem o uso do GRE como ferramenta de admissão. Incentivei serviços de notícias a entrevistar as mulheres que lançaram a hashtag (exceto a Fox News, que ignorei). Diversas pessoas se apresentaram e falaram à mídia sobre o número de horas de trabalho necessárias – com base no salário mínimo – para pagar o exame, sobre sua frustração quando colegas de turma mais abastados e com acesso a cursos preparatórios particulares tiveram um desempenho melhor, sobre a decepção esmagadora de ser rejeitado pela instituição dos seus sonhos, apesar de coeficientes de rendimento perfeitos e de sua experiência em pesquisa, porque suas notas não atingiram, por alguns pontos percentuais, uma nota de corte arbitrária. As entrevistas continuam rolando, com mais gente falando da própria experiência.

#AdmissõesJustasNaPós tornou-se um movimento e tem uma chance real de acabar com esse exame estúpido e injusto. Isso está me deixando muito empolgada.

E sabe quem mais está empolgada? Rocío. Que entrou bruscamente na nossa sala declarando:

– Não vou mais me preparar para o GRE, em solidariedade aos meus companheiros. A Johns Hopkins vai ter que reconhecer que sou foda com base no resto dos meus documentos.

Ergui os olhos do notebook e assenti.

– Você tem meu apoio.

– Você sabe por que isso está acontecendo, não sabe? – Ela se inclina sobre a minha mesa com ar conspiratório. – No outro dia conversamos sobre a merda que é o GRE, e agora as pessoas estão se unindo contra ele porque a Marie iniciou a conversa. Não pode ser coincidência.

– Ah... – gaguejei. – Bem, provavelmente é apenas uma coincidência...

– Coincidências não existem – disse ela, os belos olhos escuros fitando os meus. – Bee, nós duas sabemos a quem eu devo isso.

– Hã... tenho certeza...

– La Llorona. – Ela tirou o celular do bolso e me mostrou fotos de lindos riachos. Seus olhos brilhavam. – Tenho visitado lugares da vizinhança onde ela foi avistada e deixado pequenas oferendas de agradecimento.

– Oferendas?

– Isso. Cartas de tarô, poemas que escrevi exaltando a beleza do macabro, pentagramas feitos de galhinhos. O de sempre.

– O... de sempre.

– Acho que é o jeito dela de dizer: "Rocío, reconheço em você um espírito semelhante, talvez até mesmo uma sucessora." – Ela sorriu, pousando a bolsa em sua mesa. – Estou tão feliz, Bee.

Retribuí o sorriso e voltei ao trabalho, aliviada por Rocío não suspeitar de quem está por trás da OQMF. Às vezes me pergunto se a Dra. Curie também tinha uma identidade secreta. A julgar pela época, ela poderia ter sido Jack, o Estripador. Nunca diga nunca, certo?

MARIE: Você acha que vamos mesmo nos livrar do GRE?

SHMAC: Estamos mais perto do que nunca, com certeza.

MARIE: Concordo. A propósito, obrigada pela ajuda.

Shmac e eu temos o mesmo número de seguidores, mas alcances completamente diferentes. Odeio agradecer um homem pelo Linguiça Indica®, mas a verdade é que existem muitos acadêmicos do sexo masculino que prefeririam beber leite coalhado sofregamente do que se envolver com a OQMF. O que é bom, porque eu adoraria despejar galões de leite coalhado pela garganta deles abaixo. No entanto, qualquer tipo de apoio é útil à #AdmissõesJustasNaPós.

MARIE: Como está A Garota?

SHMAC: Como está o Cu de Camelo?

MARIE: Por incrível que pareça, estamos quase nos dando

bem. Se ainda não saímos na porrada, será que posso mesmo considerar que estamos trabalhando juntos? E bela mudança de assunto. Me conte sobre A Garota.

SHMAC: Está tudo bem.

MARIE: "Bem" tem definições variáveis. Especifique.

SHMAC: Quanto?

MARIE: Muito.

SHMAC: Ok. Especificando: está tudo ótimo, da pior maneira possível. Estamos trabalhando bastante juntos, porque o projeto exige. O que talvez explique por que estou na minha quarta cerveja numa quinta à noite.

MARIE: Por que vocês trabalharem juntos é ruim?

SHMAC: É que… eu sei coisas sobre ela.

MARIE: Coisas?

SHMAC: Sei o que ela gosta de comer, os programas a que ela assiste, o que a faz rir, o que ela acha de bichos de estimação. Sei do que ela não gosta (além de mim). Fico catalogando na cabeça um milhão de detalhezinhos sobre ela, e são encantadores. Ela é encantadora. Inteligente, engraçada, uma cientista incrível. E… existem coisas. Coisas em que fico pensando. Mas estou bêbado, e isso não é certo.

MARIE: Adoro coisas erradas.

SHMAC: É mesmo?

MARIE: Às vezes. Me conta.

SHMAC: Preciso que você saiba que eu nunca faria nada que deixasse ela desconfortável.

MARIE: Shmac, eu sei disso. E, se você fizesse, eu cortaria seu pinto fora com um bisturi enferrujado.

SHMAC: Justo.

MARIE: Me conta.

O relógio da cozinha segue tiquetaqueando. Carros passando tarde da noite fazem ruídos suaves pela janela, e a tela do meu celular escurece. Não acho que Shmac vá responder. Não acho que ele vai se abrir, e isso me entristece. Embora eu não saiba nada da vida dele, tenho a impressão de que, se não falar comigo, ele não vai falar com mais ninguém. Meus olhos se fecham, acostumados ao escuro, e é nesse momento que minha tela se acende de novo.
Suspiro.

SHMAC: Sei como é o cheiro dela. A pintinha em seu pescoço quando ela prende o cabelo. O lábio superior é um pouco mais carnudo que o inferior. A curva do pulso, quando ela segura a caneta. Isso é errado, muito errado, mas eu conheço o formato do corpo dela. Vou dormir pensando nisso e, quando acordo, vou para o trabalho e lá está ela, e é impossível. Fico falando coisas com as quais sei que ela vai concordar só para ouvir ela me responder com um "aham". Cacete, isso me dá calafrios. Ela é casada. Ela é brilhante. Ela confia em mim, e eu só consigo pensar em levá-la para o meu escritório, tirar a roupa dela e fazer coisas indescritíveis. E eu quero dizer isso pra ela. Quero dizer que ela é luminosa, que brilha tanto na minha mente que às vezes não consigo me concentrar. Às vezes esqueço por que entrei na sala. Vivo distraído. Quero empurrá-la contra uma parede e quero que ela empurre de volta. Quero voltar no tempo e dar um soco no idiota do marido dela no dia em que o conheci e depois voltar para o futuro e esmurrá-lo de novo. Quero comprar flores, comida e livros para ela. Quero segurar a mão dela e quero mantê-la no meu quarto. Ela é tudo que eu sempre quis, e quero injetá-la nas minhas veias e também nunca mais vê-la. Não existe nada como ela, e esses sentimentos são insuportáveis. Ficaram meio adormecidos enquanto ela estava longe, mas agora ela está aqui, e meu corpo pensa que é a droga de um adolescente, e eu não sei o que fazer. Não sei o que fazer. Não há nada que eu possa fazer, então eu simplesmente... não vou fazer nada.

Não consigo respirar. Não consigo me mexer. Não consigo nem engolir o nó na minha garganta. Acho que vou até chorar. Por ele. Por essa garota, que nunca vai saber que alguém guarda essa montanha de desejo dentro de si. E talvez por mim, porque escolhi nunca sentir isso, nunca mais. Nunca, e agora eu percebo, pela primeira vez, que preço terrível vou pagar. Que perda imensa.

MARIE: Ah, Shmac...

O que mais eu posso dizer? Ele está apaixonado por alguém que não o ama. Que é casada. Essa história não tem um final feliz. E eu acho que ele sabe, porque responde apenas:

SHMAC: Pois é.

– Oi, Bee.
Ponho de lado meu artigo e sorrio para Lamar.
– Tudo bem?
– Tudo, tudo. Só queria te dizer que atualizei o sistema de log no servidor.
– Ah, é?
– É. Nada vai mudar para você, mas agora os usuários que removerem,

substituírem ou modificarem arquivos serão automaticamente rastreados. Se alguma coisa duvidosa acontecer, vamos saber quem é o responsável.

– Ótimo. – Franzo as sobrancelhas. – Por que você fez isso?

– Por causa dos problemas.

– Problemas?

– É. Arquivos desaparecidos e tudo o mais. Levi convocou uma reunião da engenharia para descascar a gente e me pediu para mudar o código do servidor. – Ele dá de ombros, constrangido. – Desculpe o transtorno.

Ele sai da minha sala, e fico olhando fixamente para o artigo. Três minutos depois, ainda estou olhando para o mesmo ponto quando outra pessoa chega.

– Qual é o problema com sua entrada de ar? – Levi está parado na entrada, preenchendo o vão de um jeito que Lamar não conseguiu. – Está sem a grade. Vou chamar a manutenção...

– Não! – Giro a cadeira. – É por ali que Félicette entra à noite. Para comer os petiscos que deixo para ela!

Ele ergue a sobrancelha.

– Você quer ficar com uma entrada de ventilação aberta por causa da sua gata imaginária...

– Ela não é imaginária. Encontrei uma pegada do lado do meu computador no outro dia. Eu te mandei uma mensagem com a foto.

E ele respondeu: "Parece uma mancha da sua comida congelada." Eu o odeio.

– Certo. Sobre amanhã, vamos sair cedo porque Nova Orleans fica a mais de cinco horas daqui. Posso buscar o carro alugado e dirigir. Você pode dormir na viagem, mas eu queria sair por volta das seis...

– Você convocou a reunião.

Ele inclina a cabeça. Uma mecha do cabelo preto cai sobre sua testa.

– Como é?

– Você falou com os engenheiros sobre os arquivos que desapareceram.

– Ah. – Ele aperta os lábios. – Falei.

Eu me levanto, sem saber por quê. Ponho as mãos nos quadris, ainda sem saber o motivo.

– Eu te pedi para não falar.

– Bee. Era necessário.

– Combinamos que não faríamos nada até termos provas.

Ele cruza os braços, teimoso.

– Não combinamos nada. Você me disse que não queria fazer uma reunião geral sobre o assunto, e eu não fiz. Mas eu sou o chefe da divisão de engenharia e decidi falar com a *minha* equipe sobre o problema.

Eu bufo.

– A sua equipe são todos menos eu e Rocío. Bela brecha.

– Por que está tão incomodada com isso?

– Porque sim.

– Você vai ter que ser um pouco mais articulada do que isso.

– *Porque* você agiu pelas minhas costas. – Eu me irrito. – Exatamente como fez um mês atrás, quando não me contou que a Nasa estava tentando cancelar o Blink.

– Não é a mesma coisa.

– Em teoria, é. E é uma questão de princípios. – Mordo a parte interna da bochecha. – Se nós dois somos líderes, precisamos chegar a um acordo antes de tomar medidas disciplinares.

– Nenhuma medida disciplinar foi tomada. Foi uma reunião de cinco minutos em que pedi para a minha equipe parar de fazer cagada com arquivos importantes. Gosto de tudo em ordem. E minha equipe sabe disso. Ninguém se sentiu incomodado, só você.

– Então por que você não me disse que ia fazer a reunião?

Os olhos dele endurecem, quentes, escuros e frustrados. Ele examina meu rosto, calado, e sinto a tensão na sala aumentar. A coisa está prestes a subir de nível. E virar uma briga feia. Ele vai gritar para que eu cuide da minha vida. Eu vou atirar minha embalagem de comida congelada nele. Vamos trocar socos, pessoas virão correndo nos separar, vamos fazer um espetáculo.

Mas ele diz apenas:

– Pego você às seis.

Seu tom de voz é duro. Inflexível. Frio. Muito diferente do que ele vem usando comigo nas últimas cinco semanas.

Eu me pergunto por quê. Me pergunto se ele me odeia. Me pergunto se *eu* o odeio. Me pergunto tantas coisas, que me esqueço de responder, mas não importa. Porque ele já foi embora.

13

COLÍCULOS SUPERIORES: OLHA SÓ ISSO

UMA HORA, VINTE E QUATRO MINUTOS e dezessete segundos.
Dezoito.
Dezenove.
Vinte.
Isso é há quanto tempo estou neste Nissan Altima, que cheira levemente a limão, couro sintético e o perfume delicioso e masculino de Levi. E há quanto tempo estamos calados. *Convictamente* calados.

Vai ser um fim de semana incrível. Vamos bancar o 007 enquanto mal nos falamos. Não vejo nenhuma falha nesse plano.

É culpa minha? Talvez. Talvez eu tenha dado início a esse impasse quando não respondi ao "Oi" dele mais cedo – uma atitude extraordinariamente imatura, devo admitir. Talvez eu seja a culpada. Mas não dou a mínima, porque estou com raiva. Então eu me mantenho firme. Estou acumulando todo o meu ressentimento contra Levi, alimentando-o e transformando-o na grande, fulminante e incandescente supernova de gelo que estou dando nele e...

Sinceramente, não sei nem se ele notou.

Sim, ele ergueu a sobrancelha depois que eu me recusei a dizer "Oi", na minha melhor performance de uma criança de 11 anos que acabou de reler *The Baby-Sitters Club*. Mas ele logo deixou pra lá. Colocou um CD (*Mer de Noms*, da banda A Perfect Circle, e meu Deus, seu gosto musical incrível é como uma faca nos meus ovários) e deu a partida. Impassível. Relaxado.

Aposto que ele não está nem pensando no assunto. Aposto que não se importa. Aposto que estou aqui, brincando aflita com a aliança da minha avó, de mau humor ao ritmo de "Judith", enquanto ele provavelmente está refletindo sobre as leis da termodinâmica ou sua possível adesão ao movimento No-Poo. Em que os caras gastam tempo pensando? No índice Dow Jones. Em filmes pornô com mulheres de meia-idade. No próximo encontro.

Será que Levi namora? Tenho certeza de que sim, dado o número de pessoas que parecem pensar nele como um Cara Sexy®. Ele pode não ser casado, mas talvez esteja em um relacionamento longo. Talvez esteja perdidamente apaixonado, como Shmac. Pobre Shmac. Meu peito dói de uma maneira confusa quando penso no que ele disse. Quando penso em Levi sentindo algo igualmente forte, assustador e poderoso por uma mulher. Em Levi *fazendo* as coisas que Shmac falou sobre fazer com ela.

Estremeço, me perguntando por que memórias aleatórias de Levi me pressionando contra uma parede *ainda* surgem na minha cabeça. Me perguntando se a namorada que talvez ele nem tenha seria extraordinariamente sortuda ou muito pelo contrário. Me perguntando *por que* estou me perguntando…

– Desculpa.

Eu me viro tão rápido que distendo um músculo.

– O quê?

– Desculpa.

– Por quê? – Massageio o pescoço.

Ele olha fixamente a estrada e ergue a sobrancelha.

– Isso é alguma técnica educacional? "Desculpas para leigos"?

– Não. Estou confusa de verdade.

– Então, desculpa por convocar a reunião sem pedir sua aprovação.

Estreito os olhos.

– Sério?

– Sério o quê?

– Você está... se desculpando de verdade?

– Estou.

– Ah. – Balanço a cabeça. – Para ser exata, então, você pediu, *sim*, minha aprovação. E eu explicitamente *não* dei.

– Correto. – Acho que ele está mordendo o interior da bochecha para não sorrir. – Não dei ouvidos ao seu conselho *explícito*. Não queria minar sua autoridade nem agir como se a sua opinião fosse irrelevante. Acho... – Ele aperta os lábios. – Na verdade, eu *sei* que estou exageradamente dedicado ao Blink. O que me deixa exageradamente controlador e autoritário. Você tem razão, foi a segunda vez que não discuti questões importantes com você. – Ele enfim olha para mim. – Desculpa, Bee.

Eu hesito. Por vários segundos.

– Uau.

– Uau?

– Foi um excelente pedido de desculpas. – Balanço a cabeça, decepcionada. – Como vou poder continuar te ignorando desse jeito supermaduro pelas próximas três horas e meia?

– Você estava planejando parar quando chegássemos a Nova Orleans?

– Não, mas, realisticamente, dar um gelo bem dado exige uma atenção enorme e, antes de mais nada, eu sou preguiçosa.

Ele ri baixinho.

– Vamos trocar a música, então?

– Por quê?

– Pensei que grunge do fim dos anos noventa combinasse com seu humor, mas, se você não está mais irritada, talvez a gente possa ouvir algo um pouco menos...

– Raivoso?

– Isso.

– Quais são as opções?

Há algo muitíssimo estranho em Levi Ward me dizer a senha do seu telefone (338338) e me deixar escolher uma música na sua playlist Favoritos. Não há uma única música constrangedora do Nickelback (odeio). É uma mistura de bandas dos anos 1990, minha década preferida, só que são todas...

Escolho a sequência aleatória, me recosto no banco para contemplar a bela paisagem e faço a única crítica em que consigo pensar.

– Você sabe que mulheres também fazem música, certo?
– Como assim?
– Nada. – Dou de ombros. – Só que a sua playlist principal só tem garotos brancos raivosos.

Ele franze a testa.

– Não é verdade.
– Certo. É por isso que tem exatamente… – Desço pela lista de músicas por alguns segundos. Mais alguns segundos. Um minuto. – Um total absoluto de zero canções interpretadas por mulheres.
– Não é possível.
– No entanto…

As rugas em sua testa se aprofundam.

– É só uma coincidência – dispara ele.
– Hummm.
– Ok… Não tenho nenhum orgulho disso, mas é possível que meu gosto musical tenha sido influenciado pelo fato de que, quando adolescente, eu também fui um garoto branco raivoso.

Dou uma risada pelo nariz.

– Aposto que sim. Bem, se algum dia quiser lidar com essa raiva de forma produtiva, posso recomendar algumas cantoras e compositoras… – Há algo na beira da estrada. Estico o pescoço para ver melhor. – Ai, meu Deus.

Ele me dirige um olhar preocupado.

– O que foi?
– Nada, eu só… – Seco os olhos. – Nada.
– Bee? Você está… chorando?
– Não – minto. Mal.
– É por causa das cantoras e compositoras? – pergunta ele, em tom de pânico. – Vou comprar um álbum. Só me diz qual é o melhor. Sinceramente, não sei o suficiente sobre elas para…
– Não. Não, eu… Tinha um gambá morto. Na beira da estrada.
– Ah.
– Eu… tenho problemas. Com bichos atropelados.
– Problemas?
– É só que… bichos são tão fofinhos. Tirando as aranhas. Mas aranhas não são animais *de verdade*.

– Hã... são, sim.

– E quem sabe para onde o gambá estava indo? Talvez fosse uma fêmea e tivesse uma família... Talvez estivesse levando comida para os filhotes, que agora não sabem onde a mamãe está.

Estou me fazendo chorar ainda mais. Seco o rosto e fungo.

– Não sei se animais silvestres seguem as regras da estrutura familiar tradicional... – Levi percebe meu olhar furioso e instantaneamente se cala. Ele coça a nuca e acrescenta: – É triste.

– Tudo bem. Estou bem. Sou emocionalmente estável.

Os lábios dele se curvam para cima.

– É mesmo?

– Isso não é nada. Tim costumava me fazer jogar um jogo estúpido chamado "Adivinhe quem morreu na estrada", para eu ficar mais casca-grossa, e uma vez minhas lágrimas *literalmente* secaram. – O maxilar de Levi enrijece. – E, quando eu tinha 12 anos, vimos uma família de ouriços esborrachada em uma estrada belga e chorei tanto que, quando paramos para abastecer, um agente da *Federale Politie* abordou meu tio por suspeita de maus-tratos à criança.

– Entendi. Nada de parar até Nova Orleans.

– Não, prometo que já parei de chorar. Agora sou uma adulta com um coração seco e endurecido.

Ele me dirige um olhar cético, então diz:

– Bélgica, é? – Sua voz soa curiosa.

– É, mas nem se empolgue. Era na parte flamenga.

– Você não disse que era da França?

– Sou de todos os lugares. – Tiro as sandálias e apoio as pernas no painel, torcendo para que Levi não se ofenda com meu esmalte amarelo-brilhante e meus mindinhos incrivelmente feios. Eu os chamo de Quasimodedos. – Nascemos na Alemanha. Meu pai era alemão e polonês, e minha mãe era ítalo-americana. Eles eram muito... nômades. Meu pai era redator técnico, então podia trabalhar de qualquer lugar. Eles ficavam em um local por alguns meses e depois se mudavam para outro. E nossa família era muito espalhada. Então, quando eles morreram, nós...

– Eles morreram? – Levi se vira para mim, olhos arregalados.

– É. Num acidente de carro. Os airbags não funcionaram. Teve até um recall dos carros, mas... – Dou de ombros. – Nós tínhamos acabado de fazer 4 anos.

– Nós?

Ele está mais interessado na minha história do que eu esperava. Achei que só quisesse preencher o silêncio.

– Eu e minha irmã gêmea. Não nos lembramos muito dos nossos pais. Enfim, depois da morte deles, passamos de parente em parente. Fomos para a Itália, Alemanha, Alemanha de novo, Suíça, Estados Unidos, Polônia, Espanha, França, Bélgica, Reino Unido, Alemanha mais uma vez, uma breve passagem pelo Japão, Estados Unidos novamente. E assim por diante.

– E você aprendiam a língua?

– Mais ou menos. Éramos matriculadas em escolas locais, o que era um saco, porque tínhamos que fazer novos amigos a cada poucos meses. Teve épocas em que eu pensava em tantas línguas que mal sabia falar que não conseguia entender o que se passava dentro da minha própria cabeça. Sem falar que éramos sempre as crianças com sotaque, que não entendiam a cultura, então nunca nos adaptamos direito e... Você não devia estar olhando para a estrada em vez de para mim?

Ele pisca repetidamente, como se tentasse se livrar do choque, e então olha para a frente.

– Desculpa – murmura Levi.

– Tudo bem. Foram muitos países, muitos parentes. Por fim, viemos parar nos Estados Unidos com uma tia materna pelos últimos dois anos do ensino médio. – Dou de ombros mais uma vez. – Desde então, estou aqui.

– E sua irmã?

– Reike é igual aos nossos pais. Tem esse desejo de ver o mundo. Ela pôs o pé na estrada assim que foi legalmente possível e passou a última década indo de um lugar para outro, fazendo bicos, vivendo um dia de cada vez. Ela gosta de... só viver a vida, sabe? – Eu rio. – Tenho certeza de que, se meus pais estivessem vivos, eles seriam do time da Reike, porque eu não amo viajar desse jeito. Não mesmo. Reike quer ver novos lugares e criar novas memórias, mas eu acho que se você está sempre atrás de coisas novas, nunca vai ter o *suficiente* de nada. – Passo a mão pelos cabelos, brincando com as pontas roxas. – Não sei. Talvez eu seja apenas preguiçosa.

– Não é isso – diz Levi. Olho para ele. – Você quer estabilidade. Permanência. – Ele assente, como se tivesse acabado de encontrar a peça que faltava em um quebra-cabeça e a imagem resultante de repente fizesse sentido. – Estar em um lugar por tempo suficiente para construir uma sensação de pertencimento.

– Ei, Freud – digo suavemente –, já acabou a terapia não solicitada?

Ele fica vermelho.

– São trezentos dólares.

– Justo.

– Você e sua irmã são idênticas?

– Somos. Mas ela sempre diz que é mais bonita. Aquela idiota. – Reviro os olhos e rio.

– Vocês se veem com frequência?

Balanço a cabeça.

– Não a vejo pessoalmente faz quase dois anos.

E mesmo então foram só dois dias, uma parada em Nova York a caminho do Alasca, vindo de... não faço ideia. Faz tempo que perdi as contas.

– Mas a gente se fala sempre. – Sorrio. – Por exemplo, eu reclamo de você com ela.

– Que lisonjeiro. – Levi sorri. – Deve ser legal ser próximo dos irmãos.

– Você não é? Fica arrumando briga com seus irmãos por causa do seu péssimo hábito de fazer as coisas sem a autorização deles?

Ele balança a cabeça, ainda sorrindo.

– A gente não briga. Só... Qual é o oposto de brigar?

– Concordar?

– É. Isso.

Não entendi qual é a do relacionamento dele com os irmãos, mas Levi não parece feliz, e eu sinto uma pontada de culpa.

– Desculpa. Eu não quis dizer que sua família te odeia porque você é controlador.

Ele sorri.

– Você é tão controladora quanto eu, Bee. E acho que tem mais a ver com o fato de eu ser o único membro da família que não seguiu a carreira militar.

– É mesmo?

– É.

Encolho as pernas e me viro para ficar de frente para ele.

– É uma regra implícita na sua família? Você precisa entrar para as Forças Armadas, se não é um fracasso?

– É uma regra bem explícita. Eu sou a decepção da família. Sou o único primo que é civil... de sete. A pressão é intensa.

– Ui.

– Ano passado, no Dia de Ação de Graças, meu tio me pediu publicamente para mudar meu nome e parar de envergonhar a família. Isso *antes* de ele entornar um engradado inteiro de cerveja.

Faço uma careta.

– Mas você é um engenheiro da Nasa com artigos publicados na *Nature*!

– Você acompanha minhas publicações?

Reviro os olhos.

– Não. É que a Sam gosta de ficar falando como você é incrível.

– Talvez eu devesse levá-la no próximo Dia de Ação de Graças.

– Ei. – Cutuco o braço dele. É duro e quente. – Eu sei que somos nêmesis, mas sua família não sabe. E eu costumo passar o Dia de Ação de Graças tentando ver quantos marshmallows veganos consigo enfiar na boca. Então, se no próximo você precisar de alguém para explicar exatamente como você é incrível no seu trabalho... ou até mesmo só para esbofeteá-los... estou à disposição.

Sorrio e, após alguns segundos, ele sorri também, meio abalado.

Há algo de relaxante nisso. *Aqui*. O momento que estamos vivendo. Talvez seja o fato de Levi e eu sabermos exatamente nossa posição em relação ao outro. Ou que, para ambos, a coisa mais importante no mundo agora seja o Blink. Talvez haja uma conexão entre a gente. Uma conexão muito estranha e muito complicada.

Eu me recosto no assento.

– Esse é o único ponto positivo de ser órfão – reflito.

– Qual?

– Não ter pais para decepcionar.

Ele pensa um pouco.

– Não posso argumentar contra essa lógica.

Depois disso, voltamos ao nosso Silêncio Hostil Companheiro®. E depois de algum tempo, eu adormeço, a voz de Thom Yorke suave e tranquilizante nos meus ouvidos.

Estou na ICH há três minutos e meio quando encontro o primeiro conhecido, um ex-assistente de pesquisa do laboratório de Sam, que agora é doutorando na – olho o crachá dele – Stony Brook. Trocamos um abraço, nos atualizamos um pouco, prometemos nos encontrar para um drinque durante o fim de semana (não vamos). Quando me viro, Levi encontrou alguém que *ele* conhece (um senhor com uma pochete e óculos em uma correntinha que gritam "engenheiro" do topo do Grand Canyon). O processo todo dura cerca de vinte minutos.

– Meu Deus – murmuro assim que ficamos a sós.

Não somos famosos nem nada, mas o mundo da neuroimagem é muito insular. Indecoroso. Inescapável. E muitos outros adjetivos com *I*.

– Tive mais interações sociais nos últimos vinte minutos do que nos últimos dez meses – resmunga ele.

– Vi você sorrindo pelo menos quatro vezes. – Dou tapinhas no braço dele, confortando-o. – Não deve ter sido fácil.

– Acho que preciso me deitar.

– Vou pegar uma bolsa de gelo para as suas bochechas. – Olho o salão lotado e de repente lembro por que odeio conferências acadêmicas. – Por que viemos hoje, afinal? A apresentação da MagTech é só amanhã.

– Ordem do Boris. Acho que é uma tentativa idiota de parecer que não estamos aqui *só* para espionar.

Sorrio.

– Você às vezes tem a sensação de que somos superespiões e ele é o nosso contato?

Ele me lança um olhar meio divertido, meio fulminante.

– Não.

– Fala sério. Se eu sou o James Bond, Boris é total o M.

– Se você é o James Bond, quem sou eu?

– Você é a *Bond girl*. Vou te seduzir em troca de documentos e te apunhalar enquanto bebo um martíni. – Pisco para Levi, e então percebo que ele está corando. Será que fui longe demais? – Eu não queria...

– Eu quero ir a duas palestras sobre engenharia – diz ele abruptamente, apontando o programa da conferência e parecendo totalmente normal. Devo ter imaginado coisas. – E você?

– Tem um painel às quatro que parece interessante. Além disso, é meu dever sagrado sair para tomar um drinque. Dar uma volta em Nova Orleans e tudo mais.

– Ah. Você quer...?

Inclino a cabeça.

– Quero... o quê?

Ele pigarreia.

– Você quer companhia? Já estava planejando ir com sua amiga ou...

– Que amiga?

– Aquela sua amiga.

– Quem?

– Esqueci o nome dela. Aquela garota que trabalhava no laboratório da Sam... Cabelos escuros, fazia pesquisa sobre espectroscopia e... – Ele estreita os olhos. – É, só lembro disso.

– Você está falando da Annie Johansson?

Ele volta a olhar para o programa.

– Talvez? Acho que sim.

Não acredito que Levi esqueceu o nome de Annie mesmo após ela ter passado séculos correndo atrás dele. Annie sabia até qual era a porcaria do tipo sanguíneo dele, pelo amor de Deus. Provavelmente o número de identidade também.

– Por que eu sairia para beber com ela?

– Só chutei – responde ele, distraído. – Vocês viviam grudadas.

Meu batimento cardíaco acelera. Provavelmente sem nenhum motivo.

– Mas ela não está aqui.

Levi ainda está lendo o programa, sem de fato prestar atenção em mim.

– Pensei ter visto ela um minuto atrás.

Dou meia-volta. Sim, minhas palmas estão começando a suar, mas só porque às vezes isso acontece. Toda palma sua às vezes, certo? Olho ao redor freneticamente, mas tenho certeza de que Annie não está aqui. Não pode estar. Levi nem se lembrava do nome dela, com certeza se confundiu. Provavelmente ele pensa que toda mulher de cabelo escuro é igual e...

Annie.

Com os cabelos mais curtos. E um lindo vestido lilás. E um grande sorriso em seus lindos lábios. Na fila da estação de retirada do crachá, conversando com alguém, alguém que acabou de chegar e está entregando a ela um copo de café, alguém que...

Tim.

Tim. Eu vejo Tim, mas apenas por um segundo. Então minha visão fica embaçada, grandes pontos pretos vão engolindo o mundo. Sinto calor. Sinto frio. Estou suando. Estou tremendo como uma folha, meu coração martela e estou voando.

– Bee. – A voz de Levi me aterra por um segundo, quente e profunda e preocupada e sólida e graças a Deus ele está aqui, ou eu estaria aos pedaços, destroços ao vento. – Bee, você está bem?

Não estou. Estou morrendo. Estou desmaiando. Estou tendo um ataque de pânico. Meu coração e minha cabeça estão explodindo.

– Bee?

Levi agora está me segurando. Outra vez ele me segura e estou em seus braços e tenho a sensação de que estou a salvo. Como é possível que, quando ele está por perto, somente quando ele está por perto, eu realmente me sinta...

14

SUBSTÂNCIA CINZENTA PERIAQUEDUTAL E HIPOCAMPO: LEMBRANÇAS DOLOROSAS

ESTE NÃO É O MEU QUARTO DE HOTEL.

Para começar, este tem uma vista *muito* melhor. Uma rua movimentada e pitoresca de Nova Orleans, em vez daquele pátio cheio de mobília externa. Em segundo lugar, este cheira ligeiramente a pinho e sabonete. Em terceiro, e talvez o mais importante: não está bagunçado e, se eu tenho um único talento no mundo, é transformar um quarto de hotel em um completo caos nos três primeiros minutos da minha estada.

Tenho sérias habilidades de fragmentação.

Eu me sento na cama, que presumo também não ser a minha. A primeira coisa que vejo é verde. Uma tonalidade específica de verde: Verde Levi®.

– Ei – digo a ele, meio idiota, e imediatamente me deixo cair de volta no travesseiro.

Eu me sinto esgotada. Exausta. Enjoada. Fora do ar. Como cheguei aqui, afinal?

Levi vem se sentar ao meu lado na cama.

– Como você está?

Sua voz grave e profunda é uma espécie de pista. A última vez que a ouvi foi bem recentemente. E eu não conseguia respirar. Eu não conseguia respirar porque...?

– Eu desmaiei?

Ele faz que sim.

– Não de cara. Você andou comigo até o elevador. Depois eu carreguei você até aqui.

Tudo volta à minha mente de uma só vez. Tim. Annie. Tim e Annie. Eles estão aqui na conferência. Conversando. Um com o outro. Devo estar na cama de Levi e minha cabeça está podre por dentro e estou entrando em pânico novamente e...

– Respira fundo – ordena ele. – Inspira e expira. Não pensa nisso, ok? Só respira. Com calma.

A voz dele é séria na medida certa. A dose perfeita de autoridade. Quando estou assim, prestes a explodir, preciso de estrutura. Lobos frontais externos. Preciso que alguém pense por mim até eu me acalmar. Não sei o que é mais perturbador: o fato de Levi estar fazendo isso por mim ou de eu nem sequer estar surpresa.

– Obrigada – digo quando estou mais calma. Então me viro de lado, e minha face direita roça no travesseiro. – Isso foi... Obrigada.

Ele examina meu rosto, desconfiado.

– Está se sentindo melhor?

– Um pouco. Obrigada por não surtar.

Ele balança a cabeça, sustentando meu olhar, e respiro fundo mais algumas vezes. Parece uma boa ideia.

– Quer conversar? – pergunta ele.

– Não.

Ele assente e faz o mesmo de semanas atrás, depois que me salvou de quase virar panqueca: põe a mão quente em minha testa e empurra meu cabelo para trás. Talvez seja a melhor coisa que senti em meses. Anos.

– Posso fazer alguma coisa?

– Não.

Ele assente de novo e faz menção de se levantar. O pavor na boca do meu estômago volta com força.

– Você pode... – Eu me dou conta de que enganchei o dedo em um dos passantes no cós do jeans dele e imediatamente fico vermelha e o solto.

No entanto, todo o constrangimento do mundo não é suficiente para me impedir de continuar. – Você pode ficar? Por favor? Eu sei que você provavelmente preferia estar...

– Em nenhum outro lugar – diz ele, sem hesitar. – Não queria estar em nenhum outro lugar no mundo.

Ficamos assim, no Silêncio Hostil Companheiro® que é tão parte do nosso relacionamento quanto o Blink, as bolinhas energéticas de pasta de amendoim e as discussões sobre a existência de Félicette. Um minuto depois, ou talvez trinta, ele pergunta:

– O que aconteceu, Bee?

Se ele falasse em um tom agressivo, acusador ou constrangido, seria muito fácil ignorá-lo. Mas a única coisa em seus olhos é preocupação nua e crua, e eu não apenas *quero*, como *preciso* falar.

– Annie e eu brigamos no último ano do doutorado. Não nos falamos desde então.

Ele fecha os olhos.

– Eu sou um idiota.

– Não. – Seguro o pulso dele. – Levi, você...

– Eu que falei dela para você...

– Você não tinha como saber. – Dou uma fungada. – Quer dizer, você é um idiota, mas por outras razões.

Sorrio. Devo estar ridícula, com o rosto brilhando de suor e lágrimas, com o rímel borrado. Ele não parece se importar, pelo menos a julgar pelo modo como toca meu rosto, seu polegar quente contra a minha pele. É muito contato para arqui-inimigos, mas tudo bem. Acho até que gosto.

– Annie está na Vanderbilt – diz ele, como se estivesse falando consigo mesmo. – Com Schreiber.

– Você se lembra dela, então.

– Ver você assim definitivamente despertou minha memória. Lembrei outras coisas também. – Ele não afasta a mão, o que eu acho ótimo. – É por isso que você não foi trabalhar com Schreiber? É por isso que trabalha com o idiota do Trevor Slate?

– Trevor *não* é um idiota – retruco. – É um escroto, machista e imbecil. Mas sim. Nós íamos fazer o pós-doutorado juntas. Até planejamos nos graduar na mesma época para nos mudarmos para Nashville ao mesmo tempo.

Mas aí... – Dou de ombros do jeito mais casual que consigo. – Aconteceu aquela confusão toda, e eu não consegui ir. Não conseguia conviver com ela e com Tim.

Ele franze a testa.

– Tim?

– Nós três íamos trabalhar com Schreiber.

– Mas o que o Tim tem a ver com isso?

Esta é a parte difícil. A parte que só falei em voz alta duas vezes. Uma para Reike e outra para minha terapeuta. Digo a mim mesma para respirar. Fundo. Inspirar e expirar.

– Annie e eu brigamos por causa do Tim.

Levi fica tenso. A mão dele desce para a minha nuca. Por alguma razão, é exatamente disso que preciso.

– Bee.

– Acho que você sabe do Tim. Porque todo mundo sabia. – Sorrio. As lágrimas afloram de novo, silenciosas e impossíveis de segurar. – Bem, todo mundo menos eu. Eu só... Eu o conheci no primeiro ano da faculdade, sabe? E ele gostou de mim. Eu não tinha para onde ir nas férias de Natal daquele ano, e ele perguntou se eu queria passar com a família dele. E claro que eu aceitei. Foi incrível. Nossa, que saudade da família dele. A mãe dele tricotou meias para mim... Não é a maior fofura, tricotar uma coisa para aquecer alguém? Eu ainda as uso quando está frio. – Seco o rosto com os pulsos. – Minha terapeuta disse que eu não *queria* ver. Não queria admitir como Tim era de verdade, porque investi demais no nosso relacionamento. Porque, se eu admitisse que ele era um babaca, teria que abrir mão da família dele também. Talvez ela tenha razão, mas acho que eu só queria confiar nele, sabe? Ficamos juntos por anos. Ele me pediu em casamento. Me convidou para fazer parte da vida dele, e ninguém nunca tinha feito isso. A gente confia em alguém assim, não confia?

– Bee.

Levi está me olhando de um jeito que não compreendo. Porque ninguém nunca olhou para mim desse jeito.

– Mas tinha essas outras garotas. Mulheres. Eu nunca as culpei... não cabia a elas cuidar do meu relacionamento. Eu só culpei Tim, sempre. – Meus lábios estão salgados e molhados. – Estávamos noivos havia três anos quando eu descobri. Briguei com ele, tirei o anel de noivado e disse que estava tudo acabado, que ele tinha me traído, que eu esperava que ele pegasse gonorreia e que o pau dele caísse... nem sei mais o que falei. Estava com tanta raiva que nem conseguia chorar. Mas Tim disse que não tinha significado nada. Que não achou que eu ficaria tão chateada e que não faria mais. Que se eu fosse...

Eu nem consigo repetir. A maneira como ele distorceu tudo para me tornar a culpada da história. *Se você transasse mais comigo*, disse ele. *Se fosse melhor nisso. Se gostasse mais de sexo e fizesse mais gostoso. Você podia ao menos se esforçar.*

– Estávamos juntos fazia sete anos. Ninguém nunca tinha ficado tanto tempo na minha vida, então eu o aceitei de volta. E tentei melhorar. Me esforcei mais no... no nosso relacionamento. Em fazer o Tim feliz. Não sou uma vítima, fiz uma escolha consciente. Pensei que se eu queria me casar, se queria *estabilidade*, então não devia desistir de Tim tão rápido. – Deixo escapar um suspiro trêmulo. – E aí ele e a Annie...

Minha voz falha, mas Levi deve imaginar o resto. Ele já sabe o suficiente, provavelmente mais do que queria. Ele não precisa dos detalhes para saber que fui um capacho carente e patético, pois não só aceitei de volta o noivo que me traiu, como também não me dei conta de que ele *continuou* me traindo. Com minha melhor amiga. No laboratório onde eu trabalhava todos os dias. Não penso muito em Annie, porque jamais aprendi a lidar muito bem com a dor de perder *ela*.

– Não sei por que ela fez isso. Mas eu não podia ir com eles para a Vanderbilt. Foi um suicídio profissional, mas eu apenas não podia.

– Você... – A mão de Levi aperta mais a minha nuca. – Você *não* se casou com ele. Você não chegou a se casar com ele.

Sorrio, triste.

– O pior é que por muito tempo eu *tentei* perdoá-lo. Mas não consegui e... – Balanço a cabeça.

Levi hesita, me olhando com uma expressão perplexa.

– Você *não* é casada – repete ele, e eu me sento quando enfim percebo seu choque.

– Você... você pensou que eu fosse casada? – Ele faz que sim, e eu solto uma risada entre as lágrimas. – Eu tinha certeza de que você sabia, já que você e Tim às vezes trabalham juntos. E deixei Guy acreditar nisso porque pensei que você estivesse me arrumando uma desculpa, mas... – eu levanto a mão esquerda – esta era a aliança da minha avó. Não sou casada. Tim e eu não nos falamos há anos.

Levi abre e fecha a boca, mas não entendo o que ele diz, então ele afasta a mão, como se de repente minha pele o queimasse. Ele se levanta e vai até a janela, olhando para fora enquanto passa a mão pelos cabelos. Ele está chateado?

– Levi?

Nenhuma resposta. Ele esfrega os lábios, como se estivesse absorto em pensamentos, como se estivesse tentando compreender um evento sísmico.

– Levi, sei que você e Tim colaboram de vez em quando. Se isso te deixa numa posição desconfortável, pode...

– Não.

Ele finalmente se vira. Não sei o que acabou de acontecer, mas ele parece já ter se recuperado. O verde de seus olhos, porém, está mais vivo do que antes. Mais vivo do que nunca.

– Quero dizer, nós não fazemos mais nenhum trabalho juntos – declara ele.

Eu me sento, as pernas penduradas na beira da cama.

– Você e Tim não trabalham mais juntos?

– Não.

– Desde quando?

– Desde agora.

– O quê? Mas...

– Não estou com vontade de ir à conferência – interrompe ele. – Você precisa descansar?

– Descansar?

– Por causa do... – Levi aponta vagamente para mim e para a cama – do desmaio.

– Ah, estou bem. Se precisasse descansar toda vez que desmaio, precisaria de... *muito* descanso.

– Nesse caso, tem uma coisa que eu quero fazer.

– O que é?

Ele não responde.

– Quer vir comigo?

Não tenho ideia do que ele está falando, mas minha agenda não está exatamente lotada.

– Claro.

Ele sorri, um pouco convencido, e uma ideia terrível me ocorre: vou lamentar o que quer que esteja prestes a acontecer.

– Eu *odeio* isso.

– Eu sei.

– Como foi que você percebeu?

Tiro uma mecha roxa suada da testa. Minhas mãos estão tremendo. Minhas pernas são gravetos feitos de *slime*. Sinto um gosto forte de ferro na garganta. Um sinal de que estou morrendo? É possível. Quero parar, mas não posso, porque a esteira ainda está em movimento. Se eu cair, a esteira vai me engolir em um vórtice de escuridão pegajosa.

– É porque estou arfando? – pergunto. – Ou quase vomitando?

– É mais porque você disse isso oito vezes desde que começou a correr... o que, a propósito, foi há exatos sessenta segundos. – Da sua esteira, ele se inclina para a frente e aperta o botão de velocidade da minha, reduzindo-a. – Você foi muito bem. Agora caminhe um pouco.

Levi se apruma e continua correndo em um ritmo que eu não alcançaria mesmo se estivesse sendo perseguida por um enxame de abelhas.

– Daqui a três minutos, você vai correr mais sessenta segundos.

Ele não está nem arfando. Será que tem pulmões biônicos?

– Depois vai andar mais três minutos e em seguida descansar.

– Espera. – Prendo o cabelo atrás da orelha. Preciso comprar uma faixa para o cabelo. – É só isso?

– É.

– Eu corro só por dois minutos? É esse o meu treino?

– Isso.

– Como você sabe? Você já fez o programa Do Sofá aos 5km? Você já *esteve* em um sofá?

Eu lhe dirijo um olhar cético. Levi fica desconcertantemente bem em seu short até o meio da coxa e camiseta da Pitt. Uma mancha de suor está se espalhando por suas costas, fazendo o algodão grudar na pele. Não acredito que existem pessoas que conseguem ficar sexy enquanto correm. Filhas da mãe.

– Eu pesquisei – diz ele.

Dou risada.

– Você pesquisou?

– É óbvio. – Ele me dirige um olhar ofendido. – Eu disse que te treinaria para a corrida, e vou.

– Ou você pode simplesmente me liberar da nossa aposta.

– Valeu a tentativa.

Balanço a cabeça, rindo um pouco mais.

– Não acredito que você pesquisou. Não sei se isso é muito legal ou a coisa mais sádica que já ouvi. – Penso um pouco. – Estou tendendo para a última.

– Quieta, senão te inscrevo na Corrida dos Churrasqueiros.

Eu me calo e continuo andando.

Três horas depois, acabamos em um bar no French Quarter.

Juntos.

Sim, eu e Levi Ward. Pedindo drinques. Bebendo Sazerac na mesma mesa. Rindo porque a garçonete serviu a minha com um canudo em formato de coração.

Não sei bem como isso aconteceu. Acho que envolveu uma pesquisa no Google, depois uma olhada atenta em um site chamado Drinking NOLA, e depois uma caminhada de cinco minutos, na qual confirmei que um passo de Levi dá exatamente dois passos meus. Mas não sei como chegamos à decisão de que nos aventurar juntos seria uma boa ideia.

Pois bem. Melhor focar no Sazerac.

– Então – pergunto depois de um longo gole, o uísque queimando docemente minha garganta –, quem está encarregado do ânus de Schrödinger neste fim de semana?

Levi sorri, girando o líquido âmbar em seu copo. Ele não secou o cabelo depois do banho, e alguns fios úmidos ainda estão grudados nas orelhas.

– Guy.

– Pobre coitado. – Eu me inclino para a frente. O mundo está começando a ficar suave e agradavelmente difuso. Humm, álcool. – É difícil? Quem te ensinou? Exige alguma ferramenta? Schrödinger gosta? Como é o cheiro?

– Não; o veterinário; apenas luvas e alguns petiscos; se gosta, ele esconde bem; e *horrível*.

Tomo outro gole, totalmente absorta.

– Como foi que você acabou com um gato que precisa... ser espremido?

– Ele não precisava quando o peguei, há dezessete anos. Ele passou quinze anos me iludindo, me fazendo amá-lo, e agora aqui estou. – Ele dá de ombros. – E só preciso fazer isso uma vez por semana.

Começo a rir provavelmente mais do que deveria. Humm, álcool.

– Você o adotou ainda filhote? Pegou em um abrigo?

– Debaixo do galpão do quintal. Ele estava mastigando uma asa de pombo nojenta. Achei que ele precisava de mim.

– Quantos anos você tinha?

– Quinze.

– Vocês estão juntos a maior parte da vida.

Ele faz que sim.

– Meus pais não gostam muito de animais de estimação, então ou eu o levava comigo para onde fosse ou o deixava se virar sozinho. Ele foi para a faculdade comigo. E para a pós. Ele pulava na minha mesa, estreitava os olhos e me lançava um olhar acusador quando eu fazia corpo mole. Aquele abusado.

– Ele é o verdadeiro segredo do seu sucesso acadêmico!

– Eu não iria *tão* longe...

– A fonte da sua inteligência!

– Parece exagero...

– A única razão de você ter um emprego! – Levi ergue a sobrancelha e eu rio um pouco mais. Sou hilária. Humm, álcool. – É muita gentileza do Guy te fazer esse favor.

– Para deixar claro, Guy só vai dar comida para o Schrödinger. Eu espremi a glândula antes de vir. Mas sim, ele é ótimo.

– Tenho uma pergunta imprópria para te fazer. Você roubou o emprego do Guy?

Ele assente, pensativo.

– Sim e não. Ele provavelmente seria o líder do Blink se eu não tivesse sido transferido. Mas eu tenho mais experiência com liderança de equipe e neuro.
– E ele é absurdamente tranquilo em relação a isso.
– É.
– No lugar dele, eu te apunhalaria com minha lixa de unha.
Ele sorri.
– Não duvido.
– Acho que no fundo Guy sabe que ele é mais maneiro. – Vejo a expressão confusa de Levi. – Quer dizer, ele é um *astronauta*.
– E daí?
– Bem, é o seguinte: se a Nasa fosse uma escola de ensino médio, e suas diferentes divisões fossem os grupinhos, os astronautas seriam os jogadores de futebol americano.
– Futebol americano *ainda* é popular no ensino médio? – pergunta Levi. – Apesar dos danos cerebrais?
– Sim! Loucura, não é? Enfim, os engenheiros seriam mais como os nerds.
– Então eu sou um nerd?
Eu me recosto e o observo com atenção. Ele parece um *linebacker*.
– Na verdade, eu jogava no ataque – replica ele. – Como *tight end*.
Merda. Eu falei em voz alta?
– Sim – respondo. – Você é um nerd.
– Justo. E os neurocientistas?
– Humm. Os neurocientistas são a turminha artística. Ou talvez os alunos de intercâmbio. Intrinsecamente legais, mas eternamente incompreendidos. Meu ponto é: Guy já foi para o espaço, então ele faz parte de um grupinho melhor.
– Entendo seu raciocínio, mas contesto: Guy nunca foi ao espaço e nunca irá.
Franzo a testa.
– Ele disse que trabalhou com você na primeira missão espacial dele.
– Na equipe de terra. Era para ele ir para a Estação Espacial Internacional, mas falhou na triagem psicológica no último minuto... Não que isso signifique muita coisa. Esses testes são ridiculamente seletivos. Mas enfim, a maioria dos astronautas que conheci é muito pé no chão...

– *Pé no chão?*

Rio tão descontroladamente que as pessoas se viram para olhar. Levi balança a cabeça, se divertindo.

– E para se tornar um astronauta, você precisa ter um diploma em alguma das áreas STEM. O que significa que eles também são nerds, porém nerds que decidiram fazer mais um treinamento.

– Espera aí. – Eu me inclino para a frente outra vez. – Você quer ser astronauta também?

Ele aperta os lábios, pensativo.

– Eu poderia te contar uma história.

– Uuuu. Uma história! – falo.

– Mas você teria que guardar segredo.

– Porque é constrangedora?

– Um pouco.

Faço biquinho.

– Então não posso. Você é meu arqui-inimigo... Eu tenho que te caluniar. Está no contrato.

– Nada de história, então.

– Ah, fala sério! – Reviro os olhos. – Tudo bem, não vou contar pra ninguém. Mas fique sabendo que isso provavelmente vai me matar.

Ele assente.

– Estou disposto a correr o risco. Você sabe que minha família não está muito feliz comigo...

– Ainda aguardo ansiosa a oportunidade de descer a mão neles todos no Dia de Ação de Graças.

– Agradecido. Quando comecei a trabalhar na Nasa, minha mãe me chamou de lado e me disse que eu poderia me redimir aos olhos do meu pai se me candidatasse ao Corpo de Astronautas.

Meus olhos se arregalam.

– E você se candidatou?

– Sim.

– E aí? – Vou me inclinando cada vez mais na direção dele. Isso é tão *envolvente*. – Você entrou?

– Não. Nem sequer passei da fase eliminatória.

– Ah, não! Por quê?

– Alto demais. Recentemente, eles passaram a ser mais rígidos em relação à restrição de altura... Não se pode ter mais do que 1,90 metro ou menos que 1,55 metro.

Penso brevemente na coincidência de que nem Levi nem eu nos enquadramos nos requisitos de altura dos astronautas, mas por razões dramaticamente diferentes. Que loucura.

– Você ficou arrasado?

– Minha família ficou. – Ele me encara. – Eu fiquei tão aliviado que meu amigo e eu tomamos um porre naquela noite.

– *O quê?*

Ele inclina a cabeça para trás e vira o restante da bebida. Eu *não* estou olhando para o pomo de adão dele, *não* estou.

– O espaço é *assustador* pra cacete. Sou grato pela camada de ozônio e pela atração gravitacional da Lua e tudo mais, mas teriam que me amarrar feito um porco no espeto para me mandar para lá. O universo não para de se expandir e esfriar, pedaços da nossa galáxia são sugados, buracos negros disparam a milhões de quilômetros por hora e supertempestades solares acontecem em um piscar de olhos. Enquanto isso, os astronautas da Nasa estão lá em seus trajes claramente insuficientes, bebendo litros da própria urina reciclada, ficando com o peito dos pés todo ressecado e rachado, e cagando bolinhas que flutuam ao nível dos olhos. O líquido cefalorraquidiano se expande e pressiona os globos oculares a tal ponto que a visão se deteriora, a flora intestinal fica uma merda... perdão pelo trocadilho... e eles ficam cercados de raios gama que poderiam literalmente *pulverizá-los* em menos de um segundo. Mas sabe o que é ainda pior? O cheiro. O espaço tem cheiro de banheiro e ovo podre, e não tem para onde fugir. Você está preso lá até que Houston permita que volte para casa. Portanto, acredite: sou grato todos os dias por esses cinco centímetros a mais.

Eu o encaro. E encaro. E encaro um pouco mais, boquiaberta. Encaro esse homem de 1,95 metro e 90 quilos de puro músculo que acabou de desabafar comigo por cinco minutos sobre o espaço ser um lugar assustador.

Deus. Ai, meu *Deus*. Acho que gosto dele.

– Só tem um formato em que o espaço é tolerável – diz ele.

– Qual?

– Filmes de *Star Wars*.

Ai, meu *Deus*.

Eu me levanto da cadeira com um salto, pego a mão dele e o arrasto para fora do bar. Levi segue sem resistir.

– Bee? Para onde estamos...?

Não me dou ao trabalho de olhar para trás.

– Para o meu quarto no hotel. Vamos assistir a *O Império contra-ataca*.

– O Yoda é meio babaca.

Eu me inclino para roubar um punhado de pipoca do colo de Levi. A minha parte, infelizmente, acabou há muito tempo. Eu devia ter ido mais devagar.

– Todos os Jedi são babacas. – Levi dá de ombros. – É o celibato forçado.

Não acredito que estou em uma cama. Com Levi Ward. Assistindo a um filme. Com Levi Ward. E nem parece estranho. Eu roubo mais pipoca dele e, sem querer, pego seu polegar.

– Desculpa!

– Isso não é vegano – diz ele, com um tom diferente, e fico hipnotizada pelas sombras que a luz da TV lança em seu rosto. Seu nariz elegante, os lábios inesperadamente carnudos, os cabelos pretos, tingidos de azul na escuridão.

– O que foi? – pergunta ele, sem tirar os olhos da tela.

– O que foi o quê?

– Você está me encarando.

– Ah. – Eu deveria desviar o olhar, mas estou um tantinho bêbada. E gosto de olhar para ele. – Nada. É só...

Ele finalmente se vira.

– Só...?

– Só... Olhe só a gente. – Sorrio. – Nem parece que nos odiamos.

– É porque não nos odiamos.

– Ah. – Inclino a cabeça. – Você parou de me odiar?

– Nova regra. – Ele se vira completamente para mim, e suas pernas ridiculamente longas roçam nas minhas. Nas florestas pantanosas de Dagobah,

Yoda está torturando o pobre Luke sob o pretexto de treiná-lo. – Toda vez que você disser que eu te odeio, vai ter que ir lá em casa espremer as glândulas do Schrödinger.

– Você fala como se não fosse divertido.

– Já que está na cara que você tem um fetiche: toda vez que você mencionar essa inimizade inexistente que eu supostamente sinto, vou adicionar um quilômetro à corrida que você me deve.

– Isso é *loucura*.

– Você sabe o que fazer para impedir. – Ele joga uma pipoca na boca.

– Humm. Posso dizer que *eu* odeio *você*?

Ele desvia o olhar.

– Não sei. Você me odeia?

Eu o odeio? Não. Sim. Não. Não esqueci que ele foi um babaca no doutorado, nem que ele me repreendeu pelas *minhas roupas* no primeiro dia de trabalho, nem qualquer uma das coisas idiotas que ele fez comigo. Mas, depois de um dia como hoje, quando ele me salvou de uma implosão total e catastrófica, tudo isso parece muito distante.

Não, então. Eu não o odeio. Na verdade, eu meio que gosto dele. Mas não quero admitir, então, enquanto na tela Han e Leia brigam sobre o quanto eles se amam, eu desconverso.

– O que você vai vestir amanhã?

Ele me dirige um olhar intrigado.

– Não sei. Faz diferença?

– Claro! – respondo. – Estamos espionando.

Ele concorda com um aceno da cabeça, de uma forma que mostra claramente que me acha doida.

– Algo discreto, então – diz Levi. – Um sobretudo. Óculos escuros. Você trouxe seu bigode falso, certo?

Dou um tapa no braço dele.

– Nem todo mundo tem tanta experiência com espionagem... Aliás, qual é a história por trás das fotos da MagTech?

– Isso é segredo.

– Você arriscou mesmo sua carreira, como Boris disse?

– Sem comentários.

Reviro os olhos.

– Bom, se foi... obrigada.

Volto a me acomodar no travesseiro, me concentrando no filme.

– Ei, Bee?

Eu amo tanto os wookies. São os melhores alienígenas de todos os tempos.

– Oi?

– Se amanhã você vir Annie e Tim e se sentir... como você se sentiu hoje, pode segurar a minha mão, tá?

Eu deveria perguntar em que isso me ajudaria. Deveria observar que sua mão não é uma marca poderosa de benzodiazepínicos de liberação instantânea. Mas acho que ele pode estar certo. Acho que pode funcionar. Então faço que sim e roubo do colo dele o saco de pipoca inteiro.

Levi tem razão. O espaço *é* meio assustador.

15

ÁREA FUSIFORME: ROSTOS FAMILIARES

– ELES CONTRATARAM UM NEUROCIENTISTA – diz Levi, o olhar fixo no palco onde engenheiros com um forte sotaque holandês discutem sobre o capacete de estimulação.

Eu assentiria, mas me sinto enjoada. Os capacetes da MagTech estão no mesmo nível que os nossos. Talvez um pouco mais à frente. Um *pouquinho* mais à frente, mas ainda assim à frente. A banana que comi no café da manhã está se revirando no meu estômago.

– É.

– Eles resolveram os problemas do posicionamento das saídas de uma forma diferente – murmura ele.

Levi está falando consigo mesmo, uma das mãos apertando o braço da cadeira, os nós dos dedos, brancos.

Sim. Que bosta.

Oi, Dra. Curie. Eu sei que você está ocupada brincando pelada com o Pierre, e sei que é injusto da minha parte perguntar, mas, se você ou Hertha pudessem me fazer um favor e atingir o capacete de estimulação da MagTech com um raio radioativo, seria incrível. Se eles patentearem a tecnologia antes de nós, simplesmente a venderão para qualquer um que pagar mais, e, como você sabe, os humanos não precisam de melhorias cognitivas quando se trata de se matarem. Ok, obrigada e tchau.

– Eles empacaram na fusão de hardware e software – diz Levi.

– É. Exatamente como nós.

Eu me remexo na cadeira. A viagem foi inútil. Absolutamente inútil. Quero voltar para Houston e trabalhar cinco, dez, vinte horas. Revisar cada dado que coletamos e ver se deixamos passar alguma coisa que possa nos ajudar a avançar.

É uma corrida. Sempre foi, desde o começo, mas depois da incerteza da minha primeira semana no Blink, fiquei tão grata pela oportunidade de tentar que quase me esqueci disso. Dar o nosso melhor, fazer progressos – isso parecia o suficiente. Spoiler: não era. Pela primeira vez em semanas eu penso, penso *de verdade*, no meu trabalho nos Institutos de Saúde. Venho mandando relatórios semanais para Trevor e o diretor dos Institutos. Não houve muita reação da parte deles, exceto por um ou outro "Bom trabalho" e "Continue assim". Eu me pergunto se eles leem os relatórios ou se só passam o olho, à procura de palavras-chave. *Redes neurais. Pulsos magnéticos. Neuroplasticidade* é sempre uma boa também.

O que eles diriam se eu contasse que a MagTech pode alcançar a linha de chegada primeiro? Poriam a culpa em *mim*? Meu emprego estaria a salvo? E o que aconteceria com a promoção a que almejo? Vou ser demitida ou trabalhar eternamente para Trevor? Foi a isso que minhas ambições profissionais foram reduzidas, uma eterna busca pelo menos pior?

Seja uma cientista, disseram. *Vai ser divertido,* disseram.

– Vamos. – Levi se levanta da cadeira no instante em que a apresentação termina. – Se formos embora agora, chegamos em casa no meio da tarde.

Eu nunca estive tão ansiosa para sair de uma sala com ar-condicionado.

– Você quer se enfiar no laboratório e trabalhar até desmaiar?

– Exato – responde ele.

Pelo menos estamos em sintonia.

– Quer saber de uma coisa? – reflito, abrindo caminho em meio à multidão. – Talvez eu tenha uma ideia de como resolver o problema do campo gradiente...

– *Não acredito nos meus olhos. Levi e Bee!*

Paramos imediatamente. Mas não nos viramos, porque não precisamos.

Afinal de contas, vozes são como rostos: nunca as esquecemos, não quando pertencem a pessoas importantes. Pais. Irmãos. Melhores amigos, parceiros, crushes.

Orientadores do doutorado.

– Não acredito que vocês estão *aqui* e eu não *sabia*.

Os olhos de Levi encontram os meus. *Merda*, leio na maneira como suas pupilas dilatam. Respondo telepaticamente: *Merda mesmo*. Sua expressão fica tensa.

Eu amo a Sam. Nós dois a amamos. Nunca falei sobre ela com Levi, mas sei que eles tinham uma relação especial, assim como nós duas. Ela foi uma orientadora excepcional: inteligente, solidária, que se importava, *se importava* de verdade, com a gente. Depois da minha briga com Tim e Annie, não tive coragem de contar a ela o que realmente aconteceu. Então inventei algumas mentiras sobre um término amigável e sobre familiares inexistentes em Baltimore dos quais eu precisava ficar perto. Foi Sam quem me ajudou a encontrar o emprego com Trevor, e ela nunca me criticou por ter recusado um cargo melhor na Vanderbilt. Eu adoro conversar com ela, sempre, me atualizar sobre o seu trabalho, tomar um café juntas. Sempre.

Menos agora.

Sorrio quando ela me envolve em um abraço de urso, e... Tudo bem, é uma sensação incrível. Ela é alta e robusta. Alguém que abraça de verdade. Eu me vejo rindo e a abraçando de volta.

– É tão bom te ver, Sam.

– Essa fala é minha. E você, Levi, olhe só pra você. Está mais alto?

O abraço deles é consideravelmente mais contido. Ainda assim fico chocada ao ver que Levi sabe abraçar e que abriu um sorriso afetuoso.

– Não que eu saiba. Que bom te ver, Sam.

– Por que eu não sabia que vocês estavam aqui?

– Porque não estamos no programa. Nós só viemos por causa de uma apresentação específica.

– Nós? – Os olhos de Sam se arregalam. Ela olha de um para o outro algumas vezes antes de focar em Levi com um imenso sorriso de satisfação que eu não consigo interpretar. Ela segura a mão dele. – Eu não sabia que tinha um "nós", Levi. Estou tão feliz por você. Torci por tanto tempo e finalmente uma notícia tão incrível...

— Bee e eu estamos trabalhando juntos em um projeto da Nasa. *Temporariamente* – diz ele às pressas, como um adolescente impedindo que a mãe conte que ele ainda dorme abraçado ao dinossauro de pelúcia.

Sam arqueja, cobrindo a boca.

— Claro. Claro, o projeto da Nasa. Não acredito que me esqueci disso. Mesmo assim, vocês dois têm que ir ao meu *brunch*. – Ela olha o celular. – Em dez minutos. Todos os meus orientandos do doutorado vão. A comida é por minha conta, claro.

Ô-ôu.

Ô-*merdamerdamerda*-ôu.

Olho para Levi, pronta para implorar que não me faça passar meia hora vendo Tim e Annie comendo *huevos rancheros*, mas ele já está balançado a cabeça.

— Obrigado, mas não podemos. Temos que pegar a estrada.

— Ah, bobagem. Vai ser menos de uma hora. Basta chegar lá, dizer oi pra todo mundo, tomar o café da manhã por minha conta. Vocês dois estão tão magrinhos.

Eu me pergunto como alguém pode olhar para o peito de Levi, ou os bíceps, as pernas, ou… qualquer coisa, na verdade, e pensar na palavra "magrinho", mas ele não hesita.

— Precisamos ir.

— De jeito nenhum – insiste ela.

Já mencionei que Sam é mandona? Acredito que seja um efeito colateral de quando se comanda um laboratório durante décadas.

— Vocês foram meus orientandos favoritos. Qual é o sentido de fazer um *brunch* do laboratório se vocês não forem? Melhor cancelar!

— Você nem sabia que estávamos aqui até três minutos atrás – observa Levi, pacientemente.

— Mas agora eu sei. E… – Ela se inclina para a frente, pousando uma mão no ombro de cada um. – Vou fazer um anúncio importante hoje. Vou me aposentar no fim do semestre. E, assim que sair, não planejo mais fazer o circuito das conferências. Então talvez não tenha uma próxima vez.

Levi assente.

— Eu entendo, Sam. Mas nós realmente…

— Nós vamos. – Eu o interrompo – Só diga onde é.

Rio com o entusiasmo com que Sam bate palmas.

– Tem certeza? – pergunta Levi assim que Sam se afasta.

– Tenho certeza de que *não* quero ir. – Se tivesse que escrever uma lista das coisas que eu preferiria fazer, precisaria de vários gigabytes de espaço na nuvem. – Mas, se Sam vai anunciar a aposentadoria e é importante para ela, não podemos *deixar* de ir. Não depois de tudo que ela fez por nós. – Massageio a têmpora, querendo um ibuprofeno. – Além disso, minha antiga terapeuta ficaria orgulhosa de mim.

Ele me observa por um longo momento. Então assente. Dá para ver que não gosta nada disso.

– Tudo bem. Mas, se você não se sentir bem, me diga imediatamente, e eu te levo embora. – Ele fala de uma forma autoritária que deveria me fazer querer responder que dispenso sua preocupação, mas... não faz. Na verdade, é justamente o oposto. Que mistério. – E lembre que minha mão está aqui.

Faço tudo que você quiser.

Assim que as palavras saem da minha boca, percebo o deslize. Como não posso retirar o que disse, me viro e saio do centro de conferências, vermelha. *Oops.*

Que dia caótico. E são apenas 10h07.

Imagine a cena: você entra em um restaurante, e a recepcionista te conduz à mesa do grupo, que é redonda e está cheia. Mas, quando você e o seu acompanhante chegam, duas cadeiras são trazidas, garantindo muitas cotoveladas aconchegantes. Uhuul! Vocês são recebidos por diversos olhos arregalados, exclamações de surpresa e de "Meu Deus, quanto tempo!". Alguns são dirigidos a você, outros ao seu acompanhante. E outros a ambos. Você percebe que, tirando a pessoa que te convidou, ninguém estava contando com sua presença. Uhuu em dobro!

Você quer se concentrar em pôr os assuntos em dia, perguntar aos velhos amigos sobre a vida, mas tem algo te incomodando. Uma pulguinha atrás da orelha. A princípio, você pensa que tem a ver com as duas pessoas que ainda não se levantaram para cumprimentar vocês e com o fato de que uma delas era seu noivo e que a outra você amava como a uma irmã. Justo. Isso incomodaria qualquer pessoa, não é?

Mas tem *outra coisa* aumentando a tensão: quase todo mundo na mesa sabe *exatamente* o que aconteceu entre você, seu ex-noivo e a sua nem-tão--irmã-assim. Eles sabem que você ficou deprimida, que acabou tendo que procurar outro emprego, como isso te deixou mal, e embora não sejam más pessoas, há uma sensação fervilhando no ar, uma sensação de que um espetáculo está prestes a acontecer. Um espetáculo que envolve você.

Está acompanhando a situação? Ótimo. Porque há mais uma camada nessa cebola. Ela eleva a coisa toda a algo além de uma confusão medíocre, e tem a ver com o seu acompanhante. Ele não era exatamente seu fã da última vez que todos nessa reunião trabalharam juntos, e ver você chegando com ele está deixando todo mundo *louco*. Eles não conseguem assimilar. O espetáculo já ia ser bom, mas agora? Agora é praticamente o musical *Hamilton*, meu bem.

Está visualizando a cena? Está sentindo nos ossos o profundo desconforto da situação? Está considerando se enfiar embaixo da mesa e se balançar para a frente e para trás até dormir? Ok. Ótimo. Porque é *exatamente* assim que me sinto quando Timothy William Carson se posta na minha frente e diz:

– Oi, Bee.

Tenho vontade de dar um chute no saco dele. Mas infelizmente há muitos olhos em mim, e mesmo que eu não tenha feito o exame da ordem de advogados de Louisiana, temo que chutar o saco de alguém possa ser considerado agressão neste estado incrível. Então abro meu sorriso mais falso, ignoro a sensação nauseante na boca do meu estômago e respondo:

– Oi, Tim. Você está ótimo.

Não está. Ele parece apenas ok. Parece bem. Parece um Cara Fofo® que precisa de um quadro no estilo Dorian Gray, porque sua personalidade podre está começando a transparecer. Ele está passável, mas nada comparado ao homem ao meu lado. Que, aliás, diz:

– Tim.

– Levi! Como vão as coisas?

– Tranquilas.

– Precisamos retomar nossos projetos. – Tim franze os lábios, como o bom cuzão que ele é. – Andei *atolado*.

Levi continua sorrindo e, quando Tim se inclina para um abraço, ele aceita.

Isso me faz franzir o cenho. Mas o que...? Pensei que Levi estivesse do *meu* lado. Soa idiota quando dito em voz alta, e é injusto da minha parte esperar isso dele, porque Levi e eu não somos exatamente amigos, e meus problemas não são problema dele, e ele tem todo o direito de abraçar quem quiser...

Perco a linha de raciocínio quando percebo que Levi não está apenas *abraçando* Tim. Ele está segurando seus ombros com força, os dedos se enterrando dolorosamente na carne de Tim enquanto murmura algo em seu ouvido. Não consigo distinguir as palavras, mas, quando Levi se endireita, a boca de Tim está comprimida em uma linha fina e reta, seu rosto está branco como leite, como não lembro de já ter visto antes, e sua expressão parece quase... de medo.

Tim está *com medo*?

– Eu... Você... Não foi minha intenção – gagueja ele, mas Levi o interrompe.

– Bom te ver – diz ele em um tom de comando e desdém.

Tim é obrigado a aceitar essas palavras pelo que são: uma ordem para dar o fora.

– O que aconteceu aqui? – sussurro, enquanto Levi puxa minha cadeira. Aparentemente, estamos em 1963.

– Olha. – Ele aponta para o prato de Sam. – Tem salada de quinoa.

– Por que Tim parece *apavorado*?

Levi me lança um olhar inocente.

– Parece?

– Levi. O que você disse a ele?

Levi me ignora.

– Sam, essa salada tem ovos?

Os primeiros vinte minutos não são tão ruins. O problema de mesas redondas é que você não consegue ignorar totalmente a existência de ninguém, mas Tim e Annie estão longe o suficiente para que eu consiga conversar com os outros sem muito constrangimento. Alguns aspectos dessa reunião são genuinamente legais – encontrar Sam, saber quais antigos colegas se casaram, tiveram filhos, seguiram a carreira acadêmica, compraram casas. Uma vez ou outra o braço de Levi roça no meu, me lembrando de que não estou totalmente sozinha. Há alguém ali me apoiando. Um cara que ama *Star Wars*, que é alto demais para ser astronauta e que vem cuidando de um gatinho durante metade da sua vida.

Então há uma pausa na conversa, e alguém do outro lado da mesa pergunta:

– Como vocês acabaram trabalhando juntos, afinal?

Todos passam a prestar atenção. Todos os olhos estão voltados para Levi e para mim. Infelizmente, Levi está mastigando uma batata frita. Então eu digo:

– É uma colaboração entre os Institutos Nacionais de Saúde e a Nasa, Mike.

– Ah, é, claro. – Mike parece já ter bebido um pouco demais, mas toma outro gole do seu ponche. Ele estava no terceiro ano quando entrei no laboratório. Além disso: era um babaca. – Mas, tipo, como *vocês dois* estão lidando com isso? Levi, você desinfeta o cérebro depois de cada reunião ou...?

Minhas bochechas queimam. Algumas pessoas dão risadinhas, outras riem abertamente e outras desviam o olhar, constrangidas. Sam franze a testa e, pelo canto do olho, vejo Tim abrir um sorriso malicioso. Eu queria ter uma réplica sagaz, mas me sinto mortificada ao perceber que o desprezo de Levi ainda é a piada mais engraçada do laboratório. Abro a boca sem saber o que dizer e...

– Estamos nos saindo muito bem – responde Levi.

Seu tom é uma mistura de calma e confiança, algo como *eu sou capaz de matar com uma bola de praia*. Ele coloca o braço displicentemente no encosto da minha cadeira e pega uma uva do meu prato. Um silêncio ensurdecedor domina a mesa. Todos estão olhando para a gente. *Todos*.

– E você, Mike? – pergunta Levi, sem desviar os olhos da minha comida. – Soube que você andou com dificuldade para se manter no emprego. Está conseguindo resolver isso?

– Ah, hã...

– É, foi o que eu pensei.

Puta merda. Puta merda. *Puta merda*. Parece que Levi já acabou de comer a batata.

– Só por curiosidade – sussurra ele no meu ouvido quando a conversa avança para outro assunto e Mike olha cabisbaixo para o próprio prato, desconfortável. – *Todo mundo* no doutorado achava que eu te odiava? Não era apenas coisa da *sua* cabeça?

– Era uma verdade conhecida por todos.

O braço dele se contrai em volta dos meus ombros, assim como seu maxilar.

Alguns minutos depois, peço licença para ir ao banheiro. Estou usando maquiagem nos olhos, mas penso "dane-se" e lavo o rosto com água fria mesmo assim. Quem vai ficar reparando no meu delineador borrado, afinal? Levi? Não é como se ele nunca tivesse visto a Bee Chorona.

Então eu a vejo. Annie, pelo espelho. E está bem atrás de mim, esperando que eu acabe de usar a pia. Apesar de ter outras três pias e mais ninguém no banheiro. Então ela deve estar esperando por mim.

Minha cabeça dói. Assim como meu coração, nas cicatrizes que Annie criou ao parti-lo há dois anos. Não posso falar com ela. Não posso. *Não posso.* Demoro um tempo secando o rosto com as mangas da blusa. Então tomo coragem, me viro e a encaro.

Ela é incrivelmente linda. Sempre foi. Há algo de indescritível nela, algo mágico que me deixava feliz por estar na sua presença. É estranho, mas essa sensação permanece, uma mistura de familiaridade, amor e encantamento que me apunhala fundo enquanto olho para o seu rosto. Rever Tim foi doloroso, mas não é nada, *nada* comparado a estar diante de Annie.

Por um momento, fico aterrorizada. Ela pode me machucar muito, *muito* profundamente com apenas algumas palavras. Mas então ela diz:

– Bee...

E eu percebo que está chorando. A julgar pela ardência nos meus olhos, eu também estou.

– Oi, Annie. – Tento um sorriso. – Quanto tempo.

– É, eu... É. – Ela assente. Seus lábios estão tremendo. – Adorei o seu cabelo. Acho que roxo é o meu favorito.

– Obrigada. – Uma pausa. – Tentei laranja no ano passado. Fiquei parecendo um cone de trânsito.

O silêncio se alonga, melancólico. Lembro quando preenchíamos cada segundo com conversas.

– Bem, tenho que... – Sigo para a porta, mas ela toca no meu braço e me detém.

– Não... *por favor*. Por favor, Bee, será que podemos... – Ela sorri. – Eu sinto sua falta.

Também sinto falta dela. Sinto falta dela o tempo todo, mas não vou dizer isso. Porque eu a odeio. Eu e as minhas multidões.

– Tenho escutado muito aquele álbum que você me deu. Embora eu ainda não saiba se gosto dele. E no ano passado fui à Disney e tinha um parque novo do *Star Wars*, e pensei em você. Não consegui fazer nenhuma amizade no laboratório de Schreiber, porque só tem homem. Um verdadeiro Festival da Linguiça®. Tem umas duas garotas, mas elas já são melhores amigas e acho que não gostam muito de mim, e... – Ela está chorando mais agora, mas também ri daquele jeito autodepreciativo *tão* típico de Annie. – Então, você e o Levi, hein? Ele está ainda mais gato do que na Pitt.

Balanço a cabeça.

– Não é nada disso.

– Você deve ter realizado todos os sonhos dele. Eu nunca o vi tão feliz. Não que eu já tenha visto Levi feliz *alguma vez* antes de hoje.

Um arrepio gelado percorre meu corpo. Não faço ideia do que ela está falando.

– Na verdade, Levi me odiava – respondo, teimosa.

– Duvido. Ódio não é a palavra certa nem de longe. Ele só... – Ela balança a cabeça com firmeza. – Não vim falar sobre isso, não sei por que estou falando de coisas que... – Ela respira fundo. – Me perdoa.

Eu poderia fingir não saber por que ela está se desculpando. Poderia fingir que não pensei nela todos os dias nos últimos dois anos. Poderia fingir que não sinto falta da maneira como costumávamos rir até nossas barrigas doerem, mas seria exaustivo e, mesmo sendo apenas 11h15, eu já estou muito cansada.

– Por quê? – questiono. Uma pergunta que raramente me permito fazer, quando se trata de Annie. – Por que você fez aquilo?

– Não sei. – Ela fecha os olhos. – Eu não sei, Bee. Faz dois anos que estou tentando entender. Eu simplesmente... não sei.

Faço que sim, porque acredito nela. Nunca duvidei do amor de Annie por mim.

– Talvez eu estivesse com inveja...

– Inveja?

Ela dá de ombros.

– Você era linda. A melhor do laboratório. Já tinha viajado o mundo todo. Você sempre foi boa em tudo, sempre tão... feliz e legal e divertida. Fazia tudo parecer tão fácil.

Eu nunca fui nenhuma dessas coisas. Nem de longe. Mas penso em Levi – o Levi impenetrável, frio, arrogante, que se mostrou nem um pouco impenetrável, frio ou arrogante. Ser tão dramaticamente incompreendido não parece tão improvável assim.

– E você e Tim... Eu e você estávamos sempre juntas, mas no fim do dia você voltava para casa, para o Tim, e eu ficava sozinha, e tinha essa... *coisa* da qual eu nunca fazia parte.

– Você estava tentando... me punir?

– Não! Não, eu só estava tentando me sentir... mais como você. – Ela revira os olhos. – E, como sou uma idiota, escolhi a pior parte de você para fazer isso. O idiota do Tim. – Ela solta uma risada úmida e borbulhante. – Nós nunca... Durou uma semana. E eu... Eu *nunca* gostei dele, você sabe. Eu o *desprezava*. Você estava muito acima dele, e todo mundo sabia. Eu sabia. Ele também. Assim que eu fiz aquilo, *enquanto* estava fazendo... só pensei em você o tempo todo. E não só porque ele transa mal. Fiquei pensando se fazer algo tão horrível ia... me elevar, de alguma forma. Me deixar mais parecida com você. Meu Deus, eu era maluca. Ainda sou. – Ela seca as lágrimas. Já há outras escorrendo. – Eu queria me desculpar. Mas você bloqueou meu número, e eu disse a mim mesma que te daria espaço e te veria na Vanderbilt. Aí o verão passou, e você não apareceu... – Ela balança a cabeça. – Me desculpa. Me *desculpa*, eu penso nisso todos os dias, e...

– Me desculpa também.

Ela me lança um olhar incrédulo.

– Você não tem motivo para se desculpar.

– Eu posso não ter transado com o seu noivo, mas me desculpa por não ter te apoiado quando você estava insegura. Você era a minha melhor amiga, e eu sempre te achei... invencível.

Ficamos em silêncio até ela dizer:

– Não estou querendo me dar nenhum crédito, mas fico feliz que você não tenha se casado com Tim. Fico feliz que você esteja com Levi. Ele é o tipo de pessoa que você merece.

Eu não vejo por que desmenti-la. Não quando concordo com tudo que ela disse, incluindo as coisas que não são exatamente verdade. Então faço que sim e me preparo para ir embora.

– Bee?

Eu me viro.

– Tudo bem se eu te mandar umas mensagens de vez em quando?

Eu provavelmente deveria estar tendo pensamentos edificantes sobre perdão, punição e autopreservação. Deveria inverter a situação e perguntar se *ela* me deixaria mandar mensagens, se estivesse no meu lugar. Deveria pensar nisso quando meu cérebro não estivesse uma bagunça. Mas esqueço todos os "deveria" e digo a primeira coisa que ocorre ao meu coração.

– Podemos tentar.

Ela assente, aliviada.

Levi está do lado de fora do banheiro, uma montanha corpulenta encostada na parede. Não preciso perguntar para saber que ele viu Annie vindo atrás de mim e decidiu segui-la para o caso de eu precisar dele. Não preciso mentir nem assegurar que estou bem enquanto seco o rosto. Não preciso explicar nada.

Posso simplesmente assentir quando ele pergunta se estou pronta para ir embora e segurar sua mão quando ele a oferece.

16

NÚCLEO SUBTALÂMICO: INTERRUPÇÕES

ACORDO DE UM COCHILO de quatro horas induzido por estresse e Levi está entrando na interestadual para o último trecho da viagem. O Blink me vem instantaneamente à mente.

– Sobre as variações de frequência, estou pensando se a gente conseguiria aproveitar as propriedades termomagnéticas… – Algo esparramado no acostamento chama minha atenção. – O que é *aquilo*?

– Uau. – O tom de Levi é forçadamente animado. – Olha aquela fazenda ali à direita!

– Mas o que é aquilo no… Ah, *não*.

– Eu não vi nada.

– É um guaxinim morto?

– Não.

– Sim, era sim! – Começo a chorar. De novo. Pela sétima vez em 48 horas. Seria de se pensar que meus canais lacrimais já teriam secado, mas não. – Coitadinho.

– Sabe de uma coisa? *Era* um guaxinim, mas ele claramente morreu de velhice.

– O quê?

— Ali mesmo. Ele morreu pacificamente enquanto dormia, então alguém o atropelou. Nenhum motivo para ficar triste. — Eu o fulmino com o olhar. Pelo menos não estou mais chorando. — O que você começou a dizer sobre aproveitar as propriedades termomagnéticas?

— Você é um mentiroso.

Eu levanto as pernas, chuto seu antebraço e então apoio os pés no porta-luvas. Seus olhos seguem cada movimento meu, parando brevemente em meus joelhos nus.

— Mas obrigada por cuidar dos meus sentimentos este fim de semana. Por não me deixar cair em um poço de desespero. Prometo que vou voltar ao status de adulta. Começando agora.

— Finalmente — brinca ele.

Eu rio.

— Agora, falando sério... O que você disse ao Tim?

— Só disse oi. Perguntei como ele estava.

— Fala sério. Você falou alguma coisa no ouvido dele.

— Eu só sussurrei algumas palavras carinhosas.

Eu bufo.

— Não me surpreenderia. Você deve ser a única pessoa no laboratório com quem ele não me traiu. — Os dedos longos de Levi apertam o volante, e imediatamente me arrependo das minhas palavras. — Ei, eu estava brincando. Na verdade, eu não ligo mais. Me incomodaria ver Tim todo encolhido com uma grave crise de hemorroidas? Não. Mas também não faria esforço para apunhalá-lo. E eu não sabia disso antes deste fim de semana. É... libertador.

Essa quase indiferença era um alívio. E me deixa muito mais feliz do que o ressentimento que nutri por anos. E a conversa com Annie... Ainda não processei tudo, mas talvez esse fim de semana tenha sido um desperdício menor do que pensei. Exceto pelo fato de que estou levemente em pânico outra vez por causa do meu emprego.

— Seja o que for que você disse a Tim... obrigada. Foi bom vê-lo quase cagando nas calças.

Ele balança a cabeça.

— Não me agradeça. Foi por motivos egoístas.

— O que ele te fez? Colocou bacon escondido no seu sanduíche? Porque isso é a marca registrada dele...

– Não. – Levi aperta os lábios, os olhos fixos na estrada. – Ele mentiu para mim.

– Ah, é. – Faço que sim com a cabeça, com conhecimento de causa. – *Outra* marca registrada dele.

A rádio local preenche o silêncio. Alguma coisa sobre Rachmaninoff. Até que Levi diz:

– Bee, eu... eu não sei se deveria te dizer isso. Mas esconder as coisas de você não ajudou muito a gente. E você me pediu para ser franco.

– Pedi. – Eu o observo, sem saber aonde ele quer chegar.

– Quando nos conhecemos... – diz ele lentamente, pesando as palavras. – Eu tinha dificuldade para falar com as pessoas. Sobre certas coisas.

– Tipo... afasia?

Ele sorri, balançando a cabeça.

– Não exatamente.

Tento me lembrar do Levi do quinto ano – ele parecia impressionante, indomável, sagaz. Por outro lado, Annie parecia invencível, e eu aparentemente parecia muito bem-sucedida. O doutorado de fato acabou com a gente, não foi?

– Nunca percebi. Você era competente, seguro de si e se dava bem com a maioria das pessoas. – Penso um pouco. – Menos comigo, é óbvio.

– Não estou me expressando bem. Eu não tinha problemas para falar com pessoas normais. Meus problemas eram... com você.

Franzo a testa.

– Você está dizendo que não sou *normal*?

Ele ri em silêncio.

– Você não é normal. Não para mim.

– Como assim?

Eu me viro no assento para ficar de frente para ele, sem saber se Levi está me insultando mais uma vez, depois de dois dias em que foi incrivelmente gentil. Será que está tendo uma recaída?

– Só porque você me achava feia ou desprezível, não significa que eu não era *normal*...

– Eu nunca te achei feia. – As mãos dele apertam ainda mais o volante. – Nunca.

– Por favor. Você sempre agiu como se...

– O contrário, na verdade.
– O que você...
Ah.
Ah.
Ah.
Ele está querendo dizer que...? Não. Impossível. Ele não acharia isso. Será? Mesmo que nós... Ele não pode estar insinuando *isso*. Pode?
– Eu...
Minha mente não registra nada por uma fração de segundo... um vazio completo, um branco total. De repente, me sinto congelada, então me inclino para desligar o ar-condicionado. Não tenho ideia de como responder. De como impedir meu coração de sair pela boca.
– Quer dizer que você...?
Ele faz que sim.
– Você não... Você nem me deixou terminar a frase.
– Tudo que você imaginar, dos pensamentos mais comportados aos mais... impróprios, provavelmente era o que eu tinha em mente. – Ele engole em seco. Fico observando o movimento de sua garganta. – Eu estava sempre pensando em você. Não conseguia te tirar da cabeça.
Eu me viro para a janela, vermelha. Não existe nenhum universo em que eu esteja compreendendo as palavras dele corretamente. Isso é um mal-entendido. Estou sofrendo algum acidente neurológico. E tudo que eu quero perguntar é: *E agora? Você ainda pensa em mim?*
– Você sempre me olhou como se eu fosse uma monstruosidade obscena.
– Eu tentava não ficar te olhando, mas... não era fácil.
– Não. Não, você... O vestido. Você odiou me ver naquele vestido. Meu vestido azul, aquele com...
– Eu sei qual é o vestido, Bee.
– Você sabe porque *odiou* – digo, em pânico.
– Eu não odiei – diz ele bem baixinho. – Só me pegou de surpresa.
– Meu *vestido da Target* te pegou de surpresa?
– Não, Bee. Foi a minha... reação a *você* vestida nele.
Balanço a cabeça. Isso não pode ser verdade.
– Você nem *se sentava* do meu lado.
– Era difícil pensar com você por perto. – A voz dele está rouca.

205

– Não. Não! Você se recusou a fazer um trabalho em parceria comigo. Você disse a Tim para se casar com alguém melhor, me evitou como se eu fosse a peste bubônica...

– Tim me disse para ficar longe de você.

Eu o encaro.

– O quê?

– Ele me pediu para manter distância e te deixar em paz.

– Ele... – Cubro a boca e imagino Tim, que tem uma altura muito mediana, confrontando Levi, esse bisão irritadiço. – Como foi que ele...?

– Ele me disse que você sabia que eu estava... interessado. Que eu estava te constrangendo. Que você não gostava de mim. – Levi engole em seco. – Ele me pediu para te evitar ao máximo. E eu evitei. De certa forma, foi mais fácil.

– Mais fácil?

Ele dá de ombros com um sorriso autodepreciativo.

– Querer e não ter às vezes fica insuportável. Muito rápido. – Ele umedece os lábios. – Eu não sabia o que dizer, de qualquer forma. Você precisa entender que cresci em um ambiente em que ninguém fala de sentimentos. Eu ficava totalmente sem palavras perto de você... o que, aparentemente, levou você e todo mundo a pensar que eu te desprezava. Eu... eu não fazia ideia. Te devo um pedido de desculpas por isso.

Não acredito no que ele está dizendo. Não acredito no que estou ouvindo. Não acredito que Tim sabia e manipulou Levi para que não se aproximasse de mim enquanto ele transava com todo o corpo estudantil da Pitt.

– Por que você está me contando isso? Por que agora?

Ele me encara, sério e circunspecto como somente Levi Ward consegue ser, e algo brota dentro de mim. Algo doloroso, delicioso e confuso. Algo de tirar o fôlego, fascinante, profundo e assustador. Não é um sentimento completo, mas um rascunho inicial. Está no fundo da minha garganta e na ponta da minha língua. Quero sentir seu sabor antes que se vá. Estou tentando capturá-lo, estou quase lá, quando Levi diz:

– Bee, eu...

Meu celular toca. Solto um gemido de frustração e alívio e me apresso para atender.

– Alô?

– Bee, aqui é Boris Covington. – *Hein?* – Você e Levi já estão de volta?

Olho o Google Maps.

– Estamos a uns dez minutos.

– Podem vir direto para o Discovery Building assim que chegarem?

– Claro. – Franzo a testa, colocando no viva-voz. – Tem a ver com o Blink?

– Não. Bem, sim. Mas só indiretamente.

Boris soa cansado e quase... constrangido? Levi e eu trocamos um olhar demorado.

– Do que se trata?

Boris suspira.

– É sobre a Srta. Jackson e a Srta. Cortoreal. Por favor, venham assim que puderem.

Levi pisa no acelerador.

Corro os olhos pelo escritório de Boris e pisco pelo menos quatro vezes antes de perguntar:

– O que você quer dizer com "relações sexuais são proibidas nas áreas de trabalho"?

Boris está ainda mais vermelho do que de costume e parece se encolher mais em sua mesa.

– Exatamente o que eu disse. É...

– Bee não é minha mãe e eu não sou menor de idade – proclama Rocío, de uma das cadeiras de visita. – Esta conversa é uma violação da lei de segurança de dados.

Boris aperta a ponte do nariz. Está claro que eles estão discutindo a questão há um tempo.

– As regras da lei se aplicam a registros médicos, não a ser pego em flagrante transando na sua sala... que, assim como *todos os outros cômodos no edifício*, tem vigilância por vídeo 24 horas por dia, por causa dos projetos de alta segurança que abriga. Bem, não precisam se preocupar com isso. Guy é um administrador de segurança e concordou em apagar todo o trecho. Mas Bee é sua supervisora direta, assim como Levi é o da Srta. Jackson, e por causa das ações disciplinares exigidas quando funcionários da Nasa se envolvem em atividades como... relações sexuais no local de trabalho, eles precisam ser informados.

Olho para Levi. Seu rosto está totalmente neutro. Tenho certeza de que por dentro ele está rolando de rir, como um porco na lama. *Certeza*.

– Desculpa. – Coço a nuca. – Só para entender, vocês duas estavam tendo relações sexuais com...

– Uma com a outra – diz Rocío com orgulho.

Faço que sim. Ao lado de Rocío, Kaylee parece maravilhada com o próprio esmalte cor-de-rosa. Ela não levantou os olhos desde que entramos.

– Hã...

Não tenho ideia do que dizer. Zero. Nada. Quem sabe a Dra. Curie não deixou dicas úteis para lidar com situações semelhantes? Se ao menos suas anotações não fossem radioativas demais para serem tocadas antes do ano 3500... Talvez eu possa ir à Bibliothèque Nationale com um traje de proteção e...

– Não vou registrar uma advertência – diz Boris. – E confio que Bee e Levi cuidarão de... – Ele gesticula vagamente, indicando duas das mulheres mais inteligentes que já conheci, que devem estar passando por uma fase ninfomaníaca. – Mas eu imploro: *nunca mais* façam nada parecido.

– Obrigada, Boris – digo, esperando parecer tão grata quanto me sinto.

Saímos do prédio em um silêncio mortal – até que formamos um círculo e nos entreolhamos com vários níveis de hostilidade (Rocío), constrangimento (Kaylee) e diversão mal disfarçada (Levi). Eu espero parecer neutra. Mas duvido.

– Então... que situação – começo.

Rocío assente.

– Pois é.

– Como foi que Boris... descobriu vocês?

– Guy foi à nossa sala procurando alguma coisa, encontrou a gente na sua mesa e nos dedurou.

– Na *minha*... por que vocês tinham de fazer isso na *minha*... – Eu me interrompo. Respiro fundo. – Só para garantir. – Olho de uma para a outra. – Isso foi... consensual?

– Muito – respondem elas em uníssono, olhando nos olhos uma da outra e sorrindo como idiotas.

Pigarreio.

– Você quer falar alguma coisa? – pergunto a Levi, querendo dizer *por favor, me ajuda*, mas ele balança a cabeça, mordendo o lábio para evitar sorrir. E fracassa.

– Ok. Muito bem. Não é da nossa conta o que vocês fazem.

– Pela primeira vez na vida, concordo com você – diz Rocío.

– Sério? Pela *primeira vez*? – Ela assente. Gremlinzinha ingrata. – Se vocês estão felizes assim, nós também estamos. Mas, por favor, não... hã... tenham relações sexuais diante de câmeras. A menos que estejam fazendo um filme pornô – acrescento às pressas. – E, nesse caso, apenas... não façam isso em lugares públicos.

Kaylee concorda silenciosamente, parecendo um pouco menos mortificada. Rocío revira os olhos.

– Tá bom. – Ela pega a mão de Kaylee e a arrasta dali. – *Você não é minha mãe de verdade, Bee!* – grita ela, sem se virar.

Levi e eu ficamos observando as duas se afastarem à luz do fim da tarde. Quando são apenas dois pontinhos na rua, ele me diz:

– Foi um ótimo treino para quando tivermos filhas adolescentes.

Meu coração para de bater por um segundo. *Ele não está dizendo juntos, idiota.*

– Elas são jovens. Seus lobos frontais ainda não estão totalmente desenvolvidos.

Ele tira as chaves do carro do bolso e as balança diante do meu rosto.

– Quer processar o trauma das nossas garotas de 23 anos brincando em cima do seu mousepad da Marie Curie enquanto levo você para casa?

– Espero que elas estejam indo para a casa da Kaylee.

– Por quê?

– A parede que separa meu apartamento do de Rocío é muito fina.

– Você devia investir em fones de ouvido com cancelamento de ruído. – Ele me puxa na direção do carro. – Compre um pela internet enquanto eu dirijo.

– Mas é tudo tão absurdo – digo no banco do passageiro. – Para começar, Rocío namora. Ah... será que eles são poli?

209

– Será que devíamos estar discutindo a vida amorosa das nossas assistentes de pesquisa?

– Em circunstâncias normais eu diria que não, mas o fato de elas terem transado na minha mesa me dá permissão automaticamente.

Ele pensa um pouco.

– Justo.

– E... aquelas duas são tão diferentes uma da outra.

– Você acha que isso é um problema?

Pode não ser. Talvez elas produzam filhas equilibradas que saibam como aplicar delineador estilo guaxinim *e* glitter.

– Ok, não é. Mas Rocío *odiava* a Kaylee. Ficava toda retraída sempre que Kaylee estava por perto. Chegou a fazer uma lista de coisas que odiava nela.

Levi dá um meio sorriso.

– Tem certeza disso?

– Tenho. Ela me disse que...

Então me lembro do que Levi me contou menos de uma hora atrás e me calo. Esqueci quando a ligação de Boris me colocou no modo de emergência, mas agora tudo volta, girando em primeiro plano no meu cérebro. Meu coração martela no peito, sinto um calor líquido na boca do estômago e a sensação de estar em um precipício. De onde posso estar prestes a cair. E *vai* ser uma queda rápida e feia, se eu der um passo à frente e me deixar...

Um pensamento me ocorre. Um tapa na testa. Como um trem de carga.

Arquejo.

– Já sei.

Levi para na minha porta.

– O que foi que você disse?

– Já sei!

– Já sabe... o quê?

– O capacete. O Blink. Já sei como resolver a questão da compatibilidade... Você tem papel aqui? Por que não tem papel neste carro idiota?

– É alugado...

– Meu apartamento! – grito. – Eu tenho papel lá!

O carro ainda não parou totalmente, mas eu salto e subo a escada correndo. Destranco a porta, procuro uma caneta e um caderno e começo a escrever o mais rápido que meus dedos conseguem, pateticamente sem fôlego. Um minuto depois, ouço passos atrás de mim, e Levi está fechando a porta que deixei aberta. Oops.

– Estou supondo que você queria que eu entrasse, mas se não...

– Olha. – Enfio o caderno debaixo do nariz dele. – Vamos fazer isto. Olha isso.

Ele pisca algumas vezes.

– Bee, acho que isso... está em outro idioma.

Viro o caderno para mim. Merda, escrevi em alemão.

– Ok... *não* olha isso. Só me escuta. E não se assuste. Estamos tendo problemas com o painel de controle, certo? Estamos tentando consertá-lo, mas... e se a gente só desistir dele?

– Mas as diferentes frequências...

– Certo. É aí que vou te assustar.

– Me assustar?

– Isso. – Abro espaço na mesa e começo a esboçar um diagrama. – Mas não se assuste.

– Não estou assustado.

– Ótimo. Continue assim.

– Eu... Por que eu me assustaria?

– Por causa do que estou prestes a te mostrar. Que você talvez ache assustador. – Bato a tampa da caneta em cima do meu diagrama. – Muito bem. Tiramos o painel de controle. – Faço um X em cima dele. – E construímos circuitos separados. E então aproveitamos as propriedades termomagnéticas de cada um...

– ... para ganhar velocidade. – Os olhos de Levi estão arregalados. – E se tivermos circuitos separados...

– ... podemos confiar no comando remoto sem fio. – Sorrio para ele. – Vai funcionar?

Ele morde o lábio inferior, olhando o diagrama.

– A fiação vai ser complicada. Assim como o isolamento de cada circuito. Mas se resolvermos isso... – Ele se vira para mim com um sorriso largo e sem fôlego. – Pode funcionar. Pode realmente funcionar.

– E vai ser muito melhor do que o capacete que a MagTech está fazendo.

– Teríamos um protótipo final em... semanas. Dias. – Ele esfrega a boca.

– É uma ideia fantástica.

Começo a pular, animada. É ridículo, mas não consigo me conter. Para onde vai toda essa energia quando tento correr?

– Eu sou um gênio ou não sou?

Ele assente e diz:

– Você *é*.

– Acha melhor irmos para o laboratório? Começar a trabalhar agora?

– Antes que a equipe de limpeza possa desinfetar sua mesa?

– Bem lembrado. Mas eu preciso *fazer* alguma coisa.

Ele abre um sorriso doce.

– Você pode continuar pulando...

– Na verdade, estou começando a ficar cansada.

– Ok, então...

Levi dá de ombros, e antes que eu me dê conta do que está acontecendo, me encontro em seus braços e ele está me girando, minhas pernas ao redor de sua cintura e as mãos dele nas minhas coxas.

Eu rio. Rio como se estivesse feliz. *Que fim de semana*. Eu me sinto leve como uma pena. Sou invencível. Estou fazendo ciência. Estou me *divertindo*. Estou construindo coisas, coisas úteis, importantes. Estou enfrentando os traumas do meu passado. Estou sendo rodopiada quando fico cansada demais para fazer isso pessoalmente. Me sinto exultante, empolgada, corajosa. Me sinto mais eu mesma e totalmente fora de mim. Envolvo o pescoço de Levi e, quando ele diminui a velocidade, pergunto:

– Você vai me beijar?

Não faço ideia de onde tirei *isso*. Mas não lamento ter falado.

Seu sorriso não vacila, mas ele balança a cabeça.

– Acho que não – diz baixinho.

Fios de cabelo roxo roçam sua testa. Suas bochechas. Estamos perto, *muito* perto. O cheiro dele é *tão* bom...

– Por quê?

– Porque não tenho certeza de que você quer que eu te beije.

– Ah. – Faço que sim. Meus cabelos roçam o nariz dele. Levi o franze, e eu rio. – E se eu dissesse que quero? Você me beijaria?

– Ainda acho que não – diz ele com calma. Sério.

Meu sorriso desaparece. Ah, merda. *Merda*, estraguei tudo.

– Você não quer? – Minha voz soa baixinha, insegura.

Ele balança a cabeça.

– Não é isso.

Só pode ser. O que mais seria?

– Certo.

Estou nos braços dele há algum tempo, mas de repente me sinto constrangida. Levi *não* está gostando disso. Ele já se sentiu atraído por mim, mas não se sente mais. Estou ultrapassando os limites.

– Desculpa. Não pretendia ir longe demais.

– Você não está entendendo, Bee. – Um sorriso leve. Nossas testas se tocam, a pele dele quente contra a minha. Eu quero muito, *muito mesmo*, um beijo desse homem. Quero tanto que chega a queimar. – Você não tem como ir longe demais.

– Então por que…?

Os olhos dele se fecham. Seus lábios se aproximam.

– Tenho medo de você não ir longe o suficiente.

Quando Tim me beijou pela primeira vez – depois de uma exibição de *2001: Uma odisseia no espaço*, durante a qual mais tarde descobri que ele dormiu –, a Bee de 18 anos ligou para a irmã para dizer que tinha dado o beijo mais lindo do mundo. Mas a Bee de 18 anos era uma boboca. A Bee de 18 anos não fazia ideia de nada. A Bee de 18 anos supervalorizou o fato de que Tim não era exageradamente desajeitado e que escovava os dentes. E a Bee de 28 anos consideraria voltar no tempo para dar um tapa na cabeça dela, mas agora está ocupada dando um beijo de verdade, legítimo, real, genuíno.

O melhor beijo do mundo.

É porque ele começa bem lento. Por um momento, Levi e eu apenas respiramos e saboreamos o ar entre nós. Pode parecer ridículo, mas há algo único no modo como ele olha para minha boca. Enroscada nele como estou, posso sentir seu batimento cardíaco acelerado, o calor da sua pele e, de repente, não sinto mais medo. Ele quer – ele *me* quer. Sei disso pelo calor em minha barriga, pelo rubor que se espalha pelas maçãs do rosto dele, pela sua respiração, ainda mais rápida e ruidosa que a minha.

– Bee.

A tensão se prolonga de forma tão insuportável que quase parece que estamos em lados opostos do mundo. Então eu elimino a distância, e nada mais é lento. É intenso e veloz, as bocas abertas. Molhado e urgente, com mordidinhas. É bagunçado, o beijo menos suave da minha vida – mas talvez simplesmente não seja um beijo. Apenas duas pessoas tentando se aproximar o máximo possível uma da outra. As mãos dele deslizam pela minha bunda. Minhas unhas se cravam em seu couro cabeludo. Ele geme aprovações entrecortadas e surpresas na minha boca – "Isso. *Isso.*" –, lambe a curva da minha clavícula, e estou pegando fogo, meio minuto disso e já estou em chamas, *pulsando* de desejo e urgência. Não tenho freios: rebolo sem controle contra ele, meus mamilos duros contra seu peito, e seu abdome musculoso é a superfície perfeita na qual me esfregar.

– Você é tão... – Ele geme profundamente, como se estivesse perdendo a cabeça.

Estou muito ocupada em uma busca desesperada por fricção para sequer tentar acompanhar o beijo, mas tudo bem. Ele me guia. A palma de sua mão sobe, envolve meu pescoço, inclina minha cabeça no ângulo perfeito. Sua língua está dentro da minha boca, pressionando a minha, e...

Obsceno. Isso não é um beijo. Isso é *obsceno*. Indecente. Ele me aperta contra a parede, e eu pressiono meu corpo ao dele, mais, cada vez mais, como se não pudesse haver ar entre nós. Sua mão sob a minha camiseta é possessiva, confiante, tão grande que cobre completamente meu peito, e eu arqueio o corpo, engolindo um gemido no fundo da garganta. Minha cabeça está girando, meu corpo está derretendo, estou ouvindo sinos e...

Não são sinos. Um telefone. Tocando. O som adentra lentamente a névoa densa provocada pela boca de Levi nos meus seios, deixando um rastro molhado na minha camiseta. Meu Deus, *ai, meu Deus*.

– Seu celular – sussurro, me forçando a parar os quadris.

É o tom mais alto que minha voz alcança. Então uma das mãos dele adentra minha calcinha por trás, e ele começa a me guiar para cima e para baixo contra seu corpo, e eu esqueço o que queria dizer. É o ponto *exato*, o ritmo *exato* que eu estava tentando alcançar. Ele percebeu e está me ajudando a mantê-lo, os dedos se enterrando na minha bunda. Um movimento perfeito. Ele grunhe, e eu gemo com a pontada de prazer. Meus olhos se reviram... Isso. Pressionando bem... *Isso*.

Bem aí.

– Levi. – Arquejo. – Seu celular... Você não quer... *ah*... atender?

Ou podemos continuar até que essa agonia acabe. Sim, isso seria maravilhoso. E parar seria *insuportável*. Isso é o pau dele roçando na minha bunda? Não. Impossível. Ninguém é tão grande assim, certo?

O telefone ainda está tocando. Sou a favor de ignorá-lo, mas Levi... Percebo que Levi não o está ignorando. Ele está abrindo caminho sob o meu short, sugando a pele sob a minha orelha, e não está nem *ouvindo*.

– Levi. – Ele não sai exatamente do transe. Não se afasta, não tira a boca da minha pele, mas para. Seus braços me apertam mais. Uma criança, relutante em soltar o brinquedo favorito. – Seu celular. Você quer...?

Seus olhos estão vidrados. Suas mãos não estão totalmente firmes quando ele me solta, cautelosamente, com dificuldade. Eu o vejo tentar se recompor por longos segundos antes de atender.

– Ward.

Ele está sem fôlego, o peito subindo e descendo. Levi apalpa sua ereção como se doesse, o tempo todo olhando para mim, para *mim*, somente para mim. Então ele desvia o olhar, e seu comportamento muda abruptamente.

– Repete, por favor.

O interlocutor, do outro lado, é do sexo feminino. Não consigo distinguir as palavras, mas reconheço a voz. A mulher da foto em seu escritório.

– Sim, claro – diz Levi de forma tranquilizadora.

Sua voz ainda está rouca, mas suave. Carinhosa. Íntima. Ele me dá as costas, como se eu não estivesse mais aqui. *Eles eram namorados*, diz uma voz irritante. *Sabe o que você acabou de fazer com Levi? Ele costumava fazer com ela. E muito mais.*

– Estou indo aí.

A realidade me alcança rapidamente. Eu acabei de... eu fiz *aquilo*. Não fico tão próxima de outro ser humano há anos, e agora... com *Levi*. Eu gostei. Esqueci de tudo, de mim mesma e provavelmente até de toda decência, mas ele talvez não. Ele está indo embora antes de terminarmos. Por causa de um telefonema. De uma amiga. Que é uma ex-namorada. Merda. *Merda...*

– Bee?

Levanto os olhos. Os dele estão em chamas. Sua calça jeans forma uma tenda. Ok... ele é grande *mesmo*.

– Preciso ir – completa ele.

Levi engole em seco antes e depois de falar. Não parece totalmente no controle. Será que eu poderia convencê-lo a ficar, se tentasse?

Provavelmente não. De qualquer forma, não vou tentar.

– Claro.

– Eu ia...

– Tudo bem.

– Eu vou...

– É, depois você...

– Sim.

Não tenho ideia do que ele está tentando dizer e duvido seriamente que ele saiba o que *eu* estou tentando dizer, pois eu mesma não faço a menor ideia. Estamos falando um por cima do outro. Exatamente como *estávamos* um em cima do outro há instantes.

Um último olhar e ele sai. Já está na metade da escada quando vejo as chaves do carro na mesa, em cima do diagrama que desenhei. Eu as pego e corro atrás dele.

– Ei, você esqueceu suas chaves!

Levi para no patamar e estende a mão, então vou até ele e as deposito em sua palma. Espero que saia imediatamente, mas ele me surpreende ao se aproximar. E depois se aproximar mais.

Por um longo momento, ele fica apenas me olhando, os olhos cheios de coisas verdes lindas e indecifráveis. Minha garganta se contrai, meu estômago se contorce, e quero dizer a ele que sinto muito, que está tudo bem, que eu sei que ele cometeu um erro, que nunca mais precisamos falar sobre isso, nunca mais. Mas antes que eu possa dizer qualquer coisa, Levi segura meu rosto e se inclina para me beijar mais uma vez.

Desta vez é doce, lento, saboroso. Paciente. Dessa vez é devagar e gentil – tudo que nosso outro beijo não foi.

Eu quero experimentar todos eles. Todos os beijos de que Levi Ward é capaz, quero degustá-los como um bom vinho.

Toco meus lábios, sentindo o calor que permanece, e não desvio o olhar de suas costas enquanto ele se afasta.

17

PULVINAR: OLHAR E PEGAR

De: Levi-Ward@nasa.gov
Para: Blink-CORE-ENGINEERING@MAILSERV,
Bee-Koenigswasser@nasa.gov
Re: Blink – Segunda-feira

Por motivos pessoais, não irei ao Centro hoje (segunda-feira). Coloquei na rede três designs para vocês trabalharem. Bee encontrou uma ótima solução para os problemas de incompatibilidade entre hardware e software, e quero finalizar a sua implementação o mais rápido possível.
Se tiverem perguntas, mandem mensagem.

LW

Leio o e-mail pela sétima vez, e pela sétima vez fico maravilhada por ter recebido os créditos pela minha ideia. O que mostra como os parâmetros são baixos para homens cis nas áreas STEM, não é? Obrigada, ó Deuses do Patriarcado, pelo reconhecimento que eu mereço.

Não é que eu não fique grata por Levi ter mencionado a ideia, pois não tenho certeza de que sua equipe a teria levado a sério se viesse de mim. Lembra junho de 1903, quando a Royal Institution convidou a Dra. Curie para fazer uma palestra e, quando ela chegou lá, eles não permitiram que ela falasse por causa do seu cérebro feminino inferior? Pierre acabou falando por ela, embora Marie estivesse sentada na plateia.

De qualquer forma: quanto mais as coisas mudam, mais elas continuam as mesmas. O Linguiça Indica® ainda acontece, e às vezes fico com raiva de mim por aceitar.

Às vezes fico com raiva de mim por outros motivos também. Como o fato de que eu deveria estar trabalhando, em vez de ficar checando o celular para ver se Levi mandou mensagem. Ou por estar chateada porque ele não mandou. Ou por subitamente me importar em saber o que ele está fazendo a cada segundo do dia.

Não é da minha conta, de qualquer forma. Ele tem coisas para fazer. Com sua ex. Talvez, se Tim não tivesse me traído por tantos anos que não dê nem para contar nos dedos da mão, eu não pensasse duas vezes sobre isso. Mas a falta de explicação de Levi faz com que eu me pergunte se ele está escondendo algo. Não me entenda mal – tenho consciência de que aquele beijo não significou nada para ele. Ele tinha um *crush* em mim durante o doutorado? Grande coisa. Isso foi há seis anos. Muitas coisas mudaram drasticamente nos últimos seis anos. O roteiro de *Game of Thrones*. A importância do álcool em gel. Minha opinião sobre o cu dos patos. Mas ainda assim foi um *beijo*. Se Levi está em um relacionamento com outra pessoa... Caramba. Seria ele um Tim 2.0? Não, ele não é assim tão crápula. Ele não faria isso. Mas os homens não são todos iguais?

Será que a minha cabeça vai explodir?

– Você está me imaginando transando com a Kay?

Levo um susto. Rocío está sentada na mesa dela, com a bota Dr. Martens preta apoiada ao lado do teclado e um pirulito cor-de-rosa na boca.

– Há quanto tempo você está aí? – pergunto.

– Uns cinco minutos. Você estava olhando para o nada com uma expressão estranha e perdida, então... – Ela para de chupar o pirulito com um estalo. – Então, estava pensando em mim e na Kay? Na sua mesa?

– Eu acho que isso é assédio sexual.

– Eu não ligo.

– Não, *você* é que está *me* assediando... – Suspiro e balanço a cabeça. Ela é impossível. Quero adotá-la e mantê-la na minha vida para sempre. – Está tudo bem?

Ela faz que sim, colocando o pirulito de volta na boca.

– Isso é de... morango?

– De chiclete. Kay que me deu.

– Kay, é?

– Uhum.

Eu pigarreio.

– Estava pensando em uma conversa que tivemos há pouco tempo, em que você me disse que não gostava muito da... *Kay*, e...

A botas de Rocío batem no chão. Com força.

– Eu amo essa mulher – declara ela. – Ela é perfeita. Quero que ela seja a minha linda noiva californiana com laços cor-de-rosa no cabelo. Quero dar a ela espuma de banho com cheiro de algodão-doce. Quero comprar coquetéis de fruta enfeitados com pequenos guarda-chuvas. – Rocío se inclina, me encarando. – Por ela, eu uso até glitter, Bee. Glitter preto.

Eu fico um pouco sem fôlego diante da sua intensidade.

– Alex já sabe?

– Eu terminei com ele. Disse que ele não era cor-de-rosa o bastante. – Ela dá de ombros. – Ele não deu a mínima.

Sorrio.

– Estou *tão* feliz por você.

Rocío se recompõe.

– Não fique. A vida é dor e depois você morre.

– Ah, é. Eu tinha esquecido.

– Enfim, agora é mais importante do que nunca que eu entre no programa de neurociência da Johns Hopkins, já que é para lá que Kay está indo. Por isso decidimos redirecionar o tempo e os esforços que usamos na preparação para o GRE para focar na destruição do exame.

– Destruição?

– Vamos nos unir ao #AdmissõesJustasNaPós. É um movimento sério agora. As pessoas estão levantando fundos, fazendo campanhas de conscientização, pressionando os programas de pós-graduação a abandonar o exame. Nós vamos ajudar a organizar. – Há um brilho selvagem em seus olhos. – Gastei centenas de dólares e de horas naquele exame, Bee. *Centenas*. Vou me vingar... principalmente depois daquele artigo idiota no *Chronicle of Higher Education*.

Não tenho ideia de qual artigo ela está falando, mas o encontro facilmente. Trata-se de um editorial escrito por um tal Jonathan Green – que, segundo uma rápida pesquisa no Google, é vice-presidente da STC. A empresa que vende o GRE.

DESAFIANDO OS DESAFIADORES:
O que #AdmissõesJustasNaPós não entendeu

A nova moda é acabar com o GRE, que há décadas vem sendo amplamente usado pelos comitês de admissão dos programas de pós-graduação. @OQueMarieFaria foi a primeira a utilizar sua plataforma para chamar atenção para a "injustiça" que ele perpetua, e @Shmacademics a ajudou a ampliar o alcance ao postar resenhas de textos que o desacreditam. Juntos, os dois têm quase 2 milhões de seguidores. Mas quem são esses influenciadores? Quais grandes operações monetárias estão por trás deles? Eles têm laços financeiros com os concorrentes da STC? Além do mais, esses influenciadores não oferecem alternativas viáveis ao exame. Falam sobre protocolos de admissão holísticos, mas ler na íntegra milhares de admissões consome tempo demais dos comitês...

Reviro os olhos. Comitês precisam honrar os candidatos e arrumar tempo. E quem é esse cara? É o síndico das pós-graduações? O que é uma "grande operação monetária"? Eu quero invadir a casa dele e mostrar que o meu salário é provavelmente o que ele dá de gorjeta ao garoto que limpa sua piscina – e que não ganho nada com o Twitter. Mas eu não sei onde o Sr. Green mora, então apenas envio o link do artigo a Shmac.

MARIE: Você viu esse artigo ridículo? Jonathan Green é, oficialmente, o Cu de Camelo 2.0.

Meus olhos recaem nas mensagens que ele enviou na última vez que nos falamos, quando contou sobre a garota. Meu coração se aperta, e por algum motivo penso em Levi. Nele indo embora. Em qual seria a sua opinião sobre o GRE. Talvez eu esteja enlouquecendo.

Não espero a resposta de Shmac. Saio do aplicativo e me obrigo a voltar ao trabalho.

– Quê?
　– Então...
　– Quê?!
　– É...
　– Quê?
　– Eu...
　– *Quê?!*
Suspiro.
　– Ok, Reike. Me avisa quando tiver terminado.
Minha irmã grita "O quê?!" mais oito vezes.
　– Ok, já digeri. Vamos continuar. Então você e o Levidiota se pegaram...
　– Acho que deve ter uma palavra melhor para isso.
　– Vocês deram uns amassos. Trocaram germes. Misturaram saliva. Se esfregaram. Ficaram sarrando.
　– No outro dia você me contou em detalhes sobre aquele ucraniano com quem você transou, e eu não fiz metade desse escândalo.
　– É diferente.
　– Por quê?
　– Porque eu tenho experiência nisso, mas você *nunca* faz essas coisas. Você estava toda: "Agora sou casada com a neurociência, botei um cinto de castidade, cavei um fosso em torno da minha muralha", e agora está se pegando com seu arqui-inimigo, que aparentemente gosta de você...
　– Gostava. *Gostava* de mim. E foi só um beijo.
Se eu repetir isso o suficiente, talvez apague o fato de que cheguei muito perto de rolar pelada com Levi no chão da minha cozinha. De que fiquei obcecada o dia inteiro querendo saber dele.

– Fique sabendo que vou voltar aos Estados Unidos para o seu casamento, mas esses dias descobri uma comunidade de noivas neuróticas no Reddit, e *não* vou pintar meu cabelo de louro para combinar com o esquema de cores...

– Isso não vai acontecer.

– Certo, você provavelmente escolheria verde-turmalina... mas minha resposta ainda é não.

– Reike, foi só... um beijo. Ele não está nem aí. E *eu* não tenho nenhuma intenção de levar ninguém a sério de novo. Devolver presentes de casamento uma vez foi o suficiente.

– Eu nunca recebi o meu de volta!

– Você não me mandou presente. Enfim, foi só um beijo. Totalmente... – Físico. Ardente. Gostoso. Elétrico. Indecente. Forte. Perigoso. Gostoso. Selvagem. Gostoso, gostoso, *gostoso*. O momento mais erótico da minha vida. Mas minha cabeça já esfriou, e não sou mais um buraco negro de tensão sexual e tesão, e posso ver que foi burrice. Uma ideia ridícula. Tenho trinta por cento de certeza que não faria de novo. Além do mais, tenho outras preocupações. O Blink. Meu emprego. Quem vai dar comida a Félicette quando eu for embora. – Nada. Totalmente nada.

– Certo. Você ainda está com medo de sentimentos. Escolhendo se preservar. A muralha da Bee está armada. Então quando você o vir no trabalho amanhã...

– Vou estar muito ocupada construindo o melhor capacete que este mundo já viu e garantindo estabilidade profissional para minha vida inteira. Bem longe de Trevor.

– É claro. E imagino que o Levidiota esteja perfeitamente de boa em fingir que...

Uma batida na porta, e eu olho o relógio: 22h28.

– Preciso ir. Provavelmente é Rocío vindo repetir que não sou a mãe dela de verdade. Ou que, depois que você morre, as enzimas do trato digestivo devoram o seu corpo de dentro para fora.

– De todos os seus colegas, essa garota é total a minha favorita.

– Ela foi pega *transando*. Na *minha mesa*.

– Como ela sempre consegue se superar?

Reviro os olhos.

– Tchau, Reike.

– Saudações, Bee.

Não é Rocío. Em vez disso, há um grande peitoral onde a cabeça dela deveria estar. E, muitos centímetros acima, o rosto de Levi.

– Você esqueceu isto no carro alugado.

Ele ergue a mão esquerda, minha mochila pendendo de seus dedos.

– Ah. Obrigada.

Eu abraço a mochila. Estou vestindo uma blusa sem mangas que tenho desde o ensino fundamental e a parte de baixo de um pijama que poderia tranquilamente ser uma calcinha. Realmente pensei que seria Rocío na porta. Devo estar toda vermelha.

– Você, hã, quer entrar?

Ele balança a cabeça.

– Eu só queria devolver a mochila.

Faço que sim. Ele faz que sim. Ficamos em silêncio, balançamos mais a cabeça, constrangidos, e então ele diz:

– Vou indo.

– Sim. Claro. Boa noite.

Ele está usando uma camiseta Henley azul-clara que deixa suas costas maravilhosas. Costas que eu já toquei. Por um longo momento. É por isso que fico olhando enquanto ele vai embora: estou hipnotizada por seu corpo, tão grande, firme e sólido. E é por isso que, quando Levi chega à escada e se vira, ainda me encontra ali. Ainda olhando.

Ele sorri. Eu sorrio. O sorriso permanece, caloroso, sincero, e eu me ouço perguntando:

– Tem certeza de que não quer entrar?

– Não é que eu não... – Ele engole em seco. – Eu não vim por isso.

– Eu sei.

Abro espaço para ele passar, e, com alguns passos pesados e hesitantes, Levi entra. Em toda a sua graça corpulenta e maciça. Ele olha em volta, passando a mão pelos cabelos. Será que está pensando no que aconteceu aqui 24 horas atrás? Bom, mais exatamente 28,5 horas, mas quem está contando, não é mesmo?

– Aquilo é um bebedouro de beija-flores? – pergunta ele.

– Sim.

– Algum beija-flor?

– Ainda não.

– No meu também não. No meu jardim, quero dizer.

– Em que você plantou hissopo. – Trocamos mais um sorriso. – Quer sentar na varanda? Eu tenho cerveja alemã artesanal.

As cadeiras em que me esparramo parecem um móvel de criança para Levi. A mão dele faz a garrafa de cerveja parecer uma miniatura. Seu perfil, enquanto ele fita pensativo o horizonte de Houston, é insuportável de tão bonito. Ele parece quase brutalmente deslocado. Quero saber o que está pensando. Quero perguntar se ele se arrepende do nosso beijo. Quero tocá-lo mais uma vez.

– Desculpa por ontem à noite. E por não ir trabalhar quando estamos em um momento crítico. Era uma emergência.

Ah.

– Foi... Foi a sua não esposa? – pergunto. – A da foto?

Ele dá uma risada.

– Eu não acredito no tanto de assunto que aquela foto está rendendo.

– Incrível, não é?

O sorriso dele desaparece.

– Penny está doente. Epilepsia. Está sob controle, mas ela está crescendo rápido, e os medicamentos precisam ser ajustados com frequência. É complicado achar a dosagem certa.

– Sinto muito.

– Está tudo bem. Por incrível que pareça, Penny não se abala. É uma criança muito esperta. – Ele bebe um gole e faz uma careta para a cerveja. Que blasfêmia. – Mas Lily, a mãe dela, sofre. O que é compreensível. Tento estar por perto quando as coisas complicam.

Observo a paisagem. Claro que sim. Ele é esse tipo de pessoa.

– Que bom que elas têm você.

– Sou bem inútil. Eu basicamente jogo UNO com Penny, ou compro *slime*, que tem algum ingrediente tóxico...

– Bórax.

– ... e a Lily fica maluca. Isso, bórax. Como você sabe?

– Tenho amigas que são mães. Elas reclamam disso. – Dou de ombros. – Cadê o pai dela?

224

– Ele morreu faz pouco mais de um ano. – Levi hesita antes de acrescentar: – Um acidente numa escalada.

Por um momento, não faço a conexão. E então me lembro da foto no escritório dele. Levi e o homem alto, de cabelos escuros.

– Vocês eram parentes?

– Não. – A expressão dele entristece. – Mas eu o conhecia desde sempre. Desde o jardim de infância. Até o quinto ou sexto ano, acabávamos sempre em dupla. Peter Sullivan e Levi Ward. Não tem muitos sobrenomes que começam com T, U ou V.

Pouso a garrafa na mesa e estudo o rosto dele. Sullivan. Esse nome outra vez. É comum, por isso aparece com tanta frequência. Mas mesmo assim...

– Sullivan, como o protótipo? – murmuro. – Como no nome do Discovery Institute?

Eu queria que ele olhasse para mim. Mas Levi continua fitando a cidade e diz:

– Eu nem queria ser engenheiro. Queria fazer veterinária. Já tinha até me matriculado, mas Peter me convenceu a pegar uma matéria de engenharia como eletiva. Fizemos um projeto juntos... construímos um córtex olfativo. Um item de hardware que podia identificar corretamente os cheiros. Ele fez a maior parte do trabalho e teve que me ensinar tudo, mas foi incrível. Pensar que algo daquele tipo poderia ajudar pessoas doentes, sabe? No futuro.

– É bem impressionante.

– Não acertava *sempre*. – Ele morde a parte interna da bochecha. – Em nossa última apresentação, enquanto o instrutor o examinava, o córtex anunciou que estava sentindo cheiro de fezes.

Eu solto uma gargalhada.

– Talvez precisasse de alguns ajustes – continua ele. – Mas eu me apaixonei pela interface cérebro-computador por causa de Peter. Ele foi o engenheiro mais brilhante que já conheci. – Levi aperta os lábios. – Vi o crânio dele rachar em dois quando caiu. Eu estava a três metros dele, na metade da subida. O barulho... nunca ouvi nada igual. Eu não sabia como contar a Lily. E Penny não queria sair do quarto...

A voz firme e neutra dele não consegue disfarçar a dor que sente, e fico chocada quando percebo que meu rosto está molhado. Quero estender a mão e tocar Levi. *Preciso* fazer isso. Mas estou presa em meus pensamentos, paralisada, finalmente fazendo conexões e entendendo coisas.

– Eles renomearam o Instituto em homenagem ao Peter. E foi ele quem desenvolveu o protótipo.

Antes de morrer. É por isso que Levi precisava fazer parte do Blink. Porque ele precisava comandar o projeto. Porque lutou tanto por ele.

Levi. *Ah, Levi...*

– Eu vou construir aqueles capacetes. – Ele ainda tem os olhos perdidos no horizonte. Sua mão na garrafa parece um torno. – Como Peter os imaginou. E eles terão o nome dele. E Penny vai saber quem foi o pai dela, e ela... – Ele para, como se sua voz fosse falhar caso continue.

De repente, não estou mais com medo. Eu sei o que fazer – ou pelo menos o que *quero* fazer. Fico de pé, tiro a cerveja da mão de Levi e a coloco no parapeito de metal. Então me sento em seu colo, uma perna de cada lado de seu corpo, meus braços em torno de seu pescoço. Espero até que suas mãos envolvam a minha cintura. Até que seus olhos brilhem para mim na escuridão. Então digo:

– Nós vamos construir aqueles capacetes. Juntos. – Sorrio determinada, quase tocando os lábios dele. – Peter vai saber. Penny vai saber. Lily vai saber. E você vai saber.

O beijo é um nocaute, porém familiar. Afinal de contas, não pensei em mais nada durante o dia todo. O prazer vibra pelo meu corpo a cada carícia da língua dele na minha, a cada toque dos dedos nas minhas costas, a cada respiração reverente de encontro ao meu rosto. Ele me puxa para mais perto e grunhe contra a minha pele, frases entrecortadas que me levam aos poucos à loucura.

– Você é tão... *Porra*, Bee – diz ele, enquanto corro os dentes por seu pescoço. – Eu sonhava com você... – As pontas dos meus dedos roçam nos pelos finos abaixo do seu umbigo. – Eu vou... Precisamos ir com calma, ou eu vou... – diz ele depois que começo a me mover para a frente e para trás em seu colo, e o atrito da sua ereção contra o meu clitóris já é o melhor sexo que fiz na vida.

Estou estremecendo, pulsando, a ponto de explodir de prazer. Minha calcinha está encharcada e quero chegar mais perto. *Mais perto.* Mas ainda estamos vestidos, o que é frustrante e enlouquecedor, mesmo enquanto ele me leva até a cama, iluminada pela luz vinda da cozinha. A pegada de Levi no meu quadril é quase violenta, cada respiração é um arquejo. Meu corpo está quente, flutuante, preenchido com um calor afiado. Ele me olha de cima e diz:

– Eu quero te comer.

Então mordisca minha clavícula e... ele gosta de usar os dentes. De morder, apertar, chupar. Há algo devorador nele, algo bruto e ávido, mas não é brochante. Normalmente ele é tão paciente, meticuloso, mas agora não consegue esperar. Não consegue se satisfazer.

– Posso te comer?

Faço que sim com a cabeça, deixo que ele tire minha blusa, a parte de baixo do pijama, *tudo*, e a maneira como ele me olha, como se de repente tivesse encontrado todas as respostas, como se o meu corpo fosse uma experiência mística, faz com que eu me contorça buscando seu toque.

– Isso... – diz ele sem fôlego, o polegar traçando com reverência o piercing no meu mamilo.

– Se você não gosta, eu...

Ele me silencia, e tudo bem. Estou bem. Tudo bem ter seus olhos fixos nos meus seios pequenos como se eles fossem admiráveis, a maneira como ele os beija até que seus lábios fiquem intumescidos, até eu ter que puxar seus cabelos, até eu ficar tão molhada que sinto escorrer coxa abaixo. Tudo bem que ele me diga coisas totalmente ridículas: que sou uma boa garota, que sou perfeita, que o estou levando à loucura, que a primeira vez que ele me viu eu mudei a química do seu cérebro.

Ele me faz rir quando rolo na cama, levando-o junto, deixando-o por baixo de mim, seus cotovelos batendo na parede. Ele murmura algumas obscenidades, mas, quando me curvo para beijá-lo de novo, se esquece de tudo.

– Você é muito grande para a cama – digo entre risadas, tirando sua camisa.

Ele tem o abdome sarado. Definido. E o peitoral... Tem grupos de músculos que eu achava que fossem invenção.

– A sua cama é muito pequena para mim. Na próxima vez vamos fazer isso na minha – diz ele, levantando os quadris e me deixando abrir o zíper.

O som enche o quarto, e não deveria ser tão erótico, mas estou nua em cima dele, seu membro roçando meu sexo, e não resta a menor dúvida do quanto ele é grande... deliciosa, furiosa e avidamente grande.

– Já faz tempo – diz ele.

Eu hesito, sem fôlego, tonta.

– É, para mim também.

Não consigo me controlar e toco a cabeça úmida do seu pênis ereto, a ponta dos dedos apenas roçando nela. Ele geme, mordendo o lábio. Seus quadris se movem. Parece um pouco com montar um cavalo. Um touro.

– Precisamos de camisinha? – pergunta ele. Balanço a cabeça e digo "anticoncepcional", ansiosa para continuar. – Talvez acabe bem rápido – diz ele com a voz rouca, as mãos agarrando as minhas coxas enquanto o posiciono para entrar em mim. – Mas eu vou te compensar. Com a boca. Ou os dedos. Se... Bee. *Bee.*

Eu não sei o que esperava de ter Levi dentro de mim. Provavelmente o mesmo que com Tim: algo vagamente agradável. Na melhor das hipóteses, o sexo fazia com que eu me sentisse próxima dele. Na pior, eu ficava entediada por alguns minutos, lembrando que o prazo da declaração de imposto de renda estava acabando. Com Levi não é nada parecido. Eu estou no controle. Sou eu quem o desliza para dentro do meu corpo. Luto centímetro a centímetro para me ajustar, me acomodar, mas a decisão é minha. Fecho os olhos e sinto meu rosto se retraindo, ao mesmo tempo de prazer e de dor. Preciso de mais. Ele precisa de mais. Nós dois precisamos de mais, e eu pressiono meu corpo para baixo para recebê-lo mais profundamente, coxas e mãos trêmulas enquanto faço força para que ele me preencha, e...

Não consigo.

Não há espaço. Tento de novo, rebolando para receber mais um pouco dele. O suor cobre minha pele. A sensação de plenitude cresce, se transforma em uma pontada de dor, mas eu continuo e me forço a...

– Calma – ordena Levi, a voz pouco mais que um grunhido, as mãos nos meus quadris para me imobilizar.

Abro os olhos. Balanço a cabeça.

– Eu preciso...

– Você precisa de um minuto – diz ele com firmeza, e sua voz não admite argumentos. Estamos os dois trêmulos, ofegantes, os corpos suados colados, mas eu pauso por um momento, e ele assente, satisfeito. – Boa garota.

Ele me olha como se não soubesse onde fixar o olhar. Então encontra o ponto em que estamos unidos e começa a me tocar ali, lentamente, carícias molhadas do seu polegar no meu clitóris que me amolecem e me ajudam a recebê-lo por completo. Os ossos do quadril dele pressionam a parte interna das minhas coxas quando ele entra até o fim. Sinto minha vagina apertando-o com força, e pelo seu gemido sei que ele sente também. Levi está dentro de mim por inteiro, e eu desabo em cima dele.

– Levi – gaguejo de encontro à sua boca. – Você é *muito* grande.

Algo vibra entre nós dois. Nada físico, um sentimento. Que ressoa no meu corpo e no meu cérebro.

– Você vai se acostumar – ofega ele contra a minha têmpora.

Ele afasta meu cabelo da testa com as mãos trêmulas, e então eu me sinto tão preenchida que não consigo mais ficar parada. Rebolo para testar, para ver o que dói (muito pouco) e o que é bom (muita coisa). E aprendo o que quero. Qual ângulo. Qual ritmo. Em troca, deixo as mãos de Levi vagarem pelo meu corpo, por onde ele quiser – e é *em todo lugar*. Há sons molhados, indecentes e constrangedores, mas eu não me importo, totalmente ocupada em me segurar na cabeceira e rebolar para fazê-lo roçar naquele ponto dentro de mim que... Assim. *Assim*. Ele é imenso, me esticando até o limite e um pouco mais. Eu me apoio em seu peito. Seu coração bate como um tambor sob a palma da minha mão, e me movo para cima e para baixo. A pressão é deliciosa. O prazer pulsa no fundo do meu ventre.

– Assim? – pergunto.

Ele não responde. Ou responde, mas em murmúrios, pequenas coisas incoerentes, como *Por favor, Fica parada, Não se move, Você é tão apertada, Eu vou... Ah, merda*. Fica ainda pior quando eu o aperto de propósito, só para ver até onde posso ir. Não há mais nenhum espaço dentro de mim. Absolutamente nada, e há pontos pretos na minha visão. Meu pulso está disparado. Minha cabeça esvazia, meus pulmões ficam sem ar, e eu gozo como uma avalanche, um jorro de prazer ofuscante enquanto meu corpo se contrai ritmicamente. Eu gemo de encontro ao ombro dele enquanto chego ao orgasmo.

Quando consigo pensar de novo, Levi está em cima de mim, arfando em meu pescoço, os dedos apertando meus quadris. Ele balbucia, geme, esfregando desesperadamente o pau contra a minha barriga, mas está fora de mim. Estou dolorosamente vazia, me contraindo para o nada.

– Você...? – Minha voz está rouca.

– Estou tentando fazer durar mais – diz ele, arfando. – Não quero que termine.

Tento guiá-lo para dentro de mim novamente, mas ele prende os meus pulsos acima da minha cabeça e me beija, interminável e profundamente, sem se conter, engolindo os meus gemidos. Então desliza para dentro de mim outra vez. Nessa posição, ele vai ainda mais fundo. Mais forte. Ângulos diferentes. Seu corpo me cobre inteira, e eu o deixo fazer o que *ele* me deixou fazer: encontrar seu prazer no meu corpo. Suas estocadas são curtas, lentas e depois profundas. Então ele perde o controle, e suas arremetidas longas fazem um atrito delicioso contra todas as minhas terminações nervosas. Eu amo o seu peso sobre mim. Amo os seus gemidos guturais. Amo o verde distraído e deslumbrante dos seus olhos. Eu estou muito perto. Muito perto outra vez.

Isso é bom. Ele é bom. Nós somos bons. Juntos. Assim.

– Bee... – murmura ele contra o meu rosto. – Bee, você é tudo que eu...

Minhas mãos deslizam por suas costas suadas, e eu o seguro junto a mim enquanto Levi se desfaz em um milhão de pedaços.

18

NÚCLEOS DA RAFE: FELICIDADE

– IMPRESSIONANTE. – A VOZ DE GUY treme ligeiramente, um toque de medo em sua admiração.

Assombro, talvez? O que importa é que abre as comportas para todos os outros se manifestarem.

– Incrível.

– ... temos um protótipo que funciona...

– ... não acredito que havia uma solução tão simples...

– ... o Blink está praticamente finalizado...

– ... uma maneira tão elegante de...

– Muito *foda* – declara Rocío, a voz mais alta.

Todos olham para ela, e é então que os sussurros impressionados se transformam quase em uma festa de confraternização. Muitos *high five*, abraços e uma ou outra canção. Estou surpresa que um barril de chopp não tenha aparecido do nada.

Levi se apoia em uma bancada do outro lado da sala, vestindo a mesma camiseta Henley da noite anterior. Hoje de manhã ofereci a ele minha camisola tie-dye que estica bem, mas ele simplesmente me encarou com desdém. Ingrato. Ele percebe que estou prestando atenção e nós dois desviamos o olhar, constrangidos por sermos flagrados. E então nossos olhos se encontram novamente. Dessa vez, compartilhamos um sorriso.

– Devíamos comemorar! – grita alguém.

Nós ignoramos e continuamos sorrindo.

Na primeira vez que eu e Tim transamos fiquei apavorada com a possibilidade de ele não ter gostado. Ele não me ligou por dois dias, que eu passei me perguntando se eu era uma merda na cama, em vez de focar no quanto *ele* era um merda. Na briga que terminou nosso noivado, ele me acusou de forçá-lo a dormir com outras mulheres porque me comportava "como uma estrela-do-mar" durante o sexo (tive que pesquisar no Google o que isso significava depois que ele foi embora). Refletindo agora, nosso relacionamento começou e terminou com Tim fazendo com que eu me sentisse péssima em relação a mim mesma. Que poético.

Talvez nos últimos anos eu tenha aprendido a me importar menos com o que os homens pensam de mim, e é por isso que não passei nenhum segundo das últimas 24 horas me perguntando se Levi acha que sou ruim de cama. Mas talvez essa não seja a única razão. Talvez tenha a ver com o jeito como ele me olhou essa manhã, quando acordei em cima dele em minha cama de solteiro, que ele chamou de "objeto de tortura reaproveitado como mobília". Talvez tenha sido a conversa tranquila e encantadoramente tímida que tivemos sobre eu tomar anticoncepcional e sobre o fato de estarmos os dois vivendo como monges ascéticos por tempo suficiente para ter certeza de que estamos livres de ISTs. Talvez seja a cara de choque que ele fez quando me viu beber leite de soja sem açúcar direto da caixa. Talvez sejam os olhares breves e dissimulados que ele vem me dirigindo o dia todo.

Não conversamos muito. Ou melhor, conversamos muito. Sobre circuitos, sequências de estimulação de alta frequência e áreas de Brodmann. O habitual.

Hoje não é habitual, no entanto.

– Parece que vocês conseguiram. – Boris para ao meu lado.

Ele olha com um leve ar de reprovação para seus engenheiros, que no momento estão celebrando dando cuecão uns nos outros.

– Ainda precisamos fazer ajustes no software de neuro – explico. – Depois vamos testar o modelo no primeiro astronauta. Guy se voluntariou.

Um eufemismo: Guy *implorou* para ser a primeira cobaia. É bom saber que mais alguém é tão dedicado ao Blink.

– Quando vai ser?

– Na semana que vem.

– Vou marcar uma demonstração para o fim da semana, então.

– Uma demonstração?

– Vou convidar meus chefes e os seus chefes. Eles vão convidar gente mais importante ainda.

Eu o encaro, alarmada.

– É cedo demais. Faltam semanas para o prazo final do projeto e ainda tem muitos problemas para resolver. Nossas cobaias são humanas… muitas coisas podem dar errado.

– Sim. – Ele me dirige um olhar firme. – Mas você sabe o que está em risco, ainda mais com a MagTech tão perto de nos alcançar. E você sabe também da resistência ao projeto. Temos muitos olhos nos assistindo. Muitas pessoas que sabem muito pouco de ciência e ainda assim estão muito interessadas no Blink.

Hesito. Dez dias é muito menos do que preciso para ficar confortável. Por outro lado, entendo a pressão que Boris enfrenta. Afinal, foi ele quem conseguiu a aprovação para que começássemos.

– Ok. Vamos fazer tudo que pudermos. – Eu me afasto da bancada. – Vou falar com Levi.

– Espere – diz ele, e eu paro. – Bee, quais são seus planos para quando isso acabar?

– Meus planos?

– Você quer continuar trabalhando para Trevor?

Mordo o lábio para ganhar tempo, mas Boris não é bobo.

– Conversei com ele algumas vezes. Ele parece achar que estamos fazendo trajes de astronauta…

– Trevor é… – Suspiro. – É.

Boris me lança um olhar de pena.

– Se o protótipo for um sucesso, os Institutos provavelmente vão promover você, talvez te deem seu próprio laboratório. Você terá opções. Mas se não gostar dessas opções… venha falar comigo, por favor.

Eu o encaro, perplexa.

– O quê?

– Estou querendo criar uma equipe de neurociência exclusiva. Isso... – ele indica o capacete – é uma das *muitas* coisas que podemos fazer. Nossa unidade de neuro é dispersa e subutilizada. Preciso de alguém que possa liderá-la de verdade. – Ele sorri, cansado. – De qualquer forma, vou informar Levi sobre a demonstração. Gosto da cara feia que ele faz quando lhe dou notícias ruins.

Fico ali parada como uma idiota, o olhar perdido. Por acaso acabei de receber uma proposta de emprego? Da Nasa? Para *liderar* um laboratório? Ou será que foi uma alucinação? Será que tem um vazamento de monóxido de carbono no prédio?

– Vai sair para comemorar? – pergunta Guy, me dando um susto.

Faço que não. Comemorar parece prematuro.

– Mas divirtam-se.

– Com certeza vamos. – Os olhos dele sobem para um ponto acima da minha cabeça. – E você?

Eu me viro. Levi está logo atrás de mim.

– Outro dia.

– Tem planos? – pergunto depois que Guy se afasta.

Olho ao redor para ter certeza de que estamos a sós, como se estivesse pedindo a Levi sua receita secreta de torta de maçã. Sou ridícula.

– Eu *ia* passar algum tempo com meu gato.

– Noite de espremer?

– Schrödinger e eu às vezes temos interações que não envolvem o reto dele – observa Levi. – Mas não. Tem um restaurante. Vegano. – Ele desvia os olhos, encabulado. – Eu estava querendo experimentar. Podíamos...

Eu rio.

– Não precisa fazer isso.

Ele me olha com curiosidade.

– Fazer o quê?

– Me levar para sair. Em um encontro.

Levi franze a testa.

– Eu sei que não preciso.

– Eu sei que não temos...

Começo a dizer que sei que o que temos não é sério. Que ele não precisa me levar para sair. Que o sexo foi incrível e que embora eu esteja dolorida, com sono e possivelmente esgotada de tantos orgasmos, ficaria feliz em repetir a dose. Com ele. Se estiver interessado. Estou familiarizada com o conceito de amizade colorida. Pau amigo. Ficantes. Peguetes. Mas então me lembro do fim de semana. De quando assistimos a *Star Wars* juntos e bebemos Sazerac. A nossa amizade é mais antiga que a parte colorida, mesmo que apenas por algumas horas, e eu ficaria feliz de passar tempo *conversando* com ele. Além disso, é provável que Levi não tenha ninguém para experimentar restaurantes veganos com ele. Acontece o mesmo comigo em Bethesda. Sim, é por isso que ele está me convidando para sair.

– Na verdade, parece maravilhoso – falo. – Precisamos de reserva?

Ele ergue uma sobrancelha.

– É um restaurante vegano no Texas. Vai dar tudo certo.

Sei como as coisas vão correr: *Levi* vai conseguir extravasar o que resta da época em que era a fim de mim; *eu* finalmente vou ter uma experiência sexual decente; nós *dois* podemos fazer isso sem a pressão de um relacionamento e o grude desastroso que sempre acontece quando se permite gostar muito de alguém. O jantar de hoje não vai ser um encontro – apenas uma refeição entre dois amigos com tesão, que por acaso partilham das mesmas preferências alimentares. Ainda assim, me vejo cuidando da aparência mais do que de costume. Escolho um piercing de septo rosé, meu favorito, e passo meu clássico batom vermelho. Cacheio meus cabelos para que caiam em ondas sobre os ombros. Estou pronta bem antes da hora marcada para Levi vir me buscar, então vou esperar na sacada.

Shmac finalmente me respondeu, pedindo desculpas por ter estado off-line no "melhor, e depois pior, e depois melhor fim de semana da minha vida".

SHMAC: A STC está desesperada. Todo mundo sabe que você não tem interesses financeiros e que está apoiando o movimento #AdmissõesJustasNaPós porque acredita na causa.

MARIE: Odeio o que eles disseram, que admissões justas são impraticáveis. Quem liga? Nós podemos e devemos fazer melhor.

SHMAC: Com cerveja.

MARIE: ???

SHMAC: Com certeza.

SHMAC: Desculpa, digitação por voz. Estou dirigindo.

MARIE: kkk

MARIE: Tá indo pra onde? Tem alguma relação com o melhor-depois-pior-depois-melhor fim de semana da sua vida? E isso tem relação com A Garota?

SHMAC: Vou levá-la para jantar.

MARIE: djhsgasgarguyfgquergqe

MARIE: (Isso foi uma batida de animação no teclado, caso a conversão do texto em voz não esteja conseguindo te passar a mensagem.)

SHMAC: Não estava, obrigado.

MARIE: Estou tããããão feliz por você, Shmac!

SHMAC: Eu também. Embora ela ainda esteja meio relutante.

MARIE: Relutante?

SHMAC: Ela tem bons motivos. Mas acho que ainda não está pronta para admitir para si mesma.

MARIE: Admitir o quê?

SHMAC: Que isso pra mim é sério. Que estou pronto para que seja duradouro. Ou pelo menos pelo tempo que ela me quiser.

Espera: a garota não está em um relacionamento? Não existe chance de ser duradouro a menos que ela se divorcie, existe? Tenho vontade de perguntar, mas não quero que Shmac pense que o estou julgando por se relacionar com uma mulher casada – não estou mesmo, até porque o marido dela parece alguém que eu não me importaria de empurrar das escadas da Torre Eiffel. Penso em dizer a ele que eu também estou indo jantar – com ninguém menos que o Cu de Camelo –, mas ouço um ruído suave.

Uma bolinha vermelha e cinza paira no ar diante do bebedouro, as lindas asas batendo alegremente em um ritmo agitado. O primeiro beija-flor do ano.

– Oi, lindinho.

Ele enfia o bico fino em um dos buracos e vai embora antes que eu possa fotografá-lo. Eu o observo sobrevoar o estacionamento e bem nesse momento vejo a caminhonete de Levi chegando.

Desço as escadas correndo, como se tivesse 11 anos e estivesse indo para a piscina.

– Recebi a visita do meu primeiro beija-flor! – digo, empolgada, subindo na caminhonete. Levi mal terminou de estacionar. – Pescoço vermelho! Não consegui tirar uma foto, mas, como são aves territoriais, ele vai voltar. E eu vou pedir a sopa de grão-de-bico com coco e gengibre! Minha irmã diz que não é legal ver o cardápio dos restaurantes on-line, mas eu assumo abertamente minha obsessão por comida… – Paro. Levi está me encarando, boquiaberto. – Estou com cocô de beija-flor no rosto, não estou?

Ele continua me encarando.

– Você tem um lenço? – Corro os olhos pela cabine. – Ou um pedaço de papel…

– Não. Não, você não… – Ele balança a cabeça, sem palavras.

– Qual o problema?

– Você… – Ele engole em seco.

– Eu…?

– O vestido. Você botou… o vestido.

Olho para o que estou usando. Ah, é. Estou usando meu vestido da Target.

– Você disse que não o odiava de verdade… – falo.

– E não odeio. – Ele torna a engolir em seco. – Não *mesmo*.

Olho melhor para ele e percebo a *maneira* como está me encarando. Que é...

– Ah. – Meus batimentos aceleram.

– Posso te beijar? – pergunta ele, e eu poderia me apaixonar por essa versão hesitante e tímida de Levi Ward, o mesmo homem que me acordou mordiscando meu pescoço às três da manhã para dizer que morreria se não pudesse me comer de novo.

Eu deixei, com muito entusiasmo. Assim como o deixo me beijar agora, nos pegando como adolescentes, com ardor, os dedos dele segurando meu pescoço, línguas se acariciando, seu peso me pressionando contra o banco, e ele é muito, muito bom nisso, encantador, assertivo e deliciosamente insistente. E a mão dele está no meu joelho, debaixo do meu vestido, subindo pela minha perna, subindo cada vez mais até envolver a parte interna da minha coxa. Um leve toque na frente da minha calcinha, e eu gemo em sua boca enquanto ele grunhe. Acho que já estou molhada. E ele *sabe* que já estou molhada, porque a ponta dos seus dedos passa por baixo do elástico e o puxa para o lado. Arquejo de encontro à sua boca, e seu polegar desliza pelo meu...

Alguém buzina na rua, e nós nos afastamos. Oops.

– Acho que devíamos...

– É. Devíamos.

Estamos de acordo. E ambos relutantes. Demoramos para soltar um ao outro e, quando ele vira a chave na ignição, a mesma mão que diariamente usa chaves de fenda de precisão está levemente trêmula.

Olho para a janela.

– Levi?

– Oi?

– Só queria dizer que... – Sorrio. – Você fica ótimo de batom vermelho.

Não é um encontro.

Mas, se fosse – o que não é –, seria o melhor encontro da minha vida.

Obviamente, como *não* é um encontro, o assunto é irrelevante.

Mas. *Se* fosse.

Embora não seja.

Mesmo quando, devo admitir, quase parece um. Talvez seja porque Levi pagou enquanto eu estava no banheiro (protestei brevemente, mas, para ser sincera, deixo qualquer cara me pagar o jantar até que a diferença salarial entre gêneros seja abolida). Talvez seja porque não paramos de conversar, nunca, nem por um minuto – exceto pelos acenos educados para Archie, o Garçom Superzeloso, quando ele vinha perguntar sobre nossos pratos. Mas talvez seja a hora que passamos reformulando algumas das nossas lembranças mais traumáticas do doutorado.

– Apresentei meus dados durante uma reunião do laboratório na metade do meu primeiro ano. E você ficou olhando pela janela *o tempo inteiro*.

Ele sorri e se demora mastigando.

– Você estava usando essa coisa... – Ele faz um gesto no meio da testa. – No cabelo.

– Uma faixa, provavelmente. Eu estava no auge da minha fase *boho chic*.
– Eu estremeço. – Ok, você tem uma desculpa para essa. Mas eram dados *excelentes*.

– Eu sei... eu estava ouvindo. Sua pesquisa sobre a rede de saliência... muito fascinante. Eu só... – Ele dá de ombros. Sua mão se fecha em torno da taça, mas Levi não bebe. – Era fofo. Eu não queria ficar te encarando.

Dou uma gargalhada.

– Fofo?

Ele ergue a sobrancelha em uma expressão desafiadora.

– Nem todo mundo superou a fase *boho chic*.

– Aham. O que *boho chic* significa, Levi?

– É uma... cidade? Na França?

Rio ainda mais.

– Ok. Mais uma. A vez que aquele seu amigo da microbiologia foi ao laboratório. Aquele cara com quem você jogava beisebol?

– Dan. Basquete. Nunca joguei beisebol na vida... Não sei nem como funciona.

– É só um monte de caras parados, de pijama, conversando amigavelmente. Enfim, Dan foi ao laboratório te buscar para uma partida de algum *esporte*, e você o apresentou a todos, menos a mim.

Ele assente. Arranca um pedaço de pão. Não come.

– Eu lembro.

– Podemos concordar que foi babaquice.

– Ou... – Ele larga o pão e se recosta na cadeira. – Ou podemos concordar que, algumas noites antes, depois de alguns drinques, deixei escapar para Dan que estava... *interessado* em uma garota chamada Bee, que Bee não é um nome comum e que Dan é bem o tipo de pessoa que te olharia no olho e perguntaria: "Então é você a mina por quem meu parça chora quando tá bêbado?"

Fico ligeiramente sem ar, mas continuo:

– Você não pode ter uma desculpa pra todas as vezes que agiu como um babaca.

Ele dá de ombros.

– Tenta.

– O código de vestimenta. Algumas semanas atrás.

Ele cobre os olhos.

– Está falando de quando te pedi para se vestir mais profissionalmente quando eu estava usando uma camiseta com um buraco na axila direita?

– Estava mesmo?

– A maioria das minhas camisetas tem buracos na axila. Então, estatisticamente falando, sim.

– Qual é a desculpa?

Ele suspira.

– Naquela manhã, Boris comentou que achava que a Nasa poderia usar qualquer desculpa para se livrar dos Institutos. Ele disse: "Eu não me surpreenderia se a mandassem embora por causa do cabelo." Provavelmente ele falou por falar, mas entrei em pânico. – Ele ergue as mãos. – E então você me acusou de incentivar o preconceito de gênero no ambiente de trabalho, e eu me senti um vilão do James Bond se gabando de seu dispositivo apocalíptico.

– Não acredito que você só não me *contou*.

Em retaliação, pego um pedaço de brócolis do prato dele.

– Eu me comunico muito bem, tenho ótimas habilidades interpessoais, de acordo com meu currículo – ironiza ele.

– O meu diz que sou fluente em português, mas da última vez que tentei pedir comida em Coimbra, eu sem querer disse ao garçom que tinha uma bomba no banheiro. Ok, a última: e quando você se recusou a fazer um trabalho em colaboração comigo? Eu ouvi através da porta. Você disse a Sam que não queria participar do projeto por minha causa.

– Você me ouviu? – Ele parece cético. – Pela porta de madeira maciça da sala da Sam?

Pisco de forma angelical.

– Ouvi.

– Você estava ouvindo às escondidas?

– Talvez. Alguma coisa a dizer em sua defesa?

– Você foi embora logo depois de eu mencionar que não queria pegar o projeto por sua causa?

– Fui. Saí marchando até o meu escritório com a fúria de uma matilha de dragões.

– Esse é o coletivo de dragão?

– Deve ser.

Levi assente.

– Se você saiu logo depois de ouvir seu nome, então não escutou tudo que falei para Sam. E esse mal-entendido é culpa sua.

Franzo a testa.

– É mesmo?

– É. Nós dois temos coisas a aprender. – Ele pega o pedaço de pão que tinha largado.

– Tipo o quê? Não ouvir às escondidas?

– Não. Se for para bisbilhotar, não faça pela metade.

Ele põe o pedaço de pão na boca e tem a audácia de sorrir para mim.

Schrödinger se lembra de mim. Possivelmente da outra noite, quando dormiu em cima da minha traqueia, me fez ter pesadelos em que eu sufocava e deixou tufos de pelo preto na minha boca. Ele se esgueira de seu lugar no sofá no momento em que entramos e se enrosca em meus tornozelos enquanto Levi guarda nossas sobras na geladeira.

– Eu te amo – falo para ele. – Você é um animal perfeito, magnífico, e eu o protegerei com a minha vida. Eu trucidaria uma horda de dragões por você.

– Eu pesquisei – diz Levi do batente da porta. – É um bando de dragões.

– Fascinante. – Coço debaixo do queixo de Schrödinger. Ele fecha os olhos, desfrutando sua felicidade felina. – Mas nós gostamos mais de "horda", não é? Isso mesmo, gostamos. – Eu levanto os olhos. – Acredito que me prometeram um procedimento em que se espreme as glândulas anais...

Ele balança a cabeça.

– Foi para atrair você para cá. Não acredite em tudo que lhe dizem.

– Ouviu isso, Schrödinger? Seu pai usa suas glândulas com defeito como isca.

Levi sorri.

– Ele em geral não é assim.

– Hein?

– Schrödinger é tímido com a maioria das pessoas. Costuma se esconder embaixo do sofá. Ele era muito agressivo com a minha... – Sua voz perde a força, o que me deixa morrendo de curiosidade.

– Sua...?

Ele dá de ombros e desvia o olhar.

– Eu morei com uma namorada. Por alguns meses.

– Ah. – O gato se deita de lado, ronronando. – Lily?

– Antes dela.

Acho que posso parar de mentir para mim mesma e para o minúsculo sapo de porcelana que se passa por meu cérebro e simplesmente admitir que Levi é a combinação perfeita do Cara Sexy® com o Cara Bonito® e o Cara Fofo®. Sabe quando você está apaixonada por alguém há anos, e então essa pessoa faz algo horrível, como esquecer de regar suas plantas ou transar com sua melhor amiga, e você para de colocá-la em um pedestal? E todos os defeitos dela ganham nítido relevo, como se você tivesse acabado de colocar óculos 3D capazes de enxergar a feiura interna da pessoa? Bem, agora que me livrei dos meus óculos de babaca, posso admitir que Levi é, sim, um bom partido. Algum dia ele vai fazer uma garota de sorte ser mais sortuda ainda. E eu não tenho a menor ideia de por que a ideia de ele morando com uma namorada me faz sentir um formigamento incômodo na barriga – somos amigos coloridos há menos de 24 horas, pelo amor de Deus. Não é da minha conta, e a última coisa que quero é outro relacionamento fadado a um final confuso e doloroso (ou seja, *qualquer* relacionamento romântico).

– Schrödinger não gostava dela? – O gato mordisca carinhosamente o meu polegar.

– Na verdade, ela preferia cachorros.

– Quando foi isso? – pergunto, tão enxerida quanto alguém bisbilhotando atrás da cortina.

– No doutorado. Antes... – Ele não termina a frase, mas seu olhar se demora em mim por um momento, e eu me pergunto se ele quis dizer "antes de *você*".

Annie tinha uma teoria engraçada: todos nós temos um Ano Zero em torno do qual giram os calendários de nossas vidas. Em determinado momento você conhece alguém, e essa pessoa se torna tão importante, tão metamórfica, que dez, vinte, 65 anos depois você olha para trás e percebe que poderia dividir sua existência em duas partes. Antes de ela aparecer (AEC, Antes da Era Comum) e sua Era Comum. Um calendário gregoriano próprio.

Eu pensava que Tim era minha Era Comum, mas não acho mais. Na verdade, não *quero* que outro ser humano instável e inconstante se torne minha Era Comum. Sabe o que seria um ótimo ponto crucial na minha vida? Eu, conquistando meu próprio laboratório nos Institutos Nacionais, o que fico empolgadíssima de dizer que está mais perto do que nunca. Chego a querer mandar uma mensagem para Annie e perguntar se novos empregos podem ter o papel de Ano Zero, mas ainda não cheguei lá. Mesmo assim, é bom saber que eu poderia. Que a porta entre nós está entreaberta.

Levi não ia dizer "antes de você" porque eu *não* sou a Era Comum dele. Nem tenho intenção de ser. Mas tenho certeza de que ele a conhecerá em breve. Provavelmente uma garota de quase 1,80 metro que sabe construir um micro-ondas do zero e tem a graça impressionante de Simone Biles. Eles vão produzir crianças bonitas e atléticas, com cérebros assustadoramente inteligentes, e transar todas as noites, mesmo quando houver prazos apertados, mesmo quando os sogros estiverem no quarto de hóspedes. Os beija-flores virão para o seu quintal durante os meses de primavera, e Levi vai observá-los da varanda telada e ficar irremediavelmente feliz – assim como eu estarei com meu laboratório, minha pesquisa, meus alunos, minhas assistentes de pesquisa (sim, serão todas mulheres. Não, não me importo se você acha injusto).

Fico contente de ter descoberto que Levi gostava de mim. Fico contente por ter a chance de experimentar um sexo excelente pela primeira vez na vida. Fico contente por estarmos dormindo juntos sem toda a feiura que vem de realmente investir em um relacionamento. Fico contente por podermos fazer parte do AEC um do outro por algum tempo. Fico contente por estar aqui. Com ele. Talvez eu até esteja *feliz*.

– Você é maravilhoso – digo, bagunçando o pelo em torno das orelhas de Schrödinger. – Ele é muito pequeno.

– O menor da ninhada.

Sorrio olhando as almofadinhas perfeitas na parte inferior das patas.

– Estou surpreso que alguém que gosta tanto de gatos quanto você não...

– Tenha um?

– Eu ia dizer cinco.

Dou uma risadinha.

– Tem a Félicette...

– Eu estava pensando em gatos *de verdade*.

Lanço um olhar fulminante para ele.

– Eu adoraria dedicar minha vida a encarnar o arquétipo cultural da louca dos gatos. Mas não é uma boa ideia.

– Por quê?

– Porque... – Hesito, e Schrödinger ronrona na minha mão. Meu amor por ele não conhece limites. – Eu não suportaria.

– Não suportaria o quê?

– Quando morressem.

Levi me dirige um olhar curioso.

– Isso só acontece depois de anos. Décadas, às vezes. E tem muita coisa entre o começo e o fim.

– Mas o fim um dia *acontece*. É inevitável. Todas as relações entre seres vivos terminam um dia, de alguma forma. É assim que as coisas são. Um dos lados morre ou é levada a partir por outras necessidades biológicas. As emoções são transitórias por natureza. São estados temporários provocados por mudanças neurofisiológicas que não são feitas para durar muito. O sistema nervoso deve voltar à homeostasia. Todos os relacionamentos associados a eventos afetivos estão fadados a terminar.

Ele não parece convencido.

– *Todos* os relacionamentos?
– Sim. – confirmo. – É científico.
Ele assente, mas então diz:
– Mas e o arganaz-do-campo?
– O que tem?
– Eles ficam com o mesmo parceiro a vida toda, não ficam?
Seus olhos brilham de satisfação, como se ele estivesse observando um fenômeno biológico fascinante. Talvez não estejamos mais falando sobre o sofrimento de ter que jogar um peixinho-dourado no vaso sanitário.
– O arganaz-do-campo é uma exceção, porque seus receptores de oxitocina e vasopressina estão espalhados por seu sistema de recompensa cerebral.
– Isso não é prova biológica de que emoções e relacionamentos *podem* ser duradouros?
– De jeito nenhum. Então você tem dois roedores fofinhos e eles ficam juntos para sempre. Incrível. Mas, uma noite, o marido rato atravessa a estrada para ver *Ratatouille* no cinema local e acaba sendo atropelado por um Ford Mustang dirigido por um idiota que está traindo a esposa com uma universitária desconhecida. Arganaz viúva de luto. É uma merda, mas é como eu te disse: de uma forma ou de outra, tudo acaba.
– E o que acontece entre o início e o fim não faz valer a pena?
Você já foi passado para trás?, tenho vontade de perguntar. *Já perdeu tudo? Sabe qual é a sensação? Porque não parece que você sabe.* Mas não quero ser cruel. Eu não sou cruel. Só quero me proteger, e se Levi não quer fazer o mesmo... então ele é mais forte do que eu.
– Talvez – digo, evasiva, e observo Schrödinger ir graciosamente até Levi. – Então, quais os planos para esta noite?
– O que você quer fazer?
Dou de ombros.
– Não sei. O que *você* quer?
Ele dá um sorriso malicioso.
– Pensei que a gente podia dar uma corrida.

Eu pensei que Levi seria reservado na cama.

Não que eu tivesse pensado muito nisso, mas se alguém tivesse apontado uma arma para a minha cabeça e me forçado a dar uma opinião, eu provavelmente teria dito: "Aposto que Levi Ward é quieto na cama. Sem graça. Porque ele é uma pessoa tão cautelosa *fora* da cama. Alguns grunhidos baixos, talvez. Algumas palavras, sempre dando instruções: 'Mais rápido', 'Mais devagar', '*Na verdade*, esse outro ângulo é melhor.'" Eu teria errado. Porque não há nada reservado na maneira como ele tira prazer do meu corpo. Nada mesmo.

Não tenho certeza de como vim parar na posição em que me encontro: de bruços no meio da cama dele, tentando respirar normalmente enquanto ele traça a linha das pequenas tatuagens na minha coluna.

– Reino Unido – diz ele, rouco e um pouco trêmulo. – E... não sei qual é este. Nem o próximo. Mas Itália. Japão.

– A Itália é... *ah*... uma bota. Fácil.

Enterro a testa no travesseiro, mordendo o lábio. Isso seria mais fácil se ele não estivesse dentro de mim. Se não tivesse empurrado para o lado a calcinha verde que comprei para comemorar o Blink – aquela de que me arrependi no instante em que soube que Levi seria meu colíder, aquela que não pensei que usaria tão cedo, a que Levi ficou olhando, mudo, por um minuto inteiro – e lenta e inexoravelmente me penetrado com tudo.

– São bonitos. Os contornos.

Ele se abaixa para beijar meu pescoço. O movimento faz seu pênis se deslocar dentro de mim, e nós dois gememos. É simplesmente constrangedor o modo como minhas costas se arqueiam e minha bunda sobe, indo de encontro ao abdome dele, como se meu corpo não fosse mais meu.

– Você fica muito apertada nessa posição. É bom demais.

Sexo não é assim. *Eu* não sou assim. Não sou do tipo que goza rápido, nem incontrolavelmente, nem ruidosamente. Não sou do tipo que goza com muita frequência. Mas ele alcança um lugar dentro de mim... Ele o encontrou ontem à noite também, mas agora, nessa posição, ou talvez apenas porque está indo mais devagar... Não sei o que é, mas está ainda melhor.

Ele arremete algumas vezes, não muito fundo, experimentando, e eu tenho que fechar as mãos, agarrando os lençóis. Elas estão tremendo.

– Eles são...

Eu tenho que parar. Me recompor. Pigarrear. Retesar. Relaxar.

– São minhas casas. Todos os lugares em que morei.

– É lindo. – Ele deposita um beijo suave no meu ombro. – Tão lindo – repete Levi, quase para si mesmo, como se não falasse mais sobre minhas tatuagens.

Então o colchão se move, ouço um gemido frustrado e, de repente, sinto frio. Ele não está mais me tocando. Ele se afastou. Saiu de mim.

– O que você...? – Tento me virar, mas sua mão se espalma entre minhas escápulas suavemente para me manter no lugar.

– Só estou tentando me controlar.

Sua voz soa divertida, mas também retesada e tímida. Não consigo ver o sorriso dele, mas o imagino, leve, quente, lindo. Respiro fundo, trêmula, tentando relaxar nos lençóis, sentindo seus olhos passearem pelo meu corpo. Seus dedos percorrem minhas costas, e então ele começa a me ajeitar levemente, inclinando meus quadris em um ângulo diferente.

Levi suspira.

– Naquela época... e depois também... imaginei fazer tanta coisa com você. Mas sempre voltava para... – Sua voz morre.

Durante alguns segundos, ouço muito pouco, mas tudo bem. Estou me recuperando do caos trêmulo, ávido e extremamente excitado em que ele me transforma, e é bom ter um momento para me acalmar. Vai ser bom manter alguma dignidade nesta cama...

As mãos de Levi se movem entre minhas pernas e as afastam. Minha calcinha está puxada para o lado. Eu arquejo, sentindo o ar frio na minha vagina, me sentindo tão aberta, exposta, que é quase obsceno.

– Você é tão... – Sua voz é baixa, e então ele meio que explode em um "puta que pariu" sussurrado.

Estou a uma fração de segundo de perguntar qual é o problema quando o sinto erguer meus quadris mais alto.

– Levi?

Sua língua, seus lábios, seu nariz me pressionam por trás, e eu arquejo bruscamente. Primeiro são lambidas cuidadosas e delicadas, roçando meu clitóris e minha fenda; então os beijos se tornam profundos, me explorando completamente.

– Ai, meu *Deus* – gemo.

Sua única resposta é um grunhido baixo e satisfeito, e eu não sei se são as vibrações ou o entusiasmo com que ele está me explorando, ou o fato de que está me segurando totalmente aberta como se eu fosse um banquete pronto para o seu consumo, mas meu ventre fica tenso e meus membros começam a tremer, e controlar meus gemidos suplicantes é uma batalha perdida. Não vai durar, não assim. Ele leva menos de um minuto para me lançar em outro orgasmo.

Este não é o meu corpo. Ou talvez seja, mas Levi está no comando, e eu não me importo. O prazer toma conta, desaba sobre mim como um tsunami, e antes mesmo que a onda passe eu sinto Levi me ajeitando mais uma vez, pressionando minha barriga no colchão novamente até que eu esteja à sua mercê.

Seus dedos estão em mim, me abrindo. Então sinto uma pressão, uma ardência, por uma fração de segundo, e ele está me penetrando bem fundo. Já fez isso antes e foi incrível, mas agora estou mais molhada, e o atrito é ainda mais delicioso. Eu o aperto, com contrações rápidas e trêmulas ao redor de sua ereção.

Isso. É. Tão. Inacreditavelmente. Bom.

– Meu Deus – geme Levi. Ele testa uma estocada profunda e trêmula. – Você ainda está gozando, não está?

Sim. Não. Não sei. Viro o pescoço e olho para trás. Ele está olhando para mim. Para a minha pele corada e minha carne trêmula. Ele não vai parar tão cedo, sei disso. Eu vou gozar desastrosamente rápido de novo, ou talvez eu nunca pare, e ele vai ficar me olhando até o último segundo. Me enjaulando, apoiado em seus braços enormes e trêmulos, com aquele brilho faminto e enfeitiçado nos olhos.

– Você é uma fantasia. Feita para isso. Feita para mim. Porra, Bee.

Seu ritmo acelera. Irregular e entrecortado, mas acelera.

E não consigo resistir.

– Assim não dá – digo com um gemido.

Ele para imediatamente.

– Não – reclamo. – Não para.

– Você disse...?

– Só... Por favor, não olha pra mim.

Levi parece finalmente entender.

– Shhh.

Ele baixa o corpo e beija o meu rosto. Está ficando... é impossível, mas está ficando ainda melhor. Ele desvendou o interior do meu corpo. Em que ângulo dar as estocadas. Elas estão mais superficiais, mais objetivas, e eu estou...

Gemendo. Coisas como *Ai, meu Deus* e *Não para* e *Por favor* e *Por favor, mais forte,* e de alguma forma ele sabe o que quero dizer. Levi me entende, e se abaixa para correr a língua por meu pescoço, para morder meu ombro, para grunhir seu prazer contra a minha nuca.

– Eu não sei... – murmura ele, gutural, a respiração ofegante em meu ouvido – como ainda não gozei.

Nem eu, penso. Digo o nome dele, abafado no travesseiro, e simplesmente me abandono.

19

AMÍGDALA BASOLATERAL: ARACNOFOBIA

QUERO RETIRAR TUDO que eu disse até agora.

Bom, nem *tudo*. Só a parte de *vou dedicar minha vida ao desenvolvimento da neurociência e renunciar a todo prazer físico, com a única exceção da Nutella vegana*, declaração que venho repetindo há um tempo. Quero repensar certo trecho: ter um amigo-barra-colega-barra-qualquer coisa colorido me convém. Me convém do jeito mais delicioso, fantástico e mágico. Estou zen. Hidratada. Feliz. No meu domínio. Focada. Exuberante. Desconfio de que estou vivendo as melhores semanas da minha vida adulta – incluindo aquela passada como conselheira do Acampamento Donuts & Arte, onde o escopo das minhas tarefas era encher a cara de doce e ficar de olho em garotos de 10 anos enquanto eles proclamavam que os quadros de Cézanne eram "bonitinhos, mas muito laranja". Talvez seja o sexo alucinante. Tenho certeza de que é o sexo alucinante. Sem dúvida é o sexo alucinante, mas não é só isso.

Vejamos o Blink, por exemplo: a demonstração está marcada para a próxima sexta-feira. Eu me sentiria um pouco mais relaxada se tivesse mais quatro semanas antes de Boris colocar metade do Congresso na minha frente? Claro. Sou obsessiva e gosto de estar superpreparada. Mas cada teste que fizemos desde a nossa descoberta produziu excelentes resultados. Estamos passando para um estágio que parece menos "trabalho de base cansativo e ingrato" e mais um "avanço científico inovador", e a bola está comigo. Cada capacete tem que ser personalizado para o astronauta que vai usá-lo, com base no mapeamento do seu cérebro. São muitos ajustes finos, e adoro cada segundo disso. Todo mundo adora: ver uma coisa em que estamos trabalhando incansavelmente dar resultado é um grande incentivo moral, e os engenheiros têm chegado cedo e ficado até tarde, indo de um lado para outro em torno de mim e de Levi, com questionamentos constantes, e…

Estamos mantendo segredo dessa coisa entre nós. Obviamente. Não há por que contar aos engenheiros. Ou a Rocío. Ou a Guy – que basicamente se alterna entre perguntar sobre meu marido inexistente e chamar Levi para sair. Na quarta-feira é: "Basquete hoje à noite?" Na quinta: "Cerveja?" Sexta: "O que vai rolar neste fim de semana?" Eu me sentiria culpada com a resposta padrão de Levi ("Desculpa, cara, estou atolado"), mas é só temporário. Só uma daquelas situações típicas: garota sem interesse em relacionamentos encontra um cara que esteve a fim dela anos atrás, e eles se lançam em um mambo na horizontal – sem compromisso. Dentro de poucas semanas, voltarei para casa e Guy terá Levi todo para ele. Nesse meio-tempo, estamos estocando tempo juntos feito camelos. Tempo e sexo. Eu já falei do sexo? Devo estar com umas vinte horas de sono atrasadas, mas por alguma razão não me sinto cansada. Meu corpo talvez esteja evoluindo para uma sofisticada arma biológica capaz de converter orgasmos em horas de descanso.

– Você devia se mudar para cá – diz Levi na manhã de sexta-feira.

Eu hesito, os olhos turvos diante do café que ele me serviu, meu cérebro lutando para decifrar as palavras.

– Como assim?

– Traga suas coisas pra cá. – Ele acabou de chegar da corrida e está suado, descabelado e perturbadoramente bonito. – Faz uma mala. Assim você não vai ter que ficar indo e voltando para pegar uma muda de roupa. Aquele apartamento não é seu mesmo.

Eu o observo por cima da caneca. Talvez ele esteja sofrendo de insolação.

– Não posso vir morar com você.

Tenho certeza de que existe uma cláusula sobre isso no contrato de amigos coloridos.

– Por que não?

– Porque não. E se você precisar...

Ver pornografia? Ele provavelmente não precisaria... Eu já sou sua pornografia ao vivo. *Trazer outras garotas para casa?* Também não o vejo fazendo isso. *Ficar no seu canto?* A casa é grande. *Andar pela casa pelado?* Ele já faz isso. Não acredito que estou transando com alguém que tem o abdome sarado.

– Estou falando sério – continua ele. – A cama é melhor. O gato é melhor. Os beija-flores são melhores.

– Mentira. Não tem nenhum beija-flor no seu jardim.

– Eles aparecem quando você não está por perto. Você vai ter que se mudar para cá se quiser vê-los.

– Rocío pode perceber.

Ele fica calado, esperando que eu continue.

– E... daí?

– E daí Kaylee ficaria sabendo. E poderia contar aos outros. Se eu descobrisse que Sam estava transando escondido com o Dr. Mosley, teria espalhado aos quatro ventos. – Franzo a testa. – Sou um monstro. Pobre Sam.

– Se Kaylee contar aos outros, então contou. Isso não é problema.

Esfrego os olhos.

– Não sei se quero que sua equipe inteira saiba que estou tendo um caso com um colega de trabalho. Parece o tipo de coisa...

– ... pela qual mulheres nas áreas STEM se ferram o tempo todo?

– Isso.

– Justo. Mas, mesmo que Rocío notasse, ela não saberia que você está na minha casa. Além do mais, ela deve ter outras coisas na cabeça, pelo número de vezes que ouvi Kaylee e ela se chamarem de "amor" nessa última semana.

– Verdade.

Mordo o lábio inferior, de fato considerando a possibilidade de me mudar para cá. Será que estou louca? Acho que não. Apenas gosto dele... gosto *disso*, de *estar* com ele. Uma relação de sexo sem compromisso com Levi Ward me convém, e eu só quero... um pouco mais disso.

– Só para você saber, eu uso aparelho de contenção à noite.

— Sexy.
— E seu banheiro vai ficar manchado de roxo para sempre. Sério. Depois de cinco banhos, sua banheira será um emoji gigante de berinjela.

Ele assente solenemente e me puxa para mais perto.

— É tudo que eu sempre quis.

É sábado de manhã e estamos cozinhando juntos — e com isso quero dizer que Levi está fazendo panquecas e eu estou parada ao lado dele, roubando mirtilos e contando sobre *A história da sereia*, a ideia de um livro para jovens adultos que venho alimentando desde o doutorado (nada como ter um escritório nanoscópico e tangenciar perenemente a linha de pobreza para estimular a imaginação de uma garota no campo da ficção escapista).

— Espera. — Ele franze a testa. — Ondine não sabe que é metade sereia antes de entrar para a equipe de natação?

— Não, ela não sabe que foi adotada. Descobre na primeira aula, quando eles a jogam na água e ela dá uma volta em... vou ter que pesquisar quanto tempo leva para dar uma volta na piscina, mas ela é tão rápida quanto...

— Michael Phelps? — Levi vira uma panqueca no ar.

— Claro, seja lá quem for esse cara. E Joe Waters, o aluno do último ano, o mais bonito da escola, a vê e se torna o fiel escudeiro dela em sua jornada de autodescobrimento.

— Eles acabam juntos?

— Não. Ele vai para a faculdade e ela ganha uma cauda.

— Eles não podem namorar a distância?

— Não. Não vou mentir para jovens influenciáveis sobre a durabilidade dos relacionamentos humanos.

Ele franze o cenho.

— Esse final é ruim...

— Não... é *mar*-avilhoso!

— ... e relacionamentos a distância não são mentira.

— Relacionamentos a distância com final feliz com certeza são. Assim como qualquer outro relacionamento com final feliz.

Ele fixa o olhar em mim. As bordas da panqueca estão escurecendo perigosamente.

– E o nosso vai terminar mal também?

– Ah, não. – Agito a mão no ar. – Vai dar tudo certo, porque o que a gente tem é sem compromisso.

Ele fica tenso e aperta os lábios.

– Entendi.

Então, com visível esforço, ele relaxa e... há algo estranho em sua expressão.

– Que cara é essa? – pergunto.

– Que cara?

– Essa que você faz quando está prestes a tentar me convencer de que o Nirvana é melhor do que Ani DiFranco.

– Não vou tentar te convencer.

– Ah. Então você admite que estou certa.

– Você *não* está certa. Você é teimosa, está enganada e frequentemente errada... em relação a música e outras coisas. Mas não adianta tentar argumentar. – Ele se inclina e me beija... longa, suave e profundamente. Eu me perco um pouco. – Eu vou ter que te mostrar.

– Mostrar o quê...?

O celular de Levi toca. Ele desliga o fogão antes de atender.

– Alô?

A voz do outro lado é quase familiar: Lily Sullivan.

– Oi. Estou com a Bee. – Eu lhe dirijo um olhar curioso. Por que Lily saberia quem eu sou? – Claro... Vou perguntar. – Ele apoia o celular no ombro, olhando para mim. – Algum interesse em passar algumas horas com uma menina de 6 anos que quer ser veterinária de aranhas e tem opiniões fortes em relação a Pokémons?

Fico brevemente confusa. Então me dou conta do que ele está perguntando, e meu rosto se abre num sorriso.

– *Muito* interesse. Mas, Levi... – sussurro, enquanto ele leva o telefone de volta à orelha. – Pokémon não tem plural.

Lily Sullivan é calorosa, agradável e doce de um delicioso jeito sulista que me fez gostar dela instantaneamente e me sentir bem-vinda em sua linda casa no estilo colonial americano. Penny Sullivan, porém... Eu me apaixono por Penny no segundo em que ponho os olhos nela.

Não é verdade. Eu me apaixono quando ela, de bruços no tapete da sala, olha para cima e fala, com olhos arregalados e suplicantes:

– Meu reino. Meu reino inteiro por um bolinho.

– Ela está no quarto dia da dieta cetogênica – sussurra Lily. – Por causa da epilepsia. – Ela me olha com a expressão pesarosa de uma mãe que vem alimentando a filha com ovos e abacate há muitos dias. – Acho que ela nunca pediu um bolinho antes.

Lembro da fissura da Bee de 9 anos, que foi brutalmente informada pela prima Magdalena de que balinhas de goma são feitas com cartilagem de animais e durante anos não soube que havia alternativas veganas.

– É, fazer dieta é assim mesmo.

Penny parece bem agora que Levi está aqui, rindo incontrolavelmente quando ele a pega, a joga por cima do ombro e começa a atravessar a casa.

– Penny Lane e eu estaremos no quintal, se vocês quiserem se juntar a nós.

É claro que eles têm uma rotina, que consiste em Levi empurrar um balanço comprido pendurado no galho de uma árvore alta e Penny gritar "Mais! *Mais!*", enquanto Lily fica sentada no pátio e sorri carinhosamente para eles. Eu me acomodo na cadeira ao lado e agradeço quando ela me serve um copo de limonada.

– Estou tão feliz por vocês terem vindo. Era para a Penny dar uma festa do pijama hoje à noite, mas adiamos após a convulsão que ela teve no início da semana. E ela não ficou muito feliz.

– Eu também ficaria mal-humorada. E sem problemas... Sua casa é tão linda, obrigada por me receber.

Ela sorri, segurando a minha mão.

– Obrigada *você* por não achar... – ela gesticula vagamente, apontando para si mesma, para a casa, para Levi e até mesmo para mim – ... *tudo isso* estranho. Ter essa mulher ligando sempre para o seu namorado...

– Ah, não é bem assim. Nós só estamos...

Meus olhos disparam para o balanço. Posso falar sobre sexo a trinta metros de uma criança? Existe alguma lei contra isso?

— Deve ser incômodo, considerando que Levi e eu já...

Ela me lança um olhar de desculpas. Quero que Lily pare de falar sobre isso por muitas razões, incluindo o fato de que, embora eu não tenha direito de ficar com ciúmes, a julgar pela pontada no meu estômago eu... aparentemente estou? Um pouco? Caramba, Bee.

— Acabou há muito tempo — continua Lily. — E foram apenas algumas semanas. Nós nos conhecemos aqui em Houston, quando ele veio passar o verão com Peter, antes do último ano do doutorado. Então ele voltou para Pittsburgh. A gente ia tentar um relacionamento a distância, mas ele disse que conheceu outra pessoa...

A pontada se transforma em um baque. Quem Levi conheceu em seu quinto ano? Bem, eu. *Dã*. Mas ele não pode ter *terminado* com alguém como Lily por...

— Quando ele contou para o Peter que tínhamos terminado, Peter admitiu que gostava de mim e me convidou para sair. — Ela abre as mãos, como se não pudesse acreditar na própria história. — Casamos dois meses depois e engravidei logo em seguida. Dá para acreditar?

Sorrio.

— É tão romântico. Sinto muito pelo que aconteceu com Peter.

— É. Não foi... Não é fácil. — Ela desvia o olhar. — Obrigada pelo que você está fazendo pelo Blink. Eu sei que é um projeto de segurança máxima e que você não pode falar a respeito, mas, quando você entrou para a equipe, Levi mencionou que trunfo você seria. Significa muito ter alguém como você dando continuidade ao legado de Peter. E obrigada por compartilhar Levi conosco.

Sinto um nó na garganta.

— Ele não é meu.

— Na verdade, acho que é, sim. Ah, essa *garotinha*... Penny, você precisa pôr o chapéu! Não pode ficar no sol assim!

— Levi disse que eu podia!

Levi ergue a sobrancelha, surpreso com a acusação falsa. Penny, emburrada, vem pisando duro até a mãe e para na minha frente com um olhar tímido, hesitante.

— Isso dói? — pergunta ela, mudando o peso do corpo de um pé para o outro.

– O que... Ah, meu piercing no nariz. Doeu um pouquinho quando coloquei, há muitos anos.

Ela assente, cética.

– Seu nome é mesmo Bee?

– É, sim. Significa abelha em inglês.

– Por quê?

Levi e eu rimos. Lily cobre os olhos com a mão.

– Minha mãe era poeta, e ela gostava *muito* de uma série de poemas sobre abelhas.

Penny assente. Aparentemente faz tanto sentido para ela quanto fez para Maria DeLuca-Königswasser.

– Cadê a sua mãe?

– Ela morreu.

– Ah. Meu pai também morreu. – Dá para sentir a tensão nos adultos, mas há um tom casual na maneira como Penny fala. – Qual o seu animal preferido?

– Você vai ficar decepcionada se eu não disser abelha?

Ela pensa um pouco.

– Depende. Não se for um animal legal.

– Tá. Gato é legal?

– Sim! É o favorito do Levi também. Ele tem um gatinho preto!

– Isso aí – intervém Levi. – E Bee também tem uma gatinha. Transparente.

Eu o fuzilo com os olhos.

– O meu animal preferido é a aranha – informa Penny.

– Ah, aranhas são, hã... – reprimo um tremor – ... legais também. O animal preferido da minha irmã é o peixe-bolha. Você já viu um?

Os olhos dela se arregalam, e ela sobe no meu colo para olhar a imagem que estou procurando no celular. Deus, eu amo crianças. Amo *esta* criança. Ergo a cabeça e percebo a maneira como Levi está me observando; há uma estranha luz em seus olhos.

– Sua irmã é criança? – pergunta Penny depois de fazer uma careta ao ver o peixe-bolha.

– É minha irmã gêmea.

– É mesmo? Ela parece você?

257

– Parece.

Vou para minhas fotos favoritas e escolho uma foto de nós duas aos 15 anos, antes que eu começasse o que Reike chama de minha "jornada de modificação corporal *soft-core*".

– Uau! Qual das duas é você?

– A da direita.

– Vocês se dão bem?

– Sim. Quer dizer, a gente também se xinga bastante. Mas nos damos bem, sim.

– Vocês moram juntas?

Balanço a cabeça.

– Na verdade, eu quase não a vejo. Ela viaja muito.

– Você fica brava por ela estar longe?

Ah, crianças e suas perguntas capciosas.

– Eu costumava ficar. Mas agora fico só um pouco... triste. Mas tudo bem. Ela precisa viajar tanto quanto eu preciso ficar em um lugar só.

– Meu amigo disse que, se você é gêmeo, seus filhos também vão ser gêmeos.

– Tem uma probabilidade maior, sim.

– Você quer ter gêmeos?

– Penny – repreende Lily gentilmente –, nada de interrogar os convidados sobre planejamento familiar antes do almoço.

– Ah, tudo bem. Eu *adoraria* ter gêmeos.

Na verdade, eu costumava sonhar com isso. Embora a esta altura eu provavelmente não vá ter. Por razões óbvias. Com as quais não vou chatear Penny.

Ela sorri.

– Que bom, porque Levi também quer.

– Ah. Ah, eu...

Sinto que fico quase roxa e olho para Levi, esperando encontrá-lo igualmente constrangido, mas ele está me olhando com a mesma expressão de antes, só que umas vinte vezes mais intensa, e...

– Alguém quer sorvete? – pergunta Lily, claramente percebendo a estranheza do momento.

– Mãe – diz Penny, chateada –, você precisa me *torturar*?

– Eu comprei sorvete especial para você.

Penny arregala os olhos e corre para dentro da casa.

– Tadinha – murmura Lily enquanto a seguimos, entrando na casa. – Sorvete cetogênico deve ser horrível.

– Você está subestimando o desespero dela – respondo. – Eu achava algumas coisas horríveis logo que me tornei vegana, e comecei a amar do...

– Bee! Bee! Olha, quero te mostrar uma coisa!

– O que é? – Sorrio e me agacho para ficar da altura dela.

– Esta é a Peluda, minha...

Meus olhos pousam na tarântula de pelúcia em suas mãos, e o som fica distante. Minha visão se turva. Sinto calor e frio ao mesmo tempo e, de repente, tudo escurece.

– Foi tão legal! Levi, eu amo muuuuito a sua namorada!

– Eu sei como é.

– Meu Deus! Será que eu ligo para a Emergência?

– Não, ela está bem.

Está tudo confuso, mas acho que me encontro nos braços de Levi. Ele segura pacientemente minha cabeça, mas não há nenhuma preocupação em sua voz. Na verdade, ele parece estranhamente encantado.

– Isso acontece o tempo todo.

– Calúnia – murmuro, lutando para abrir os olhos. – Mentiras.

Ele sorri para mim, e... ele é *tão* bonito. Eu amo seu rosto.

– Olha quem está nos agraciando com sua presença – diz ele.

– É hipoglicemia? – pergunta Lily, apreensiva. – Posso te dar alguma coisa para...?

– Bee é como eu! – interrompe Penny, batendo palmas, empolgada. – O cérebro dela também tem explosões de eletricidade! Ela tem convulsões!

– Parece um pouco com convulsões – digo, me endireitando.

– Bee tem um sistema nervoso parassimpático inútil, o que é uma fonte inesgotável de diversão – explica Levi a Penny.

– Com licença. – Faço uma careta. – Nem todo mundo tem o luxo de ter uma pressão arterial estável.

– Eu não disse que não era fofo – murmura ele, bem baixinho, perto do meu ouvido.

Sua barba por fazer arranha minha pele. Seus lábios macios a acariciam.

Penny também parece achar divertido.

– Sua irmã gêmea também desmaia?

– Não. Ela ficou com todas as coisas melhores.

Como a habilidade de arrotar no ritmo do hino nacional francês.

– É tão legal!

– Na verdade, é uma resposta autonômica muito mal-adaptada.

– Você pode fazer de novo?

– Não, meu bem. Não sei fazer de propósito.

– Então quando você faz?

– Depende. Às vezes, em situações muito estressantes ou surpreendentes. Às vezes, basta ver coisas que me dão medo, como cobras ou aranhas.

Os olhos de Penny se arregalam.

– Então se eu te mostrar a Peluda de novo...

Levi e Lily gritam "Não!" ao mesmo tempo, mas é tarde demais. Penny pega rapidamente o brinquedo que está segurando atrás das costas, e tudo escurece outra vez.

Passamos o dia com as Sullivans, e depois que Peluda é trancada em um armário fora do alcance de Penny, nos divertimos muito. Na hora de ir embora, eu sei mais sobre Pokémon do que jamais quis saber, e Penny tentou me fazer desmaiar de novo aproximadamente umas vinte vezes, desenhando aranhas em cada pedaço de papel disponível.

Aquela monstrinha. Eu a amo de paixão.

Mas, quando nos despedimos na porta da casa, concordando em voltar em breve, é quase como se um piano despencasse na minha cabeça.

– Quanto tempo você vai ficar em Houston? – pergunta Lily.

Tudo que posso fazer é me encolher e chegar mais perto de Levi.

– Não está definido – respondo. – O projeto a princípio deveria durar cerca de três meses, mas as coisas estão indo muito bem, então... – Dou de ombros.

O braço de Levi me aperta mais. Estou plenamente ciente de que ele e eu somos a definição dicionarizada de transitório. Mas estou gostando tanto disso. Da companhia dele. De seus amigos. Da sua comida. Ficarei triste quando acabar, daqui a algumas semanas.

– Seus pais ainda vêm à cidade na próxima semana? – pergunta Lily.

O braço de Levi se contrai novamente, dessa vez de uma forma completamente diferente. Antes era possessivo, tranquilizador. Agora é só tenso mesmo.

– Vêm.

– Ai. Que droga. Me avisa se precisar de alguma coisa.

Curiosa, toco no assunto assim que nos vemos sozinhos na caminhonete.

– Sua família vem visitar?

Ele liga o veículo, olhando para a frente. Estou começando a reconhecer seus humores, mas com esse não estou familiarizada. Ainda.

– Meus pais. Eles vêm para algum evento na base da Força Aérea local.

– E você vai vê-los?

– Provavelmente vamos jantar.

– Quando?

– Não tenho certeza. Meu pai vai me avisar quando estiver livre.

Faço que sim. E então ouço uma voz que se parece muito com a minha perguntar:

– Posso ir?

Ele solta uma risada.

– Você gosta de silêncios tensos interrompidos de vez em quando por "me passe o sal"?

– Não pode ser assim tão ruim. Ou vocês nem se encontrariam.

– Você ficaria surpresa com o esforço gigantesco do meu pai para que eu saiba que ele está profundamente decepcionado comigo.

– E a sua mãe?

Ele apenas dá de ombros.

– Olha – falo –, eu posso comentar como o Blink está indo incrivelmente bem. Posso dizer que você é o engenheiro de referência para a maioria dos neurocientistas. Posso imprimir sua publicação na *Nature* e usá-la para limpar delicadamente minha boca após o primeiro prato.

– É melhor que seja um prato só. E Bee... – Ele balança a cabeça. – Não é que eu não queira que você os conheça ou que eu esteja envergonhado. É só que vai ser *realmente* ruim.

Pelo menos você tem uma família ruim, penso, mas não digo. Tenho quase certeza de que os pais de Levi não são tão horríveis quanto ele faz parecer. Estou igualmente certa de que, para Levi, eles são, e isso é tudo que importa.

– Não quero ser insistente, mas também quero muito estar presente. Eu posso ir, e a gente finge que sou sua namorada.

Ele me dirige um olhar intrigado.

– Não há muito o que fingir.

– Não... Podemos fingir que estamos a um passo do casamento. Posso colocar meu piercing de septo de lótus e deixar minhas tatuagens à mostra. Vou usar uma camiseta de campanha política e jeans rasgados. Pense no quanto eles vão me odiar!

Percebo que Levi não está nem um pouco a fim de sorrir, mas também percebo que ele simplesmente não consegue evitar.

– Ninguém conseguiria te odiar. Nem mesmo meu pai.

Eu pisco para ele.

– Aceito o desafio.

20

ÁREA TEGMENTAL VENTRAL: AMOR ROMÂNTICO

NO FIM DAS CONTAS, O PAI DE LEVI é perfeitamente capaz de me odiar. Assim como a mãe e o irmão mais velho, que também aparece para o jantar, em uma surpresa não muito agradável.

Mas vamos começar pelo início. Antes que O Jantar aconteça, temos dias de preparação intensa para a próxima demonstração do Blink. Parafusos são apertados, frequências de estimulação são ajustadas; Guy é cutucado, espetado e leva choques no couro cabeludo. Ele é um soldado: a demonstração é do capacete, mas, como primeira cobaia, ele estará no centro das atenções, e é claro que está nervoso por causa disso. Nos últimos dias, ele tem se mostrado temperamental, ansioso e mais cansado do que nunca. Acho que ele tem guardado seus medos para si para não prejudicar o moral, o que me faz querer dar um abraço nele. Na outra noite, fui até seu escritório para ver como estava: ele pulou de susto da cadeira e rapidamente fechou todas as abas no seu computador. Será que até astronautas desestressam em sites pornô?

Rocío e Kaylee estão a cada dia mais grudadas. Eu as ouço na sala de descanso enquanto esquento o refogado do dia anterior em uma tentativa de impressionar Levi com o único prato que sei cozinhar, o que resultou na dolorosa descoberta de que sei preparar o total de zero prato.

– Se ela estivesse disposta a comentar sobre como o movimento começou, seria maravilhoso – diz Rocío.

– Ela parece bem reservada.

– Podíamos borrar o rosto dela. Usar um aplicativo para alterar a voz. Ou inserir um efeito de gás hélio.

– Amor, isso afetaria a seriedade da mensagem.

– E uma máscara do Guy Fawkes?

– Eu amo *V de Vingança*... mas não.

– Do que vocês estão falando? – pergunto, espetando um pedaço de cenoura que consegue estar ao mesmo tempo queimado *e* meio cru. Incrível. Isso só pode ser um dom raro.

– Você conhece o movimento #AdmissõesJustasNaPós, certo? – pergunta Kaylee.

Deixo minha cenoura cair de volta na vasilha.

– Ah... já ouvi falar.

– É sobre garantir que o processo de admissão seja inclusivo. Organizações estudantis estão muito ativas no movimento, mas Ro e eu tecnicamente não somos estudantes, então... – Ela vira o notebook para mim. – Estamos criando o site #AdmissõesJustasNaPós! Ainda não está pronto, mas vamos lançá-lo em breve. Vai ter notícias, fontes, oportunidades de mentoria. E vamos pedir uma entrevista à Marie Curie.

Termino de mastigar e engulo. Apesar de não ter colocado a cenoura na boca. Devo estar comendo minha língua.

– Marie Curie?

– Não a *verdadeira* Marie Curie! Mas isso seria *hilário*! – Kaylee ri da confusão por mais ou menos meio minuto, durante o qual Rocío a observa com um olhar apaixonado. Ah, o amor juvenil... – Ela é a pessoa que começou toda essa conversa. Queremos lançar o site com uma entrevista dela, mas ela é bem anônima. – Kaylee estende as mãos. As unhas estão pintadas com um azul-claro iridescente.

Eu pigarreio.

– Talvez ela concorde em fazer por e-mail.

– Que ótima ideia! – Ro e Kaylee trocam um olhar ofensivamente impressionado. Então Kaylee lambe o polegar e limpa alguma coisa no canto do olho de Rocío. – Espera, amor. Está borrado aqui.

Eu saio da sala sustentando o olhar de Rocío e formando as palavras "Tchau, amor" só com o movimento dos lábios. Nunca vou conseguir expressar como eu amo a evolução desse relacionamento.

Com tantas coisas em jogo na sexta-feira, todos estão frenéticos demais para perceber que Levi passou a trazer café para a minha mesa; a se certificar de que eu não fique muito tempo sem uma pausa; a sorrir de leve e perguntar se vou desmaiar sempre que um inseto aparece voando no laboratório; a zombar de mim por causa das pequenas pilhas de petiscos que deixo para Félicette.

Eu percebi. E sei que ele só está sendo um bom amigo, uma pessoa generosa, um colega incrível, mas dói um pouco. Não dói *dói*. Mas sabe aquelas pontadas? Aquelas pequenas fisgadas que sinto quando Levi me encara? Quando estamos correndo juntos e ele naturalmente acerta seu ritmo com o meu? Quando ele deixa para mim os M&Ms veganos amarelos porque sabe que são os meus favoritos? (Sim, são mais gostosos do que os vermelhos.) Bem, essas fisgadinhas estão começando a ficar um pouco dolorosas. Como lâminas cravadas em todo o meu peito.

Bizarro. Inusitado. Estranho. Peculiar. Faço uma anotação no meu aplicativo de lembretes: *Consultar um clínico geral em Bethesda.* Já passou da hora de fazer um check-up.

Enfim… O trabalho está fantástico, o sexo, melhor ainda e a #AdmissõesJustasNaPós está prestes a abalar as estruturas na academia, o último bastião do modelo de aprendizado das guildas medievais. As coisas estão indo muito bem, certo?

Errado. Vamos voltar para O Jantar.

O primeiro sinal de que as coisas talvez não corressem *superbem* (ou, como classifico, meu primeiro Ô-ôu®) vem quando descubro que a família de Levi sugeriu jantar em uma churrascaria chique. E quando digo "sugeriu", quero dizer "decidiu". Não tenho nenhum problema com as pessoas comerem carne, mas o completo desprezo pelas preferências alimentares de Levi não parece nada paternal.

O cheiro de bife nos envolve assim que entramos. Olho para Levi, e ele diz, em tom de desculpas:

– Vou preparar um jantar para você depois.

O que causa uma espécie de... tsunami dentro de mim. Sério. As pontadas? Não são *nada*. Estou sendo submersa por uma ridícula onda de afeto por esse homem vegano cujos pais, pessoas certamente irritantes, o convidaram para uma churrascaria, e a primeira preocupação dele é que *eu* não fique com fome. É um sentimento cálido que ameaça explodir dentro do meu peito, motivo que me faz parar Levi na entrada, segurar sua camisa social cinza e o puxar para um beijo.

Não costumamos nos beijar em público. E mesmo quando estamos só nós dois, em geral não sou eu quem inicia o contato. Ele arregala os olhos, mas imediatamente se curva na minha direção.

– Eu também, hã... – murmuro de encontro aos lábios dele – ... vou fazer coisas pra você. Depois.

Uau. Muito sexy, Bee. Muito confiante, sua sedutora.

Ele fica vermelho.

– Vai...?

Confirmo com a cabeça, subitamente tímida. Mas nos beijamos, e esse é o meu segundo Ô-ôu®. Porque alguém pigarreia atrás da gente, e eu imediatamente sei quem é.

Oops.

O pai de Levi é uma versão mais baixa, ligeiramente menos bonita e menos musculosa dele. Os cabelos ondulados e os olhos verdes ele herdou da mãe. E a terceira pessoa... Há um outro homem com eles, e fica claro que Levi está surpreso. Dada a semelhança, também é óbvio que se trata de um dos seus irmãos.

Ai, meu Deus. Essa é a família de Levi. A *vida* de Levi. Estou muito curiosa. Quero saber tudo sobre eles. O que explica por que estou olhando tão fixamente para todos, a ponto de perder as apresentações. Grandes chances de ser um terceiro Ô-ôu®.

– ... meu irmão mais velho, Isaac. E esta é a Dra. Bee Königswasser.

Eu sorrio, pronta para dizer "prazer em conhecê-los" no tom mais radiante do mundo, mas o pai de Levi me interrompe:

– Uma namorada, é?

Eu tento não enrijecer.

– É. Colega de trabalho também.

Ele assente, desinteressado, e segue para a mesa.

– Eu te disse que seu filho provavelmente não era gay – diz ele em um tom banal para a esposa, que o acompanha com uma dose saudável de indiferença.

Isaac vem a seguir, depois de um breve sorriso para nós dois, um pouco menos indiferente. O inesperado é que, quando olho para Levi, ele também parece indiferente. Apenas pega minha mão e me conduz para a mesa.

– Você pode ir embora a qualquer momento, ok?

Eu me pergunto para quem ele está falando isso.

Levi e eu precisamos de aproximadamente meio segundo com o cardápio para decidir nosso pedido (salada da casa, sem queijo e temperada apenas com azeite). Ficamos em silêncio enquanto seus pais continuam uma conversa com Isaac que claramente começou no carro. Ninguém sequer perguntou a Levi "Como você está?", e ele parece… bem com isso, o que é perturbador. Sua única reação é olhar para outro lugar. Fitando um ponto a distância, ele brinca com os dedos da minha mão esquerda embaixo da mesa, como se eu fosse um milagroso brinquedo antiestresse. Não sou nenhuma especialista em jantares em família – ou em famílias –, mas essa situação é absurda. Então, quando se faz um momento de silêncio, eu tento lembrar os Wards da nossa existência.

– Sr. Ward, o senhor…

– Coronel – diz ele. – Por favor, me chame de coronel.

E então imediatamente se vira para dizer algo a Isaac. Que tal esse quarto Ô-ôu®?

A primeira interação é depois que a comida chega.

– Que tal a salada, Levi? – pergunta a mãe.

Ele termina de mastigar antes de responder:

– Ótima.

Levi consegue soar sincero, como se não fosse uma muralha de 1,95 metro e 90 quilos que precisa de quatro mil calorias por dia. Eu o observo, incrédula, e percebo algo: ele não está calmo, nem indiferente, nem relaxado. Está *fechado*. Bloqueado. Inescrutável.

– Tudo certo no trabalho? – pergunta Isaac.

– Sim. Alguns projetos novos.

– Há pouco tempo tivemos um avanço em um projeto que tem potencial para ser extraordinário – digo com empolgação. – E Levi é quem está liderando…

– Alguma chance de a Nasa reconsiderar sua candidatura para o Corpo de Astronautas? – pergunta o Coronel, me ignorando.

Ô-ôu® número 5. Será que eu deveria tomar um shot a cada um?

– Duvido. A menos que eu corte meus pés.

– Não gosto do seu tom, filho.

– Eles não vão reconsiderar. – A voz de Levi é branda. Tranquila.

– A Força Aérea não tem restrições de altura – diz Isaac com a boca cheia. – E gostam de pessoas com diplomas chiques.

– Sim, Levi – intervém a mãe. – E a Força Aérea só vai te aceitar até os 39 anos. E na Marinha é...

– Até os 42 – informa Isaac.

– Isso, 42. Você não tem muito tempo para tomar a decisão.

Eu pensei que os pais de Levi não seriam tão horríveis quanto ele os descreveu, mas são dez vezes piores.

– E no Exército o limite é 35... Quantos anos você tem, Levi?

– Tenho 32, mãe.

– Bem, o Exército provavelmente não seria sua primeira opção...

– E a Legião Estrangeira Francesa? – pergunto, enrolando uma mecha de cabelo roxo no dedo.

O ruído dos garfos cessa. Três pares de olhos me observam, incrédulos. Levi fica apenas... alerta, como se aguardasse, curioso, o que está por vir. Deus, o que essas pessoas fizeram com ele?

– Quais são as exigências de idade para a Legião Estrangeira Francesa? – retomo.

– Por que ele ia querer entrar para o Exército de outro país? – pergunta o Coronel, gélido.

– Por que ele ia querer entrar para o Exército americano? – replico, com um gracejo.

Não acredito que o podre do Tim Carson nasceu de uma família amorosa e perfeita, e alguém que é amoroso e perfeito como Levi veio de parentes tão podres.

– Ou para a Força Aérea, a Marinha ou os Escoteiros? Obviamente não é a vocação dele. E não é como se ele trabalhasse lavando dinheiro para um cartel de drogas. Ele é um engenheiro da Nasa reconhecido por milhares de pessoas. Ele ocupa uma posição bem remunerada. – Na verdade, não tenho a menor ideia de quanto Levi ganha, mas levanto uma sobrancelha e continuo: – Ele não está desperdiçando a vida num trabalho sem futuro.

Ô-ôu® número 6. Não tomar shots foi uma oportunidade *completamente* desperdiçada. Com certeza tornaria o silêncio duradouro mais suportável. E ele dura. E dura.

Até que o Coronel o quebra.

– Srta. Königswasser, você é muito grosseira…

– Não é, não – interrompe Levi com firmeza. Com calma. Mas com intensidade. – E é Dra. Königswasser. – Levi sustenta o olhar do pai por um momento, então se vira para o irmão: – E você, Isaac? Como está o trabalho?

Eu me recosto na cadeira, percebendo o olhar cheio de desconfiança e ódio que o Coronel me lança. Eu lhe dirijo um sorriso radiante e falso, e passo a prestar atenção no que Levi está dizendo.

No momento em que entramos na caminhonete, tiro meus tênis, apoio os pés no painel e (com os Quasimodedos completamente expostos) grito:

– É inacreditável!

– Hein?

– É *incompreensível*. Cacete, devíamos fazer um estudo de caso com isso. A *Science* publicaria. A *Nature*. O *New England Journal of Medicine* publicaria. Me renderia um Prêmio Nobel. Marie Curie. Malala Yousafzai. Bee Königswasser.

– Parece perfeito. Mas o que é "isso"?

– No mínimo, seríamos pré-selecionados! Poderíamos viajar para Estocolmo. Ver os fiordes. Encontrar a minha irmã aventureira.

Ele liga o ar-condicionado.

– Vamos para Estocolmo quando você quiser, mas vai ter que me dizer qual é o assunto, para eu poder acompanhar essa conversa.

– Eu simplesmente não consigo acreditar como… como você é *normal*! Quer dizer, tudo bem, você e eu tivemos nossas… questões no que diz respeito a interações sociais, mas estou perplexa que você não tenha se tornado um psicopata, considerando a família que tem. Só pode ser um milagre, não?

– Ah. – Ele abre um meio sorriso. – Quer tomar um sorvete?

269

— Você não tinha nem a natureza *nem* a criação a seu favor!
— Então não quer sorvete?
— Óbvio que eu quero sorvete!
Ele assente e vira à direita.
— Foi preciso um pouco de terapia.
— De quanta terapia estamos falando?
— Uns dois anos.
— Estava vinculada a um transplante cerebral?
— Só muita conversa sobre como minha incapacidade de comunicar as minhas necessidades de forma funcional deriva de uma família que nunca me permitiu fazer isso. O de sempre.
— Eles *ainda* não te permitem! Ficam tentando te... te *apagar* e te transformar em outra coisa!
Estou colérica. Enfurecida. Colericamente enfurecida. Quero me transformar em uma Beezilla e depredar a família Ward no próximo Dia de Ação de Graças. É bom que Levi me convide.
— Eu já tentei argumentar com eles. Já gritei. Já me expliquei calmamente. Já tentei... muitas coisas, acredite. — Ele suspira. — Por fim, tive que aceitar o que meu terapeuta sempre disse: a única coisa que você pode mudar é a sua própria reação aos acontecimentos.
— Seu terapeuta parece ótimo.
— Ele era.
— Mas eu ainda quero cometer parricídio.
— Não é parricídio se não for o seu próprio pai.
Deixo escapar um grito de raiva.
— Você não devia falar com eles nunca mais.
Levi sorri.
— Isso com certeza vai deixá-los abalados.
— Não, sério. Eles não te merecem.
— Eles não são... legais. Com certeza. Já considerei cortar relações muitas vezes, mas meus irmãos e minha mãe são muito melhores quando meu pai não está por perto. E de qualquer forma... — Ele hesita. — Hoje não foi tão ruim. Talvez tenha sido o melhor jantar que tive com eles em muito tempo. E tudo graças a você ter dado uma dura no meu pai, o que o deixou temporariamente sem palavras.

Se esse jantar "não foi tão ruim", então eu sou um ídolo do K-pop. Observo as luzes do crepúsculo de Houston, pensando que a maneira como a família o trata deveria diminuí-lo aos meus olhos e percebendo que a realidade é justamente o oposto. Levi se defende de forma tranquila e paciente. Ele *vê* os outros dessa maneira.

Outra pontada no meu coração. Não sei por quê. Eu realmente...

– Levi?

– Oi?

– Quero te dizer uma coisa.

– Já falei: seus pulmões não estão encolhendo porque você está treinando para uma corrida...

– Meus pulmões estão encolhendo *com certeza*, mas não é isso.

– O que é, então?

Respiro fundo, ainda olhando pela janela.

– Eu gosto muito, muito, *muito* de você.

Ele não responde por um longo momento. E então:

– Tenho certeza de que eu gosto mais de você.

– Duvido. Eu só quero que você saiba que nem todo mundo é como a sua família. Você pode ser... pode ser *você mesmo* comigo. Pode falar, fazer o que quiser. E eu nunca vou te magoar como eles. – Eu me obrigo a sorrir para Levi. Agora é fácil. – Prometo que não mordo.

Levi estende o braço para pegar a minha mão, sua pele quente e áspera contra a minha. Ele retribui o sorriso. Só um pouco.

– Você poderia me estraçalhar, Bee.

Ficamos em silêncio pelo resto do caminho.

Schrödinger se enfiou na minha mochila, abriu um pacote de chips de couve, concluiu que não eram do seu agrado e foi tirar um cochilo com a cabeça dentro do pacote meio vazio. Caio na risada e proíbo Levi de acordá-lo antes que eu possa tirar um milhão de fotos para enviar para Reike. É o melhor acontecimento do dia – um lembrete de que enquanto a verdadeira família de Levi é horrível, a família que ele criou para si é ótima.

— Estou muito impressionada — falo para Schrödinger enquanto acaricio seu pelo.

— Não faça carinho, ou ele vai se sentir recompensado — avisa Levi.

— Você está se sentindo recompensado, gatinho?

Schrödinger ronrona. Levi suspira.

— Não interprete o que a Bee está fazendo como carinho. São carícias de castigo — diz ele, provavelmente querendo soar firme, mas na verdade soando adoravelmente vencido, o que me faz experimentar outra pontada, em meu coração *e* nos ovários.

Espero que um dia ele tenha filhos. Vai ser um ótimo pai.

— Esse pacote ficou na minha mesa por dias, e Félicette nunca conseguiu abrir.

— E isso não tem nada a ver com o fato de Félicette não existir! — grita Levi da cozinha.

— Você devia ensinar seus truques a Félicette — sussurro para Schrödinger.

Então vou ao encontro de Levi na cozinha, bem a tempo de vê-lo jogar fora o que restou dos meus chips de couve inexplicavelmente caros comprados em um mercado de comida orgânica.

— Ainda está com fome? Quer que eu prepare alguma coisa?

Faço que não.

— Tem certeza? Não me importo de fazer...

Ele se cala quando me ajoelho. Seus olhos se abrem mais, assim como meu sorriso.

— Bee — diz ele.

Embora não *diga* exatamente. Ele articula meu nome, sem som e sem fôlego, como em geral acontece quando o toco. E agora meus dedos estão em seu cinto, o que pode ser considerado toque. Certo?

— Bee — repete ele, um pouco gutural dessa vez.

— Eu disse que faria coisas — respondo com um sorriso.

A fivela do cinto tilinta ao atingir algum eletrodoméstico. Seus dedos se entrelaçam em meu cabelo.

— Achei que você queria dizer... assistir a um jogo comigo. Ou fazer outro de seus queimados... digo... refogados.

Eu tiro sua cueca boxer e envolvo seu pênis com minha mão pequena. Ele já está completamente duro. Imenso. Incrivelmente quente em minha pele. Levi cheira a sabonete e a ele mesmo, e eu quero engarrafar esse perfume delicioso e levá-lo sempre comigo.

– Não sou muito boa com refogados. – Minha respiração sai muito próxima de sua pele, provocando espasmos em seu pênis. – Mas espero conseguir fazer isto aqui direito.

Não estou exatamente confiante, e talvez seja um pouco desajeitada, mas quando passo delicadamente a língua pela cabeça do pau, ouço um gemido baixo e surpreso vindo de cima, e talvez eu me saia bem. Fecho os lábios em torno dele, sinto as mãos de Levi se contraírem em meus cabelos, e minhas inseguranças se dissolvem.

Não sei por que não fizemos isso antes. Talvez porque normalmente ele se mostre impaciente para estar dentro de mim, em cima de mim, perto de mim. Há sempre uma vibração apressada entre nós, como se ambos quiséssemos, precisássemos, merecêssemos estar o mais fisicamente próximos possível, o mais rápido possível, e... isso não deixa muito tempo para demoras, acho.

Mas Levi quer isto aqui. Pode não ser uma coisa que ele pediria, mas vejo o prazer em seu rosto, ouço em seus arquejos. Sugo logo abaixo da cabeça, e ele deixa escapar um som de prazer perplexo e avassalador. Então entrelaça os dedos mais ainda em meus cabelos e começa a me guiar. O pênis dele é grosso demais para que eu consiga fazer muita coisa, mas tento relaxar, me permitir aproveitar esse momento, me perder no sabor, no volume, nos gemidos suaves e profundos de Levi enquanto ele me diz como está gostoso, como ele ama minha boca, como ele ama o que estou fazendo, como ama...

– Puta que pariu. – Seu polegar traça suavemente a protuberância do pau contra a minha bochecha. Meus lábios estão obscenamente esticados em volta dele. – Você realmente é tudo que eu sempre quis – murmura ele, gentil, reverente, rouco.

E então ele volta a me ajustar, dessa vez em um ritmo mais profundo, objetivo, manobrando minha boca para que lhe dê prazer. Quando Levi me segura e diz "Vou gozar na sua boca" como se fosse inevitável, como se nós dois precisássemos tanto disso que fosse impossível parar, deixo escapar um gemido em torno de sua ereção, porque quero muito que ele goze.

Ele perde um pouco do controle ao gozar, seus grunhidos profundos e incomumente roucos, sua mão segurando firme minha cabeça, e eu sinto seu orgasmo percorrer meu corpo como se fosse meu. Eu o chupo delicadamente até o fim e, quando ergo os olhos, estou molhada e intumescida e me sentindo vazia, trêmula, atordoada ali no chão.

– Abre a boca – ordena ele, a voz rouca.

Fico confusa. Ele segura meu rosto.

– Quero que você abra a boca e me mostre.

Eu obedeço, e o som que ele emite, possessivo, faminto e por fim satisfeito, me percorre como uma onda. Levi massageia minha nuca enquanto engulo, seu polegar acariciando meu maxilar, e, quando sorrio, ele me olha como se eu tivesse acabado de lhe dar um presente divino.

Essa é uma longa noite. Por algum motivo, é diferente das outras. Levi me despe bem devagar, parando com frequência, demorando-se, perdendo o foco como se distraído pela minha pele, minhas curvas, os sons que deixo escapar. Eu solto gemidos, me contorço, imploro, e mesmo assim ele não me penetra, ocupado em traçar o contorno do meu seio, pressionando a língua contra o meu clitóris, acariciando meu pescoço com o nariz. Pairo à beira do precipício por muito tempo, assim como Levi, imóvel dentro de mim, em seguida se movendo de modo intenso, delicioso e lento, entrando e saindo bem devagar, beijos longos e entorpecentes estendendo o prazer entre nós, fazendo meu corpo espasmar querendo o dele. E então ele me olha, as mãos entrelaçadas às minhas, os olhos entrelaçados aos meus, a respiração entrelaçada à minha.

– Bee – diz Levi.

Somente isso, o meu nome, quase como um arquejo, como um apelo. Ele me olha como se eu fosse sua dona. Como se seu futuro estivesse em minhas mãos. Como se eu tivesse em mim tudo que ele sempre quis. Isso faz meu peito doer e pular com uma espécie de felicidade perigosa e ensurdecedora.

Fecho os olhos para não ver e deixo o calor líquido crescer dentro de mim como a maré, subindo e baixando a noite toda.

21

GIRO FRONTAL INFERIOR DIREITO: SUPERSTIÇÃO

DIZ O DITADO QUE UMA DESGRAÇA nunca vem só, mas isso não é verdade. É apenas um capricho da mente humana, sempre à procura de padrões em observações estatísticas aleatórias para dar sentido ao caos.

Por exemplo, digamos que você seja a Dra. Marie Skłodowska-Curie, perto de 1911. Sua saúde vem se deteriorando após décadas passadas brincando em piscinas infantis cheias de polônio. Tudo causa dor e você mal consegue enxergar, andar, dormir e brincar em mais polônio. Uma bosta, certo?

Bem, as coisas podem piorar. Você decide fazer aquilo que vem adiando: candidatar-se a membro da Academia Francesa de Ciências. Você tem dois Prêmios Nobel, então sua aceitação está garantida, correto? *Errado*. A academia rejeita você e em seu lugar admite um tal Édouard Branly, que, tenho certeza, tem muitas qualidades – como um pênis, por exemplo. (Se você está se perguntando "Quem é Édouard? Nunca ouvi falar desse cara!", é *exatamente* o que quero dizer. Excelente trabalho, Academia Francesa! Assuma seu lugar ao lado dos Otários da História, perto da Universidade de Cracóvia.)

Já são duas grandes frustrações, e você provavelmente está pensando: o bolo de merda está finalizado. Nenhuma outra catástrofe acontecerá por algum tempo. Mas você esqueceu a cereja do bolo: alguém invade o apartamento do seu jovem amante, rouba as cartas de amor que você escreveu e as vende para o equivalente da Fox News do início do século XX na França.

Imagine ser a Dra. Curie. Imagine ficar sentada em seu minúsculo apartamento de Paris, tentando comer uma baguete com camembert enquanto a turba grita enfurecida diante da sua janela porque você ousou (meu Deus!) ser uma *imigrante*! Ser uma *mulher das áreas STEM! Trepar!* Você não diria a si mesma que existe algum motivo para esse monte de merda acontecer? Saturno ascendendo à casa de Sagitário. Um número insuficiente de carneiros sacrificados ao Monstro do Espaguete Voador. Uma desgraça nunca vem só. Somos apenas humanos. Somos cheios de "porquês", nos afogamos em "porquês". De vez em quando precisamos de alguns "porquês" e, se não estiverem prontamente disponíveis, nós os inventamos.

Resumindo (mais ou menos): apesar da crença popular, um ditado é só um ditado, e desgraças *não* necessariamente vêm em grupos.

Exceto quando vêm.

A primeira chega na noite de quinta-feira, logo depois do bem-sucedido ensaio para a apresentação de sexta. Estou quase ansiosa para ver Trevor amanhã – bem, não *ele* exatamente, mas a cara dele quando se der conta do que meu afetado cérebro feminino foi capaz de realizar. Distraída, cumprimento Lamar com um *high five* enquanto verifico o celular, e fico tão chocada com minhas notificações do Twitter que esqueço a mão parada no ar.

Elas estão bombando. De um jeito ruim. Como acontece com frequência. Só que, desta vez, a confusão caótica de ofensas não está vindo dos incels nem de babacas das áreas STEM que se acham o máximo, nem dos ativistas dos direitos masculinos, mas de outras mulheres das áreas STEM.

– Vai ficar com a mão assim? – pergunta Lamar, indicando meu braço.

Eu dou um sorriso sem graça e me afasto.

@SabineMarch Não acredito que você nos traiu desse jeito.

@AstroLena Espero que a STC te processe, sua puta. #OqueMarieFariaCancelada

@Sarah_08980 Centenas de mulheres das áreas STEM vêm trabalhando incansavelmente para a #AdmissõesJustasNaPós, e o tempo inteiro você fingia ser uma aliada, mas só estava buscando lucro financeiro. Que vergonha.

O último tuíte é de uma pessoa com quem troquei mensagens ontem mesmo. Conversamos sobre os eventos que ela estava organizando, ela me pediu conselhos, me disse que adorava o meu perfil. Paro diante da tela e começo a procurar a origem desse inferno.

Não demoro a encontrar. O perfil é de um tal Jonathan Green – um nome familiar, mas que só consigo situar ao ler a bio dele no Twitter: vice-presidente da STC. Franzo a testa e em seguida vejo o tuíte.

É o print de uma tela. Muitos prints. De uma conversa que aconteceu em uma troca de mensagens privadas no Twitter entre o Sr. Green e outra pessoa. Uma pessoa cuja foto parece muito Marie Curie de óculos escuros. Leio o nome: @OQueMarieFaria. Eu.

Impossível. Nunca troquei mensagens com esse cara. Eu rapidamente examino o nome de novo, uma, duas, três vezes, procurando erros de digitação ou letras faltando que indicariam um impostor. Nada. Começo a ler a conversa. A data e a hora são da noite de ontem.

@OQueMarieFaria Oi, Jonathan. Sei que isto é pouco ortodoxo, mas espero que o que tenho a dizer seja benéfico para nós dois. Sei que a STC vem lutando contra a publicidade negativa que a #AdmissõesJustasNaPós causou e que você está preocupado com a possibilidade de o movimento ganhar ainda mais força. Como você sabe, sou uma das ativistas mais proeminentes da causa e desempenhei um papel importante na sua criação. Você provavelmente me vê como inimiga, mas não precisa ser assim.

@OQueMarieFaria Gostaria de lhe oferecer um acordo. Estou

aberta a ajudar a mudar a narrativa em relação à STC e a dizer aos meus seguidores e colaboradores que as exigências da #AdmissõesJustasNaPós são excessivas; que, embora possa haver necessidade de melhorias, nós precisamos, sim, de testes padronizados e, portanto, seria do nosso interesse trabalhar com empresas que já existem, a fim de aperfeiçoar as ferramentas que já são amplamente utilizadas. Evidentemente, eu não faria isso de graça. Meu nome verdadeiro é ███████████, para o caso de vocês precisarem verificar minhas credenciais. Estou aberta a ouvir suas propostas.

Eu hesito olhando para a tela, perplexa. Em seguida, rolo a tela para cima para ler o comentário público que Green fez acima dos prints.

@JgreenSTC Os ativistas da #AdmissõesJustasNaPós e as universidades e instituições que os levam a sério deviam ler o que @OQueMarieFaria, uma de suas líderes, me pediu. Esta é a verdadeira pauta desse movimento: extorsão.

@JgreenSTC Na STC decidimos não tornar pública a identidade dessa pessoa (por enquanto). Estamos consultando nossos advogados e mantendo nossas opções em aberto. Nesse meio-tempo, aproveite para reconsiderar sua posição, #AdmissõesJustasNaPós.

Estou me sentindo tonta. Porque não estava respirando. Eu me forço a inspirar um pouco de ar, inspirar e expirar, repetidamente. Isso só pode ser Photoshop. Sim. Não tem outra explicação. Muito bem-feito, mas... no doutorado, Annie photoshopou um tentáculo saindo da sua bunda. Qualquer coisa é possível, certo?

Eu me sento à minha mesa, notando que diversas pessoas com quem falei recentemente me bloquearam – elas acreditaram nessa merda? Não é possível. Elas me *conhecem*. Certo?

MARIE: Shmac, acabei de ver o pandemônio da STC. Você viu?

Fico balançando o pé, esperando a resposta dele. Minutos depois, Rocío entra e começa a guardar coisas na mochila. Quando falo "guardar", estou querendo dizer "jogar violentamente, como se estivesse praticando seu arremesso para um apedrejamento iminente".

– Você está bem? – pergunto, e me arrependo antes mesmo que as palavras saiam da minha boca. Estou ansiosa demais para ajudá-la com qualquer coisa.

– Não.

Merda.

– Kaylee está bem?

– Não. Está se sentindo um *lixo*. – Ela fecha o zíper da mochila, passando energicamente o braço por uma das alças. – Todo o trabalho que temos feito para a #AdmissõesJustasNaPós foi pelo ralo porque uma das líderes se revelou uma maldita picareta.

Eu congelo. De todas as conversas, não consigo imaginar uma mais desconfortável, descabida, desagradável... muitos *Des*.

– Eu... eu vi – gaguejo. Minha boca está seca. – Mas... aquilo é de verdade? Provavelmente foi forjado...

– Aposto que não. As pessoas estavam dizendo que os prints da STC eram falsos, então ele mostrou provas a alguns líderes da #AdmissõesJustasNaPós. Marie realmente mandou mensagens no privado desse cara pedindo dinheiro. Ela nos ferrou... E foi uma das primeiras a levantar a #AdmissõesJustasNaPós, então não vamos mais ser levados a sério. Isso significa que muita gente boa vai aguentar muita merda... e algumas pessoas ruins também. Como eu. Vou ter que gastar milhares de dólares que não tenho para refazer um exame que fala tanto da minha capacidade de êxito na pós-graduação quanto a quantidade de escorpiões mumificados que tenho. Que são sete, a propósito. – A voz dela falha na última palavra, o que parte meu coração. Ela desvia os olhos, mas não antes que eu veja a lágrima solitária escorrendo por seu rosto. – Não vou entrar na Johns Hopkins. Vou ser uma fracassada, sem emprego, enquanto Kaylee vai para a pós e vai se esquecer totalmente de mim.

Eu me levanto.

– Não. Não, nada disso vai acontecer...

– Estou tão decepcionada. – Ela respira fundo, trêmula e desolada. – Não se pode confiar em ninguém. O mundo realmente é um vampiro. – Rocío dá de ombros, a mochila batendo nas costas. – Aliás, você deveria parar de fazer isso.

– O quê?

Sigo o olhar dela, que está na minha mão, onde giro furiosamente a aliança da minha avó.

– Ontem passei 15 minutos discutindo com Guy se você era casada ou não. É isso que acontece quando você usa a aliança de outra pessoa, Bee.

Merda. Merda, merda, *merda*. Será que Guy descobriu? Ele realmente pareceu um pouco distante hoje, mas achei que estivesse apenas nervoso com a demonstração de amanhã. Será que devo procurá-lo e explicar?

– Você vai para casa? – pergunta Rocío.

– Não, eu...

Eu combinei de ir embora junto com Levi, como sempre. Mas acho que não consigo fingir que nada aconteceu, e contar a ele sobre essa confusão parece... bem, eu poderia contar, acho. Se existe alguém em quem eu poderia confiar para falar sobre o OQMF, é Levi. Mas acho que ter que lidar com meu péssimo estado de espírito enquanto defendo a minha identidade on-line pode ser demais para ele.

– Sim, claro. Vou andando com você.

Mando para Levi uma rápida mensagem sobre a mudança de planos e alcanço Rocío. Ele só me responde quando já estou em casa e me pergunta se está tudo bem, se eu quero que ele me busque, se deve passar aqui. Alguns segundos depois, Shmac finalmente responde:

SHMAC: É. Eu vi.

MARIE: Não faço ideia do que está acontecendo. Claro que nunca mandei mensagem para o Green.

SHMAC: O problema é que as pessoas do lado da #AdmissõesJustasNaPós dizem ter provas de que foi você.

MARIE: Por favor, me diz que você não acredita nelas.

SHMAC: Não acredito.

Fecho os olhos. *Graças a Deus.*

SHMAC: Me deixa pensar sobre a situação, ok? Falar com algumas pessoas. Deve ter um jeito de consertar isso. Enquanto isso, verifica os seus logs. Vc pode ter sido hackeada.

Não fui. Não tem nada fora do lugar – todos os acessos à minha conta foram feitos de Houston. Estou agitada, nervosa, assustada. Ando de um lado para outro no apartamento, por tanto tempo e com tanta energia que provavelmente vale como um treino. Eu devia registrar isso no estúpido app de exercícios que Levi me fez baixar ("Você vai acompanhar seu progresso. Vai ser gratificante", "Sabe o que mais é gratificante?", "Não diga 'Não treinar', Bee". "… Tá bom".) Estou realmente considerando a possibilidade de sair para correr e clarear a mente (será que fui abduzida por extraterrestres?), quando recebo uma notificação de e-mail.

É de um escritório chique de advocacia, daqueles que provavelmente têm oito nomes na parede e assentos sanitários folheados a ouro. A mensagem é bastante inocente, mas há um PDF anexado. Começo a passar os olhos pelo conteúdo, e é quando meu estômago e o mundo ao meu redor começam a dar voltas.

Dra. Königswasser,

A presente carta constitui notificação de seus recentes atos de assédio injustificado. A senhora fica obrigada a cessar todos os atos de assédio, incluindo, mas não limitados a:

- Produzir tuítes sob o pseudônimo "@OQueMarieFaria";

- Postar conteúdo público com o intuito de causar danos à imagem da STC e de seus produtos;

- Tentar extorquir benefícios financeiros ou de outra natureza da STC em troca de serviços não solicitados de relações públicas (ou outros).

Atenciosamente,

J. F. Timberworth, Advogado, representando a STC

22

CÓRTEX CINGULADO ANTERIOR: AH, MERDA

NÃO SEI COMO PASSEI A NOITE depois de ler o e-mail. É tudo um borrão. As horas passam, e eu choro. Respiro. Tento descobrir que confusão é esta. Fico com raiva, chocada, arrasada, sozinha, triste.

Levi me liga duas vezes, mas me lembro da lágrima solitária de Rocío cintilando em seu rosto e me sinto suja e maculada demais para me forçar a atender. O que Levi diria se soubesse? Acreditaria em mim? Como poderia, se a STC tem o meu nome verdadeiro? Não sei nem se eu mesma acreditaria em mim.

No dia seguinte, preciso de todas as minhas habilidades de compartimentalização para me concentrar no trabalho – e não tenho muitas. Manter as coisas longe da cabeça não é um dos meus talentos, mas realizo uma performance moderadamente boa. Levi liga de novo pela manhã, e mais uma vez eu não atendo, mas envio uma mensagem dizendo que estou enrolada com o Blink (desculpa horrível, pois trabalhamos juntos) e que estou indo buscar Trevor no aeroporto (não é uma desculpa, mas é igualmente horrível).

– Kramer não pôde vir... Tinha um simpósio da OMS ou algo do tipo, mas ele está *muito* feliz – diz Trevor, em vez de "Oi" ou "Como vai?", ou outras coisas que pessoas normais e decentes dizem para iniciar uma conversa. – E você sabe o que acontece quando Kramer está feliz?

Ele me dá um laboratório longe de você. No mínimo, no fim do corredor, possivelmente em outro andar, idealmente em outro prédio. Se é que eu ainda tenho futuro na carreira acadêmica. Se eu não for exposta como uma chantagista hipócrita.

– Não sei.

– Ele direciona fundos para o nosso laboratório, é isso que acontece. Quando os trajes ficam prontos?

Reviro os olhos, deixando a área do desembarque.

– São capacetes. E, teoricamente, o protótipo está pronto. Mas ainda precisamos fazer alguns ajustes para cada astronauta individualmente.

– Certo, você mencionou isso em um dos relatórios. – Falo sobre isso em *todos* os relatórios, mas Trevor nunca foi bom em interpretação de texto. – E o Ward, o cara que está chefiando pelo lado da Nasa? Deve ser um gênio para conseguir fazer isso tão rápido.

Solto o ar devagar. Meu dia já está ruim o bastante sem que eu o complique ainda mais dizendo ao meu chefe que ele é um merda. Por outro lado, como meu dia *já* está péssimo, posso não conseguir me controlar. Que dilema.

– O Dr. Ward e eu somos colíderes – explico em um tom mais áspero do que jamais usei com Trevor.

Ele deve notar, porque me lança um olhar irritado.

– É, mas...

– Mas... o quê?

Ele olha pela janela, intimidado.

– Nada.

Acho bom.

Trevor, o Merda, é o menor dos chefões presentes. Há dois congressistas do Texas, pelo menos três dos chefes de Boris e muitos funcionários do Centro Espacial que não estão diretamente envolvidos no Blink. Sou apresentada a todos, mas não gravo o nome de ninguém. Por todos os lados ouço muitos *Impressionante*, *Mal posso esperar para ver os capacetes em ação* e *Isto é a história sendo feita*, o que me deixa apreensiva, mas digo a mim mesma que vai dar tudo certo. Nesse momento, meu trabalho é a única coisa que tenho sob controle, e agradeço à Dra. Curie por isso.

O objetivo da demonstração é provar que o capacete melhora a atenção de Guy durante uma simulação de voo. Os convidados vão assistir em um telão instalado na sala de reuniões ao lado, enquanto Levi, a equipe principal de engenharia e eu estaremos na sala de controle para assegurar que tudo transcorra tranquilamente. Aprecio a ideia de ficar cinco minutos a sós com Guy para explicar a história do casamento, mas a multidão e o caos tornam isso impossível.

Estou verificando mais uma vez meus protocolos quando Levi entra, traçando uma linha reta em minha direção.

– Oi.

Seus olhos estão sérios. Verde-escuros. Lindos, como a vegetação rasteira de uma floresta. Ele puxa uma cadeira para junto da minha, a distância entre nós confundindo os limites entre colegas e algo mais. Eu devia chegar para trás, mas ninguém está olhando, e vê-lo me desestabiliza: é como se todas aquelas pontadas misteriosas fossem elevadas à décima potência. Eu me dou conta de que a noite de ontem foi a primeira que passamos separados desde que... desde que nos tornamos um *nós*, seja o que isso for, e estar com ele de novo parece...

Não. *Não* parece um retorno ao lar. Um lar é outra coisa. Para mim, um lar é o novo laboratório que essa apresentação vai me garantir. São os artigos que vou escrever sobre hoje. É a comunidade de mulheres nas áreas STEM que construí e pela qual, de alguma forma, terei que lutar. *Isso* é meu lar, não Levi.

– Oi – respondo, desviando os olhos.

– Você está bem?

– Nervosa. E você?

– Estou bem. – Ele não parece bem. Devo deixar o pensamento transparecer, porque ele acrescenta: – Aconteceu um problema. Não tem a ver com o trabalho... Explico depois.

Faço que sim e, por um segundo louco e inconsequente, sinto o estranho impulso de contar a ele sobre *o meu* problema. Eu devia, não? Meu nome virá à tona mais cedo ou mais tarde. Se eu contar agora, ele vai...

Acreditar que Marie – e, portanto, eu – é uma vigarista. Como todos os outros, com exceção de Shmac. Não, não posso contar a ele. De qualquer forma, ele não se importaria.

– Tenho uma coisa para você – diz Levi, o canto do lábio se curvando num sorrisinho.

O dorso da mão dele roça na minha, e meu coração se aperta. É provável que pareça acidental para alguém olhando de fora. Mas não parece nada acidental para mim.

– É?

– Mostro a você mais tarde. Tem a ver com sua gata imaginária.

Abro um sorriso fraco.

– Estou torcendo para Félicette vomitar no seu teclado.

Ele dá de ombros.

– Vômito imaginário é o meu tipo favorito. – Ele pressiona o joelho contra o meu e se levanta, parando a meio caminho para sussurrar no meu ouvido: – Senti sua falta ontem à noite.

Estremeço. Antes que eu consiga responder, ele se afasta.

– *My loneliness is killing me and I must confess I still believe.*

Mais uma vez, todos na sala de controle riem com os berros de Guy. A situação na sala de reuniões é provavelmente a mesma.

– Isso foi lindo. Obrigado, Britney – murmura Levi pelo microfone, achando graça.

Trocamos um rápido olhar. Meu coração se agita. Sinto como se estivesse prestes a subir ao palco para uma peça de teatro na escola para a qual ensaiei o ano inteiro. Mas sou adulta, e o que está em jogo são minhas esperanças e meus sonhos profissionais. *Que são o único tipo de esperança e sonho que me permito*, lembro a mim mesma.

– Pronto para começar? – pergunta Levi.

– Já nasci pronto, baby. – Guy ergue a sobrancelha sob o visor do capacete. – Bem, depois de um parto que minha mãe chama de "as 43 horas mais dolorosas da vida dela".

– Coitada. – Levi balança a cabeça, sorrindo. – Você conhece o roteiro, mas eis o que vai acontecer: vamos iniciar uma atividade de atenção na tela.

– Estou sendo pago para jogar videogame. Excelente.

– Depois vamos ativar o capacete quando estivermos prontos e mediremos seu desempenho em ambas as condições, nos aspectos tempo de reação e precisão.

– Entendido.

– Começando em alguns segundos.

Levi desliga o microfone. Nós trocamos outro olhar, dessa vez demorado.

É isso.

Conseguimos.

Você e eu.

Juntos.

Então Levi se vira e faz um sinal com a cabeça para que Lamar inicie a programação. Não tenho muito o que fazer, pois os protocolos já foram programados e carregados. Eu me recosto na cadeira, os olhos no monitor, fixos na silhueta sentada de Guy.

Preciso comprar um presente para ele, penso. *Uma garrafa de alguma bebida cara. Ingressos para um show da Britney. Por ser tão paciente enquanto eu disparava estímulos magnéticos em seu cérebro. Por ser tão legal. Por ter mentido para ele.* Nesse momento, a atividade é carregada, e eu fico ocupada demais observando para pensar em qualquer outra coisa.

Tudo começa como de costume. O trabalho de Guy é detectar estímulos à medida que aparecem na tela. Ele é um astronauta, e seu desempenho básico já é cerca de dez milhões de vezes melhor que o meu, uma boboca medíocre. Alguns minutos depois, Levi faz outro sinal, e o protocolo de estimulação cerebral que criei é ativado.

Dez segundos se passam. Vinte. Trinta. Eu olho as estimativas para as métricas de desempenho – nada acontece. A precisão e os tempos de reação se mantêm em torno dos mesmos valores de antes.

Merda. O que está acontecendo? Eu me contorço na cadeira, nervosa. A melhora no desempenho em geral já deveria ter começado a ficar evidente a esta altura. Olho para Levi com uma expressão preocupada, mas ele está calmo, recostado na cadeira, com os braços cruzados, alternando o olhar entre Guy e os valores. O único sinal de impaciência são seus dedos tamborilando nos bíceps. Ele faz isso quando está concentrado. *Levi. Meu Levi.*

Estou estimulando o córtex pré-motor dorsal de Guy. Por que diabos ele *não* está melhorando?

De repente, os números começam a mudar. A precisão dispara de 83% para 94%. Os tempos médios de reação diminuem em dezenas de milissegundos. Os novos valores oscilam e depois se mantêm estáveis. Eu juro que a sala inteira suspira de alívio em uníssono.

– Que beleza – murmura alguém.

– Beleza? – pergunta Lamar. – Isso é *épico*.

Eu me viro, sorrindo, para Levi e me deparo com sua expressão feliz, indecifrável. Pelo menos *isso* está indo muito bem. O restante da minha vida está um pandemônio, mas isso está funcionando. Fizemos uma coisa boa, útil e simplesmente incrível.

Eu disse, não disse? O que é confiável e garantido e nunca deixou a Dra. Curie na mão? A ciência. A resposta é a ciência.

Até que deixa de ser.

Sou a primeira a perceber que alguma coisa está errada. A maioria dos engenheiros está conversando entre si, e os olhos de Levi ainda estão grudados em mim com aquela expressão curiosa e séria. Porém, tanto os valores quanto os monitores estão na minha linha de visão, então noto os números mudando para valores que nunca vimos antes. Noto os espasmos do cotovelo de Guy.

– O que... – Eu aponto. Levi se vira imediatamente. – Ele está bem?

– O braço? – Levi franze a testa. – Nunca vi nada assim.

– Parece algo que aconteceria se estimulássemos seu córtex motor, mas definitivamente não estamos fazendo isso... *Opa*.

Os espasmos ficam significativamente mais intensos. Todo o corpo de Guy começa a tremer.

Levi ativa o microfone.

– Guy. Está tudo bem aí?

Nenhuma resposta.

– Guy? Você está me ouvindo?

Silêncio. As rugas na testa de Levi se aprofundam.

– Guy, você...

Guy cai da cadeira com um baque surdo, seu corpo ao mesmo tempo rígido e frouxo. O caos toma conta da sala de controle – todos se levantam, meia dúzia de cadeiras raspando o chão.

— Parem o protocolo! — grita Levi, e um segundo depois ele já está fora da sala, entrando no laboratório.

Eu o vejo aparecer no monitor e se ajoelhar ao lado do corpo de Guy, que ainda treme, tomando-o nos braços. Levi o vira de lado e afasta os objetos do chão ao redor.

Uma convulsão. Guy está tendo uma convulsão.

Outras pessoas invadem a sala — médicos e engenheiros da Nasa — e fazem perguntas a Levi sobre o protocolo de estimulação. Ele responde da melhor maneira que pode, ainda segurando Guy nos braços enquanto os médicos trabalham em torno deles.

É por causa da Penny. Levi sabe o que fazer por causa da Penny.

O caos se espalha. Pessoas disparando pelos corredores, entrando e saindo da sala de controle, gritando, xingando, fazendo perguntas sem respostas. Algumas são dirigidas a mim, mas não consigo responder, não consigo fazer nada além de olhar para o rosto de Guy, para o modo como Levi o está segurando. Eu desabo de volta na cadeira. Depois de um minuto, ou quem sabe uma hora, desvio o olhar deles.

O capacete está no chão, tendo rolado para o canto mais distante da sala.

— Kowalsky vai...?

— Ele foi levado para o hospital.

— ... ficar bem?

— Sim, ele já recuperou a consciência. É só um check-up, mas...

— ... causaram a porra de uma convulsão nele, foi isso que...

— Que desastre...

— ... o fim do Blink, com certeza. Meu Deus, a *incompetência.*

Sou uma fortaleza. Sou impenetrável. Nem mesmo estou aqui. Não olho para ninguém. Me esforço ao máximo para não ouvir enquanto sigo para o escritório de Boris depois que ele mandou, sibilando, que eu fosse para lá imediatamente. Isso foi há quatro minutos e meio. Eu deveria me apressar.

Bato na porta quando chego, mas entro antes de ser convidada. Levi já está lá dentro, olhando para o lindo gramado do Centro Espacial diante da janela quadrada. Eu o ignoro. Mesmo quando sinto seus olhos em mim, a pontada do olhar pedindo uma resposta, eu o ignoro.

Eu me pergunto o que ele está pensando. Então não me pergunto mais: provavelmente eu não suportaria saber.

– Onde estava o erro? – pergunta Boris de trás da mesa.

Ele está sempre com cara de cansado e desgrenhado, mas agora, se ele me dissesse que foi atropelado por um caminhão, eu acreditaria. Não consigo nem começar a avaliar as repercussões dos acontecimentos de hoje. Para ele. Para a Nasa. Para Levi.

– Ainda não está claro – responde Levi, sustentando o olhar dele. – Estamos investigando.

– Houve alguma falha no hardware?

– Estamos verificando se...

– Besteira!

Um breve silêncio.

– Assim que soubermos, você saberá.

– Levi, você me vê como um burocrata... e provavelmente está certo, foi no que eu me transformei. Mas me deixe lembrá-lo de que *sou* formado em engenharia, além de ter algumas décadas de experiência a mais, e embora eu não seja de forma alguma um gênio criativo como você, estou bem ciente de que não serão necessárias três semanas de análises de sistema para descobrir se houve uma falha no lado do hardware ou...

– Não houve – interrompo. Ambos se viram para mim, mas eu olho apenas para Boris. – Pelo menos eu duvido. Não executei nenhuma análise, mas tenho certeza de que a falha foi no protocolo de estimulação. – Engulo em seco. – Do meu lado.

Ele assente, os lábios apertados.

– O que aconteceu?

– Não sei. Meu palpite é que a estimulação foi intensa demais ou a frequência, muito alta, e também que foi deslocada ou muito difusa. Isso causou uma falha generalizada na atividade dos neurônios...

– Ok. – Ele torna a assentir. – *Como* aconteceu?

– Isso eu não sei. Passamos semanas mapeando o cérebro de Guy, e não aconteceu nada do tipo. O protocolo foi feito sob medida para ele. – Eu

abaixo a cabeça, olhando para minhas mãos. Estou girando o anel da minha *nonna*. Como sempre. – Não vai acontecer de novo. Sinto muito.
– Não vai mesmo. – Ele passa a mão pelo rosto. – O Blink acabou.
Há um arquejo brusco, que vem de Levi. Eu ergo os olhos.
– O quê?
– Não é o tipo de erro que posso tolerar. Você pegou alguém que passou por anos de treinamento como astronauta e o deixou desmontado no chão. Guy está bem, mas e se o próximo astronauta não ficar?
Eu balanço a cabeça.
– Não vai ter um próximo astronauta...
– Não deveria ter tido *nenhum astronauta*. Principalmente diante de metade da Nasa!
– Boris. – Levi está atrás de mim. Provavelmente um pouco perto demais. – Nós testamos esse protocolo mais de dez vezes. Nada semelhante a isso aconteceu. *Você* apressou a demonstração quando podíamos ter esperado semanas...
– E *você* apoiou a participação de Bee quando os Institutos a enviaram para cá, e ela provocou uma convulsão em *um dos meus astronautas*! – Boris cerra o maxilar, tentando se acalmar. – Levi, eu não te culpo...
Uma batida forte. A porta se abre, e as coisas ficam ainda piores.
Não. *Trevor*, não, por favor. Não quando estou no fundo do poço.
No entanto, Boris gesticula para que ele entre.
– Estávamos justamente discutindo...
– Eu ouvi. – Ele dá de ombros, com um olhar sombrio. – Vocês não estavam exatamente falando em voz baixa. Então... – diz ele, juntando as mãos. – Ajeitei as coisas com os congressistas. Disse a eles que o Blink ainda pode ser salvo.
– Espere. – Boris franze a testa. Estou prestes a vomitar. – Entendo que há muitos interesses em jogo aqui, mas vamos com calma. É óbvio que algo deu muito errado, e...
– *Alguém* se saiu muito mal – interrompe Trevor. O olhar que ele dirige a mim é cheio de desprezo. – Eu ouvi o que vocês disseram. Está claro que os problemas foram com uma pessoa específica e podem ser resolvidos eliminando o elo fraco e trazendo outro pesquisador dos Institutos para o projeto. Josh Martin e Hank Malik também se candidataram ao cargo.

– Você é idiota? – Levi dá um passo na direção de Trevor, agigantando-se sobre ele. – Não conhece seus próprios cientistas, se acha que a Dra. Königswasser é um elo fraco...

– Com licença – digo. Minha voz está tremendo. Não posso chorar, não agora. – Não creio que eu seja necessária nesta conversa. Vou ver como Guy está e...

Juntar as minhas coisas.

Sim.

Saio o mais rápido que posso. Ainda não dei dez passos quando ouço pés correndo atrás de mim, depois ao meu lado. Levi para na minha frente, uma expressão de quase desespero em seus olhos.

– Bee, ainda podemos consertar as coisas. Volte lá e...

– Eu... Eu preciso ir. – Tento manter meu tom firme. – Mas você precisa ficar lá e garantir que o Blink de fato dê certo.

Ele me lança um olhar incrédulo.

– Não sem você. Bee, não temos ideia do que realmente deu errado. Boris está exagerando e Trevor é um idiota. Eu não vou...

– Levi. – Eu me permito segurar seu pulso. Fechar a mão em torno dele e apertá-lo. – Estou te pedindo para voltar lá e fazer o que tem que ser feito para garantir que o Blink dê certo. *Por favor.* Faça isso por Peter. Por Penny. E por mim.

É um golpe baixo. Vejo isso em seus olhos se estreitando, no maxilar cerrado. Mas, quando recomeço a andar, Levi não me segue.

E, nesse momento, isso é tudo que quero.

23

AMÍGDALA DE NOVO: MEDO

REIKE NÃO ATENDE MINHAS LIGAÇÕES porque finalmente está viajando para a Noruega. Talvez seja melhor assim: eu só ficaria chorando com ela sobre despolarização de neurônios e indução eletromagnética, o que não pode ser saudável para mim nem edificante para ela. Quero visitar Guy no hospital para... levar uma cesta de frutas? Oferecer meu primogênito em sacrifício? Me autoflagelar aos pés de sua cama? Não sei nem para onde o levaram, se ele ainda está lá, e duvido que queira me ver. Talvez eu deva lhe enviar uma mensagem: *Você me odeia porque meu descuido e minha total incompetência te causaram uma convulsão? Sim, Não, Talvez (por favor circule).*

Provavelmente é bom que eu esteja sozinha com meus pensamentos. Por incrível que pareça, isso me permite não pensar tanto. Coisas ruins vão acontecer em breve. Minha conexão com a OQMF vai ser revelada, uma comunidade que passei anos construindo vai se voltar contra mim, e eu não tenho ilusão alguma de que Trevor vá renovar meu contrato. É inacreditável, mas se eu não falar sobre isso posso fingir que não está acontecendo.

Como uma banana – a primeira coisa que como em 24 horas – e vou para o meu quarto. Puxo a mala que está embaixo da cama, limpo a poeira e começo a dobrar minhas roupas. Jeans. Jeans. Uma saia que ainda não tive chance de usar. Minha camiseta verde-turmalina favorita. Uma capa de chuva. Jeans.

A mala está quase cheia quando a campainha toca. Suspiro e me obrigo a ir até a porta, mas desconfio de quem seja. E acerto.

– Oi. – Levi parece cansado. E parece que andou passando a mão pelos cabelos. E está muito, muito lindo. Meu coração se aperta. – Você não atendia o celular. Fiquei preocupado.

– Desculpa, esqueci de olhar. Está tudo bem?

Ele me dirige um olhar levemente incrédulo que interpreto como *não*, absolutamente nada está bem, e me segue até a sala. Pelas portas da sacada, vejo o bebedouro de beija-flores. Deveria retirá-lo. Guardá-lo. Mas os beija-flores... Talvez eu possa pedir a Rocío que o pendure para mim. Não quero que o amiguinho que tem vindo aqui fique sem jantar.

– ... de Guy – Levi está dizendo.

Eu me viro.

– Como ele está?

– Bem... Já recebeu alta. Ele me pediu para te dizer para não surtar e que ele provavelmente mereceu. E para te agradecer pela melhor viagem da vida dele. – Levi revira os olhos, mas posso ver que está aliviado.

– Posso... Ele falou se posso ir vê-lo?

– Ele está descansando, mas podemos ir amanhã. Ele adoraria te ver. – Seu tom fica um pouco mais sério: – Bee, ele sabe que não é culpa sua. Milhões de coisas podiam dar errado, e nenhuma delas é responsabilidade exclusiva sua. Boris apressou a demonstração...

– Porque *eu* permiti. – Pressiono os dedos sobre os olhos. – Eu disse a ele que conseguia. E esse caos teria acontecido de qualquer forma, só não publicamente. Devo ter feito alguma coisa errada. Devo ter esquecido de considerar alguma coisa... Não sei. Eu não *sei*. Fico pensando nisso e não consigo descobrir que merda eu fiz, o que significa que outra pessoa, alguém que saiba o que está fazendo, deveria estar nesse projeto com você.

Ele parece confuso.

– O que você quer dizer?

– O que acabei de dizer, acho. – Dou de ombros. – Espero que mandem Hank. Josh é um babaca. E você precisa me ajudar a garantir que Rocío continue... Ela merece. E você pode escrever uma carta de recomendação para o doutorado dela? Não sei se a minha vai...

– Não.

Levi avança e estende os braços. Sua mão toca minha nuca, indo até a curva do pescoço. Parece tão... normal. Familiar. *Ele é tão familiar.*

– Bee, ninguém vai te substituir. O Blink é tão seu quanto meu. Se não fosse por você, ainda estaríamos empacados.

– Você não está entendendo. – Dou um passo para trás, saindo do seu alcance e obrigando-o a me soltar. – Estou fora. Como Trevor disse.

– Trevor vai mudar a merda da opinião dele.

– Não vai. Não deve. Levi, hoje eu pus a segurança de alguém em risco. Arrisquei a existência de um projeto que é o *legado do seu melhor amigo*. – Levo a mão à boca, trêmula. Estou tremendo. – Como você pode querer que eu fique?

– Porque confio em você. Porque eu te *conheço*. Sei quem você é, sei a cientista que você é, e... – Seus olhos pousam na minha cama. Na minha mala quase pronta, aberta no chão. Ele enrijece, apontando para a mala. – O que é isso?

Engulo em seco.

– Eu já disse. Não posso, em sã consciência, continuar no Blink.

Ele me encara, boquiaberto, incrédulo.

– Então está fazendo as malas e indo embora?

A pergunta é agressiva, de um jeito que me faz pensar que existem respostas certas e erradas. Eu me esforço para pensar em qualquer uma além da verdadeira.

– O que mais eu deveria fazer? – Dou de ombros, impotente. – Qual o sentido de ficar aqui?

Nos últimos dois meses, vi Levi Ward em muitas situações. Eu o vi feliz, concentrado, chateado, triste, exultante, com raiva, com tesão, sincero, decepcionado e várias combinações de todas essas coisas. Mas o jeito como ele está me olhando agora... é bem diferente. Vai muito além de tudo isso.

Levi se aproxima e abre a boca, querendo dizer alguma coisa, então imediatamente dá meia-volta e começa a andar de um lado para outro, balançando a cabeça furiosamente. Ele respira fundo, uma, duas vezes, mas quando me olha novamente, não se acalmou.

– Você está falando sério?

Gelados. Sua voz, seus olhos, a linha do seu maxilar. Puro gelo.

– Eu... Levi. Minha presença aqui sempre foi por causa do meu papel no Blink.

– *Foi.* Mas as coisas mudaram.

– O que mudou?

– Não sei. Talvez o fato de que passamos todos os segundos das últimas duas semanas juntos, de que fizemos amor todas as noites, de que eu sei que você suspira dormindo, que passa fio dental feito louca, que sua pele *inteira* tem gosto de mel.

Sinto meu rosto ficar quente.

– E o que tudo isso significa?

– Você está falando sério? – repete ele. – Tudo isso... era só... um passatempo enquanto você estava em Houston? Sexo? Era isso?

– Não. *Não.* Mas existe uma diferença entre um passatempo e...

– E ficar. E se comprometer. E *tentar* de verdade. É isso que quer dizer?

– Eu...

Eu o quê? Estou sem palavras? Confusa? Com medo? Não sei o que dizer, ou o que ele quer. Somos amigos. Bons amigos. Que transam. Que, desde o início, estavam destinados a seguir cada um o seu caminho... como acontece com *todo mundo.*

– Levi, a gente nunca ia... Só estou tentando ser sincera.

– Sincera. – Ele solta uma risada amarga e silenciosa; fita o bebedouro de beija-flores, a língua se movimentando no interior da bochecha. – Sinceridade. Você quer sinceridade?

– Sim. Eu só quero ser o mais sincera possível...

– Então toma sinceridade: estou apaixonado por você. Mas isso não é novidade. Não pra mim, e não pra você, acho. Não se você for *sincera* consigo mesma... E você diz que é, certo?

Meus olhos se arregalam. Ele continua, implacável, sem piedade. Levi Ward: uma força da natureza. Me tirando o fôlego.

– Eis mais uma coisa *sincera*: você está apaixonada por mim também.

– Levi. – Balanço a cabeça, o pânico subindo pelo meu corpo. – Eu...

– Mas você está com medo. Está morrendo de medo, e eu não te culpo. Tim foi um merda e tenho vontade de cortar as bolas dele. Sua melhor amiga foi extremamente egoísta quando você mais precisou dela. Seus pais morreram quando você era criança, e então seus parentes... Eu não sei, talvez eles tenham feito o melhor que podiam, mas falharam completamente em te dar a estabilidade de que você precisava. Sua irmã, que você claramente adora, está sempre longe, e não pense que não vejo como você confere obsessivamente o celular quando ela não responde suas mensagens em menos de dez minutos. E eu entendo. Por que você *não teria* medo de que ela seja tirada de você? Todos os outros foram. Cada pessoa que você amou desapareceu da sua vida, de um jeito ou de outro.

Não sei como ele consegue parecer tão furioso, tão calmo e tão compadecido ao mesmo tempo.

– Eu entendo – continua ele. – Posso ser paciente. Eu tentei, vou tentar ser paciente. Mas eu preciso... de alguma coisa. Preciso que entenda que não se trata de um livro que você está escrevendo. Nós não somos... não somos dois personagens que você pode manter separados porque é um desfecho literário melhor. São as nossas *vidas*, Bee.

Há uma lágrima escorrendo pelo meu pescoço. Outra, uma mancha úmida na minha clavícula. Fecho os olhos bem apertados.

– Sabe quando fomos à conferência? E eu vi Tim? – pergunto, e ele assente. – Foi perturbador. Muito. Mas, depois de um tempo, percebi que na verdade não sentia nada por ele, não mais, e então me senti... bem. É isso que eu quero, sabe? Eu quero me sentir *bem*.

Tive tão pouco disso. Fui sempre, *sempre* deixada para trás. E a única maneira de *não* ser deixada para trás é ir embora primeiro. Enxugo a bochecha com as costas da mão, fungando.

– Se para isso é preciso estar sozinha, então... que seja.

– Eu posso fazer você se sentir bem. Posso fazer mais do que isso. Posso fazer *tudo* por você. – Ele sorri, cheio de esperança. – Você nem precisa admitir para si mesma que me ama, Bee. Deus sabe que eu te amo o suficiente por nós dois. Mas preciso que você fique. Não em Houston, se não quiser. Vou com você, se me pedir. Mas...

– E quando você se cansar de mim? – pergunto, tremendo e chorando. – Quando não puder ficar mais? Quando conhecer outra pessoa?

– Não vou – diz ele, e odeio como ele soa seguro e resignado.

– Você não tem como saber. *Não tem*. Você...

– Não houve mais ninguém. – Ele contrai o maxilar e range os dentes. – Desde o primeiro momento que te vi. Desde o primeiro instante que falei com você e agi feito um babaca, não houve mais ninguém.

Ele está dizendo... Ele não está dizendo isso. Não pode estar dizendo *isso*.

– Sim – diz ele com veemência, lendo a minha mente. – De *todas* as maneiras que você está imaginando. Se quer tomar uma decisão, precisa saber todos os fatos. Sei que você está com medo... Acha que *eu* não estou?

– Não do mesmo jeito...

– Passei anos, *anos*, esperando encontrar alguém que se comparasse a você. Torcendo para sentir alguma coisa, qualquer coisa, por outra pessoa. E agora você está aqui e... eu *tive* você, Bee. Sei como pode ser. Acha que não sei como é querer tanto uma coisa a ponto de ficar com medo de se entregar? Mesmo quando está bem na sua frente? Você acha que não estou com *medo pra caralho*? – Ele solta o ar, passando a mão pelo cabelo. – Bee, você quer ter um lugar seu. Quer alguém que não vá desistir. Eu sou essa pessoa. Não desisti de você por *anos*, e nem *tinha* você. Mas você precisa me permitir.

É difícil olhar para ele. Porque meus olhos estão embaçados. Porque Levi não me deixa nenhum disfarce sob o qual me esconder. Porque me lembra essas últimas semanas juntos. Braços esbarrando na cozinha. Piadas de gato. Brigas sobre que música ouvir no carro – e então conversas sobre música, qualquer que fosse. Beijos na testa quando ainda estou dormindo. Pequenas mordidas nos meus seios, meu quadril, meu pescoço, por todo o meu corpo. O cheiro de hissopo, pouco antes do pôr do sol. Nós dois rindo porque fizemos uma criança de 6 anos dar risada. Suas opiniões equivocadas sobre *Star Wars*. O jeito como me abraça durante a noite. O jeito como me abraça quando preciso dele.

Penso nas últimas semanas com Levi. E em uma vida inteira sem ele. No que aconteceria comigo se tivesse ainda mais e depois perdesse tudo. Penso em todas as coisas das quais me fiz desistir. Dos gatos que não me permito adotar. Do trabalho doloroso que é consertar um coração partido.

Levi segura meu rosto entre as mãos, sua testa tocando a minha. Suas mãos... elas *são* a minha casa.

– Bee, não tire isso de nós – murmura ele. Cansado. Cauteloso. Esperançoso. – Por favor.

Eu nunca quis tanto uma coisa quanto quero dizer sim. Nunca desejei tanto me lançar em algo como desejo agora. E nunca senti um medo tão absoluto e petrificante de perder alguma coisa.

Eu me forço a olhar para Levi. Minha voz treme quando digo:

– Desculpa. Eu simplesmente... não posso.

Ele fecha os olhos, controlando uma onda violenta de alguma coisa. Mas depois de um tempo assente. Apenas assente, sem dizer nada. Um simples e rápido movimento da cabeça. Então me solta, põe a mão no bolso, pega algo e coloca em cima da mesa. O ruído metálico ecoa pela sala.

– Isso é pra você.

Meu coração dá um pulo.

– O que é?

Ele abre um sorriso breve e dolorido. Meu estômago se contorce com mais intensidade.

– É só mais uma coisa para temer.

Fico olhando para a porta por muito tempo depois que ele sai. Muito depois que deixo de ouvir seus passos. Muito depois que o ruído do motor de sua caminhonete deixa o estacionamento. Muito depois que minhas lágrimas se esgotaram, muito depois que minhas bochechas secaram. Fico olhando para a porta, pensando que em apenas dois dias perdi tudo que mais me importa na vida, mais uma vez.

Talvez uma desgraça realmente nunca venha só.

24

LOBO TEMPORAL DIREITO: ARRÁ!

TALVEZ JÁ ESTEJA UM POUCO TARDE para jogar na mesa a história da minha origem como cientista maluca, mas estou sentada no escuro, fitando um reflexo pouco lisonjeiro do meu rosto manchado nas portas da sacada, o roxo do meu cabelo quase castanho – um truque da luz. Alguém acaba de saquear meus bolsos e roubar meus pertences mais importantes, e esse alguém sou eu mesma. Estou me sentindo muito como a Dra. Marie Skłodowska-Curie, perto de 1911, e acho que está na hora de uma revelação.

Originalmente, eu queria ser poeta. Como minha mãe. Escrevia pequenos sonetos sobre todo tipo de coisa: a chuva, pássaros bonitos, a bagunça que Reike deixava na cozinha quando tentava fazer torta de cereja, gatinhos brincando com novelos – tudo. Então fizemos 10 anos e nos mudamos pela quarta vez em cinco anos, dessa vez para uma cidade francesa de tamanho mediano, na fronteira com a Alemanha, onde o irmão mais velho do meu pai tinha uma empresa de construção. Ele era gentil. A esposa dele era gentil, embora severa. Os filhos deles, no fim da adolescência, eram gentis. A cidade era gentil. A melhor amiga da minha irmã, Ines, era gentil. Havia muita gentileza ao nosso redor.

Algumas semanas após a mudança, escrevi meu primeiro poema sobre solidão.

Para ser franca, era constrangedor de tão ruim. A Bee de 10 anos era uma princesa emo das trevas. Eu citaria os versos mais dramáticos aqui, mas depois teria que me matar e também matar todo mundo que os lesse. Apesar disso, na época eu me imaginava a próxima Emily Dickinson, e mostrei o poema a uma das minhas professoras (o constrangimento só aumenta). Ela bateu o olho na primeira linha, que, traduzida grosseiramente do francês, dizia "Às vezes, quando estou só, sinto meu cérebro encolher" e me disse: "Isso realmente acontece. Você sabia?" Eu não sabia. Mas, no início dos anos 2000, já existia a internet, e no fim do dia, quando Reike voltou de uma tarde que passara na casa da Ines, eu já sabia muito sobre O Cérebro Solitário.

Ele não *encolhe*, mas murcha um pouco. A solidão não é abstrata e intangível – metáforas sobre ilhas desertas e pares de sapatos descombinados, personagens de Edward Hopper olhando através de janelas, a discografia completa de Fiona Apple. A solidão é *aqui*. Ela molda nossa alma, e também nosso corpo. Giro temporal inferior direito, cíngulo posterior, junção temporoparietal, córtex retroesplenial, núcleo dorsal da rafe. O cérebro das pessoas solitárias tem uma forma diferente. E eu só queria que o meu… não tivesse. Quero um cérebro sadio, cheinho, simétrico. Quero que ele trabalhe de modo diligente e impecável, como a máquina extraordinária que deveria ser. Quero que ele obedeça aos comandos.

Alerta de spoiler: meu cérebro burro não obedece. Nunca obedeceu. Nem quando eu tinha 10 anos. Nem quando eu tinha 20. Nem oito anos depois, embora eu tenha tentado ao máximo treiná-lo para não esperar nada de mim. Se estar sozinho é a referência, ele não deveria murchar. Se um gato nunca recebe petiscos, não vai sentir falta deles. Certo? Não sei. Olhando meu reflexo na janela, não estou mais tão certa. Meu cérebro pode ser mais burro que o de um gato. Pode ser como um dos peixes-bolha de que Reike gosta, nadando a esmo dentro do meu crânio. Não faço a menor ideia.

Estamos em junho. Quase verão. O sol não se põe tão cedo – se está escuro lá fora, Levi deve ter ido embora há horas. Eu me levanto com cuidado do sofá, me sentindo ao mesmo tempo pesada e sem peso. Uma mulher velha e uma bezerra recém-nascida. A coitadinha de mim ainda contém multidões. No entanto, por mais que eu prefira me afogar na autopiedade, essa situação é uma cova que eu mesma cavei. Tenho coisas a fazer. Pessoas de quem preciso cuidar.

Primeiro, Rocío. Ela não está em casa e não atende quando ligo – porque está com Kaylee tentando esquecer a catástrofe de hoje, porque ela me odeia, porque ela é da Geração Z. Poderia ser qualquer um dos três motivos, mas o que eu tenho a dizer a ela é importante, e já prejudiquei bastante suas chances de entrar no programa de doutorado dos seus sonhos, então resolvo mandar um e-mail.

> Não importa o que aconteça com o Blink, entre em contato com Trevor assim que possível e peça a ele que deixe você continuar no projeto como assistente de pesquisa (eu pediria, mas é melhor que o pedido não venha de mim). Levi vai dar apoio. O que aconteceu hoje foi completamente minha responsabilidade e não vai afetar você.

Ok. Um já foi. Engulo em seco, respiro fundo e abro o Twitter. Shmac é o próximo: ele precisa saber o que está acontecendo com a STC. Precisa saber que, se continuar associado à Marie, pode arrumar muitos problemas. Eu ainda não sei o que aconteceu, mas se desassociar de mim publicamente pode ser o melhor para ele.

Mando uma mensagem perguntando se ele tem um minuto para conversar, mas ele não responde de imediato. *Provavelmente está com a garota*, digo a mim mesma. Depois da minha desastrosa conversa com Levi, a ideia de alguém corajoso o bastante para aproveitar esse tipo de amor, intenso e atordoante e destruidor e alegre, me provoca uma inveja tão avassaladora que preciso de todas as minhas forças para reprimi-la.

Clico no perfil de Shmac, me perguntando quando foi a última vez que ele esteve on-line. Ele não tuitou muito na semana passada – apenas coisas da #AdmissõesJustasNaPós, comentários sobre o sistema de revisão de pares, uma piada sobre como ele *adoraria* estar escrevendo, mas, com seu gato sentado em cima do notebook, ele não pode...

Espera.

O quê?

Clico na fotografia anexada ao tuíte. Um gato preto está cochilando sobre o teclado. Tem pelo curto, olhos verdes e...

Não é o Schrödinger. Não pode ser. Todos os gatos pretos se parecem, afinal. E nessa foto mal dá pra ver a cara do gato. Não há como afirmar que...

O fundo, porém. O fundo... Conheço aqueles azulejos azul-marinho. São exatamente iguais aos da cozinha de Levi, aqueles que fiquei contemplando por meia hora na semana passada, depois que ele me fez debruçar sobre a bancada. Além disso, posso ver a borda de uma caixa de leite de soja na fotografia, que Levi acha "nojento, Bee, simplesmente nojento", mas começou a comprar quando eu disse que era o meu favorito, e...

Não. Não, não, não. Impossível. Shmac é... um nerd de 1,70 metro com uma barriga de cerveja e calvície. Não o mais perfeito Cara Fofo Sexy Bonito® do mundo.

– Não – digo.

Como se isso de alguma maneira fosse fazer tudo desaparecer: os últimos e desastrosos dois dias, o tuíte de Shmac, a possibilidade de... *disto*.

Mas a fotografia ainda está lá, com os azulejos, o leite de soja e o...

– Shmac – sussurro.

Com mãos trêmulas, sem fôlego, rolo para cima nosso histórico de mensagens. A garota. A *garota*. Começamos a falar sobre a garota quando eu... quando *foi* que falamos pela primeira vez sobre ela? Verifico as datas, a visão outra vez embaçada. O dia em que me mudei para Houston foi a primeira vez que ele a mencionou. Alguém do passado. Mas não... ele me disse que ela era casada. Disse que o marido tinha mentido para ela. E eu não sou casada, portanto...

Mas ele pensou que eu fosse. Ele pensou que Tim e eu estivéssemos juntos. Por muito tempo. E Tim de fato mentiu para mim.

– Levi. – Engulo em seco, com força. – Levi...

Isso é impossível. Coisas assim... não acontecem na vida real. Não na minha vida. Essas coincidências são para *Mensagem para você* e comédias românticas dos anos 1990, não para... Meus olhos batem na mensagem mais longa que ele me mandou.

Eu conheço o formato do corpo dela. Vou dormir pensando nisso e, quando acordo, vou para o trabalho e lá está ela, e é impossível.

Ai, meu Deus.

Quero empurrá-la contra uma parede e quero que ela empurre de volta.

Eu fiz isso, não fiz? Ele me pressionou contra a parede e eu correspondi. E pressionei. E pressionei. E pressionei. E agora eu o pressionei a se afastar, para sempre, embora... Ai, meu Deus. Ele me ofereceu *tudo*, tudo que eu sempre quis. E eu sou uma covarde idiota.

Seco o rosto, e meus olhos pousam no objeto que Levi deixou na mesa. É um pen drive bonito, no formato de uma pata de gato. Tricolor. Meu notebook não tem porta USB, então procuro desesperadamente um adaptador – que, é claro, está no fundo da maldita mala. Só existe um documento no pen drive: *F.mp4*. Eu me deixo cair sobre a pilha de roupas que espalhei e clico nele.

Eu sabia que havia câmeras por toda parte no Discovery Building, mas não que Levi tinha acesso a elas. E não entendo por que ele me daria trinta minutos de vídeo noturno de segurança. Franzo a testa, me perguntando se ele não gravou o arquivo errado, quando alguma coisa pequena e clara se esgueira pelo canto do monitor.

Félicette.

A data é 14 de abril, apenas alguns dias antes de eu me mudar para Houston. Félicette parece um pouco menor do que na última vez que a vi. Ela trota pelo corredor, olha ao redor e depois desaparece numa esquina. Eu me inclino para a tela para segui-la, mas o vídeo corta para 22 de abril. Félicette salta para um dos sofás no saguão. Ela fica rodeando o assento, encontra a posição ideal e dorme com a cabeça apoiada nas patas. Solto uma risada misturada às lágrimas, e o vídeo muda novamente – o laboratório de engenharia está na penumbra, mas Félicette está farejando umas ferramentas de Levi. Lambendo a água da bandeja coletora no bebedouro da sala de descanso. Correndo para cima e para baixo na escada. Lambendo os pelos no parapeito das janelas da sala de reunião.

E então, claro, na minha sala. Arranhando os braços da minha cadeira. Comendo os petiscos que deixei para ela. Cochilando na caminha que coloquei no canto. Estou rindo de novo, estou *chorando* de novo, porque... eu sabia. Eu *sabia*. E Levi também sabia – ele não preparou esse vídeo para mim às pressas na noite passada. Foram horas e horas de varredura das filmagens. Ele devia saber da existência de Félicette há algum tempo e… quero estrangular Levi. Quero beijá-lo. Quero *tudo*.

Acho que é isso… estar apaixonada. Apaixonada de verdade. Um monte de emoções horríveis, maravilhosas, violentas. Não combina comigo. Talvez tenha sido melhor mesmo ter mandado Levi embora. Não conseguiria viver assim – me destruiria em menos de uma semana, e…

Quero empurrá-la contra uma parede e quero que ela empurre de volta.

Ah, Levi… Levi… *Posso ser destemida. Posso ser tão destemida e sincera quanto você. Se você me ensinar.*

Eu me recosto na cadeira, as lágrimas rolando, e assisto a um pouco mais. Félicette realmente gostou da minha mesa. Mais do que da mesa de Rocío. Conforme as datas mudam, ela se aninha perto do meu computador com mais frequência. Pisa onde encontrei as marcas de suas patinhas. Cheira delicadamente a borda da minha caneca. Morde o cabo de energia do meu computador. Sai correndo quando a porta se abre, e…

Espera.

Pauso o vídeo e me inclino para a frente. Fica claro, pela mudança das luzes, que alguém está entrando, mas o vídeo corta imediatamente para um novo trecho. Quem abriria a porta da minha sala às… 2h37? O pessoal da limpeza sempre vai no fim da tarde. Rocío é muito comprometida com o Blink, mas não a ponto de trabalhar às duas e meia da manhã. Cacete, nem *eu* sou comprometida a ponto ir lá às duas e meia da manhã.

Seco as lágrimas, aperto a barra de espaço e deixo o vídeo rolar, em busca de uma explicação. Não a vejo, mas outra coisa surge. Um trecho datado de dois dias atrás, de novo na minha sala. Apenas alguns segundos de Félicette dormindo na minha mesa. Meu monitor está ligado.

Eu nunca deixo meu computador desbloqueado. Jamais.

Pauso o vídeo e ajusto o zoom o máximo possível, me sentindo uma conspiracionista de carteirinha. A definição do vídeo é suficiente para que eu consiga distinguir…

– É o meu Twitter? – pergunto a ninguém.

Impossível. Eu nunca logaria no perfil da OQMF em um computador de trabalho. Por motivos óbvios, sendo o principal deles o fato de Rocío ter uma visão perfeita da minha tela. Mas ali está, a menos que eu esteja alucinando, e… parece um acesso por meio do repositório de senhas? Ainda assim…

– Félicette? – sussurro. – É você quem liga o meu computador altas horas da noite? Você faz login com minha senha da Nasa? Você usa o Twitter para atrair gatinhos menores de idade?

Ela não faz nada disso. Nunca faria. Mas tudo indica que alguém *está* fazendo, e isso não faz o menor sentido. Ou talvez faça. Talvez faça total sentido, diante da estranha atividade na minha conta no Twitter. *Merda*.

Tateio a mesa à procura do celular e mando uma mensagem para Levi. Meus dedos tremem quando leio as últimas mensagens dele, mas me forço a continuar.

> **BEE:** Como posso ter acesso ao vídeo de segurança completo do Discovery Building?

Um minuto se passa. Três. Sete. Ligo para ele – ninguém atende. Olho o relógio: são 23h15. Será que ele me odeia? Não mais do que eu mesma me odeio. É por isso que ele não me atende? Será que está dormindo? Talvez não esteja olhando o celular.

Merda. Vou mandar um e-mail.

> Como posso ter acesso ao vídeo de segurança completo do Discovery Building? Por favor, preciso de uma resposta urgente.
> Tem alguma coisa estranha acontecendo.

Então eu tenho uma ideia e decido não ficar à espera da resposta dele. Calço as sandálias, pego meu crachá da Nasa com uma prece silenciosa à Dra. Curie para que ele ainda funcione e corro para o Centro Espacial.

Alguma coisa *muito* estranha está acontecendo. Tenho 99,9% de certeza de que estou certa – e 43% de certeza de que estou errada.

Dou uma topada com o dedão ao sair do elevador e solto um "Ai!" bem alto ao tropeçar para o corredor do segundo andar.

Muito bom, Bee. Talvez eu não devesse ter vindo de sandália. Talvez eu devesse ter ficado em casa. Talvez eu esteja enlouquecendo.

Não importa. Quero ir até minha sala, verificar meu computador para ver se encontro alguma coisa estranha e voltar para casa com o rabo entre as pernas. O que mais posso fazer? Minha carreira científica está acabada, meu nome em breve estará na lama, e estou ao mesmo tempo emocionalmente fechada demais para ficar com o homem que amo e apaixonada demais por ele para lidar com minhas próprias escolhas. Posso gastar vinte minutos bancando a detetive antes de voltar a pesquisar o código secreto de Dramas Adolescentes na Netflix e desejar sorvete vegano no sabor brownie com caramelo.

Minha (antiga?) sala está como sempre – acolhedora, atravancada. Nenhum sinal de Félicette. Eu me sento à mesa e faço login. Realmente, quando vou para a página do Twitter, minha senha parece estar salva. Meu coração palpita. Meu estômago dá um solavanco. Olho em volta, mas o prédio está deserto. Ok. Ok, então é possível que alguém tenha acessado o OQMF deste computador.

E mandado mensagens para o cara da STC? Caramba.

Mas quem? Rocío? Não. Não a minha pequena gótica. Levi? Não. Ele estava na cama comigo todas as noites das últimas semanas, e na maior parte do tempo nem estávamos dormindo. Quem mais, então? E por que entrariam em contato com a STC se fazendo passar por mim? Para me desmoralizar. Mas *por quê*? Esse tipo de maquinação exige um grau de ódio que alguém como eu jamais poderia inspirar. Sou sem graça demais.

Tamborilo na mesa, me perguntando se sou lunática, quando outra ideia me ocorre. Algo muito, muito maior: se alguém fez login no meu computador, essa pessoa não teve acesso somente às minhas redes sociais, mas ao servidor do Blink também.

– *Puta merda.*

Acesso o repositório do servidor.

– Não é possível. – Clico na pasta onde estão os documentos referentes à demonstração de hoje. – Impossível. Eu estou maluca. Ninguém iria...

Como foi que Levi acessou os logs? Meu Deus, como eu odeio engenheiros. Eles sempre digitam tão depressa.

– Será que foi... aqui? Onde foi que ele clicou, droga? Ah, sim...

Abro o log do arquivo usado para a estimulação do cérebro de Guy. O que eu finalizei há três dias. O que deveria estar inacessível a qualquer um exceto a mim.

Foi modificado ontem à noite. À 1h24. Por mim.

Só que ontem à noite eu estava me revirando na cama.

Ok. Então o arquivo foi modificado por alguém neste computador.

– Quem foi o filho da...

– Tudo bem?

Levo um susto tão grande que dou um grito e atiro o mouse do outro lado da sala. Ele passa a alguns centímetros de Guy.

– Ai, meu Deus! – Cubro a boca com a mão. – Desculpa... você me assustou e eu... – Rio com a mão ainda cobrindo a boca, extremamente aliviada e discretamente grata por não ter cagado nas calças. Foi por um triz. – Me desculpa *mesmo*. Eu não estava tentando te matar pela segunda vez no mesmo dia!

Ele sorri, encostando-se na moldura da porta.

– Quem sabe na terceira...

– Ai, meu Deus. – Pressiono a mão na testa. Meu coração está começando a se acalmar, e eu me lembro da última vez que vi Guy. Ele não parecia muito bem. Porque *eu* causei uma convulsão nele. – Como você está se sentindo?

Ele aponta para si mesmo com um sorriso autodepreciativo.

– Já recuperei meu porte elegante. Mas você não parece muito bem.

– Meu dia está um tanto... interessante. Guy, quero me desculpar pelo que aconteceu hoje. Eu assumo totalmente a responsabilidade pelo...

– Não devia.

– Devia, sim. – Levanto a mão. – Com toda certeza devia. Parece que tem alguma coisa estranha acontecendo... Vou te mostrar. Mas não importa. Com sua segurança em jogo, eu deveria ter sido mais cuidadosa. Assumo totalmente a responsabilidade, e...

– Não devia – repete ele, seu tom de voz ligeiramente mais firme.

Alguma coisa nesse tom me irrita. Os olhos de Guy normalmente são de um castanho-dourado caloroso, mas esta noite há uma estranha frieza neles.

Eu me dou conta de que não faço ideia de por que ele está aqui. Bem depois das onze. Na minha sala. Depois de um dia no hospital, ele não deveria estar descansando? Tenho certeza de que deveria estar descansando.

– Você está... Esqueceu alguma coisa? – Eu me levanto para obstruir a visão dele do meu monitor, sem saber bem por quê. – Está tarde.

– É.

Guy dá de ombros. Tenho uma consciência aguda de que ele está bloqueando a única saída. Também tenho consciência de que sou uma perfeita lunática. É o Guy. Meu amigo. Amigo de Levi. Um astronauta. Eu acabei de provocar uma convulsão nele, pelo amor de Deus. É claro que ele está esquisito.

– Você está... Eu estava indo para casa – falo. – Acabei o que... o que vim fazer.

– É mesmo?

– É. Vamos embora juntos?

Ele não se mexe.

– Você disse que tinha alguma coisa estranha que queria me mostrar...

Por que ele não está sorrindo?

– Não, eu... – Enxugo a palma da mão na coxa. Está nojenta, grudenta. A aliança da minha avó agarra na costura. – Eu me expressei mal.

– Acho que não.

Meu coração se aperta. Depois dispara, vinte vezes mais rápido.

– Não importa. – Preciso que a droga da minha voz pare de tremer. – Tenho que ir. Está tarde, e estou tecnicamente fora do Blink. Eu nem deveria estar aqui... Boris vai mandar me prender.

Eu me inclino para trás. Desligo o computador, mantendo os olhos em Guy o tempo todo. Em seguida me dirijo à porta.

– Bem, então boa noite. Pode me deixar passar? Eu não...

– Bee. – Ele não se mexe. Seu tom é ligeiramente reprovador. – Você está complicando as coisas para mim.

Engulo em seco.

– Por quê?

– Porque sim.

– Porque sim o quê? É por causa da convulsão? Eu realmente não tive a intenção...

– Acho que seria hipocrisia da minha parte ficar chateado com isso.

Guy suspira, e fico instantaneamente ciente do quanto ele é maior do que eu. Não chega nem perto de Levi, mas eu sou do tamanho de cinco bananas usando um sobretudo, o que pode vir a ser... um problema?

– O que está acontecendo? – sussurro. – Guy?

– O que você contou a Levi? – pergunta ele, sua expressão um misto de calma e irritação. Um pai limpando o chão depois que o filho derramou um copo de leite.

– O que contei a Levi…?

– Sobre o vídeo de segurança. Você ligou para ele depois que mandou o e-mail?

Eu gelo.

– Como sabe que eu mandei um e-mail para ele?

– Me responde, por favor.

– C-como você sabe? Sobre o meu e-mail?

Eu recuo até minhas pernas baterem na mesa.

– Bee. – Guy revira os olhos. – Eu estou acompanhando seus e-mails faz tempo. Garantindo que as mensagens de Levi não chegassem. Criando algumas… falhas de comunicação. Sabe, os sites dizem para você usar senhas difíceis por um motivo, MarieMonAmour123.

– Foi *você*. – Arquejo, tentando me afastar ainda mais dele. Mas não há para onde ir. – Como entrou no meu computador?

– Eu configurei sua máquina. – Ele me lança um olhar incrédulo. – Você não é muito boa com tecnologia, né?

Franzo as sobrancelhas, saindo do choque para uma furiosa indignação.

– Ei! Eu sei codificar em *três* linguagens de programação!

– Uma delas é HTML?

Fico vermelha.

– HTML é válida, grande senhor das STEM. Também fiz várias disciplinas de ciências da computação na faculdade. E por que você estava *na droga do meu e-mail*?!

– Porque, Bee, você se recusou a ir cuidar da *droga da sua própria vida*. – Ele dá um passo na minha direção, as narinas dilatadas. – Sabia que o protótipo Sullivan deveria se chamar Kowalsky-Sullivan? Claro, Peter tinha que acabar rachando a cabeça… – Ele para, hesitando um momento. – Ok, não era isso que eu queria dizer. Lamentei quando aconteceu. Mas meu trabalho no Blink foi apagado. Ao morrer, Peter recebeu todo o crédito e… ainda assim teria ficado tudo bem. Mas então Levi se ofereceu para chefiar o Blink por causa da sua culpa infundada, e escolheram a *ele* e não a mim. Fiquei sem nenhum controle sobre um projeto em que passei *anos* trabalhando. – A voz dele se eleva. Guy se aproxima, e eu me espremo contra a mesa. – E por muito tempo tive certeza de que o Blink não seria realizado, que seria adiado, que Levi passaria para outros projetos... Ele nem estava mais trabalhando com neuroimagem, sabia? Se não fosse por Peter, ele ainda estaria no Laboratório de Propulsão a Jato. Mas não. Ele tinha que roubar meu projeto.

– O que você fez? – murmuro.

– Eu fiz o que tinha que fazer. Hoje de manhã, tomei alguns comprimidos de cafeína, só para ficar, sabe, mais agitado. E adulterei os protocolos. Mas vocês me puseram nessa situação. Você e Levi. Porque Bee... Ah, Bee, ele estava *obcecado* por você. No instante que os Institutos indicaram você, ele *precisou* fazer o Blink acontecer. E eu tentei o que pude... Provocar brigas entre vocês. Pequenos atrasos. Arquivos desaparecidos. Por um tempo, vocês pareciam empacados, e eu torci para que o tempo se esgotasse e você voltasse para os Institutos. – Os olhos dele estão um pouco alucinados. – Mas você encontrou a solução. E... eu tive que fazer isso. O que aconteceu hoje tinha que acontecer. Eles não vão deixar Levi ficar no projeto.

– E o Twitter? O que você fez no Twitter?

Ele passa a mão pelo rosto.

– Aquilo foi... Eu não ia envolver você, acredite se quiser. Mas quando descobri que você não era casada de verdade, que Levi tinha mentido para mim, fiquei *muito* puto. Não demorou para eu perceber que... Não acredito que você está dando pra ele, Bee. Fazia tempo que eu seguia sua identidade virtual, então... eu sabia o que fazer.

– Ai, meu *Deus*.

– Era para você *odiá-lo*! Quando os Institutos selecionaram você, Levi me contou que vocês tinham um histórico complicado. E eu pensei: perfeito! – Ele suspira como se estivesse profundamente cansado. – E aí vocês se apaixonaram. Quem *faz* isso?

– Você está maluco?

– Eu estou *furioso*. Porque teria corrido muitíssimo bem se você não tivesse notado o vídeo de segurança. Acho que fui um pouco descuidado ao me cortar das filmagens, né? Por que você estava assistindo, afinal?

Balanço a cabeça. Não vou contar de Félicette para esse babaca.

– Você *está* maluco – falo.

– É. – Ele fecha os olhos. – Talvez.

Olho em volta, procurando... não sei bem o quê. Uma sirene? Um taco de beisebol? Um daqueles transportadores portáteis de *Star Trek*?

– Me deixa ir embora – peço.

– Bee. – Ele abre os olhos. – Não precisa ser um gênio do mal para saber que eu *não posso* deixar você ir embora.

– Acho que vai ter que deixar. Não pode fazer nada comigo. Tem câmeras...

– ... cujas filmagens já sabemos que eu posso alterar... graças à sua assistente, a propósito. Só tive acesso ao circuito de segurança depois de pegá-la em flagrante.

– Você usou seu crachá para entrar...

– Não usei, não. É bem fácil clonar um crachá anônimo.

Meus dedos tremem quando me seguro na mesa.

– Então qual é o seu plano?

Ele tira alguma coisa do bolso. Não. Não.

Não, não, *não*.

– Isso é uma arma? – pergunto, ofegante.

– É. – Ele fala num tom quase de desculpas. Meu mundo inteiro congela.

Estou acostumada a sentir medo. Vivo com medo – medo de ser abandonada, medo de falhar, medo de perder tudo. Mas isso é diferente. Seria terror? Terror verdadeiro, do rombencéfalo? É assim que aquela mulher se sente em *Pânico* e *Pânico 2, 3, 4 e 5*, quando se dá conta de que a pessoa ao telefone está dentro de casa? Fizeram o *Pânico 6*? Meu Deus, vou morrer antes de *Pânico 6* chegar aos cinemas?

– O que... Onde você... É de verdade?

– É. É muito fácil conseguir uma. – Ele segura o revólver como se o odiasse tanto quanto eu. – A Associação Nacional de Rifles é uma loucura por aqui.

– Acho que estou tendo todas as experiências texanas – murmuro, entorpecida.

Isso não pode estar acontecendo. Conheço bem o desdém que os grandes senhores das STEM sentem pelas mulheres, mas um deles querendo me *matar*? Isso é demais.

– E você sabe usar isso?

– Eles ensinam durante o treinamento para astronauta. Mas não vou precisar usar a arma. Porque nós vamos para o telhado. Pobre Beezinha. Em poucos dias ela perdeu *tudo*. Não conseguiu lidar com o estresse. Resolveu pular.

– Eu não vou fazer iss...

Guy aponta a arma para mim.

Ai, *merda*. Eu vou morrer. Na droga da minha sala. Assassinada por um grande senhor das STEM. Vou morrer sem nunca ter tido um gato. Vou morrer sem ter admitido para Levi que o amo mais do que pensei que fosse possível. Sem uma chance de mostrar a ele... ou a *mim mesma*... que posso ser corajosa.

Pelo menos Marie teve Pierre por um tempo. Pelo menos ela aproveitou a oportunidade. Pelo menos *tentou* não agir como a burra covarde que venho sendo e ai, meu *Deus*, talvez se eu implorar Guy me deixe mandar uma mensagem para Levi, e eu possa dizer a ele, eu só quero dizer a ele, parece um enorme desperdício não ter dito a ele, e...

Um miado. Nós dois nos viramos. Félicette está no alto do arquivo perto da porta, rosnando para Guy. Ele a encara com uma expressão confusa.

– Mas o que é...

Félicette se lança sobre ele com um grito, agarrando sua cabeça e o arranhando. Guy começa a se debater, deixando a porta livre. Saio correndo o mais rápido que posso – mas não o suficiente. Ouço passos bem atrás de mim.

– Para! Bee, para, ou eu vou...

Estou no fim do corredor. Minhas pernas estão cedendo, meus pulmões ardem. Ele vai me matar. Ai, meu Deus, ele vai me matar.

Viro a esquina e corro na direção do patamar. Guy grita alguma coisa que não consigo entender. Pego o celular para ligar para a polícia, mas ouço uma sequência de ruídos altos às minhas costas. Merda, ele *atirou* em mim? Não, não foi um tiro.

Olho para trás, esperando ver Guy me alcançando, mas...

Levi.

Levi?

Levi.

Ele e Guy estão atracados no chão, grunhindo, lutando e rolando em um abraço feroz e violento. Fico olhando por vários segundos, boquiaberta, paralisada. Levi é maior, mas Guy tem a porra de um *revólver*, e quando ele o ajeita na mão para mirar em Levi eu...

Levi!

Eu nem penso. Simplesmente corro até eles e chuto Guy nas costelas com tanta força que sinto uma dor aguda ir dos dedos do meu pé até a coluna.

Pisco e, quando meus olhos se abrem novamente, Levi está mantendo Guy firmemente imobilizado no chão, segurando os braços dele atrás das costas. O revólver deslizou até uns poucos metros de distância. Na verdade, muito perto de mim.

Olho para ele. Penso em pegá-lo. Decido que não.

Levi.

– Você está bem, Bee? – Ele parece sem fôlego.

Faço que sim.

– Ele... ele...

Guy está se debatendo. Exigindo que Levi o solte. Xingando. Insultando Levi, a mim, o mundo. Minhas pernas parecem gelatina, daquela bem barata, que não tem muita firmeza. Sinto vontade de vomitar.

– Bee? – chama Levi.

– ... Oi?

– Pode me fazer um favor, meu bem?

Improvável.

– Sim?

– Dê um passo para a direita. Mais um. Mais um. – Meu joelho bate na beirada de um dos sofás do saguão. Levi sorri, como se estivesse incrivelmente orgulhoso de mim. – Perfeito. Agora senta.

Eu obedeço, confusa. Tem alguma coisa molhada na minha mão. Olho para baixo: Félicette está lambendo meus dedos.

– Eu... Por quê?

– Porque vou precisar ficar segurando Guy até a segurança chegar. E não vou poder te pegar quando você desmaiar.

– Mas eu...

Minhas pálpebras tremulam e se fecham e...

Bem, você já sabe o que acontece.

25

INTERNEURÔNIOS ORIENS-LACUNOSUM--MOLECULARE: CORAGEM

— NÃO QUERO SER RECLAMONA — digo à enfermeira com um sorriso desesperado-ainda-que-grato-ainda-que-muito-desesperado. — Agradeço tudo que vocês estão fazendo, mas todo mundo sabe que o plano de saúde dos Institutos Nacionais é uma porcaria, e se eu te dissesse quanto um cientista que acabou o doutorado recentemente ganha por ano, você me liberaria imediatamente.

E ainda me daria dez dólares para o táxi.

— A Nasa vai cobrir tudo — diz Kaylee.

Ela está ao meu lado na cama, recostada no meu travesseiro enquanto me mostra as maravilhas do TikTok. É óbvio que vou ter que baixar esse buraco negro sugador de tempo em forma de aplicativo.

— Caso contrário, você processa eles — acrescenta Rocío, da cadeira de visitas.

Ela se encontra confortavelmente esparramada, uma apostila de preparação para o GRE no colo e os pés calçados com botas em cima das cobertas. As coisas que permito que ela faça... só porque ela é, como diria Kaylee, "minha *fave*".

— Eu não vou processar a Nasa.

— E se eles decidirem chamar o próximo *rover* para Marte de *Marie Curie*, mas acabarem escrevendo errado e chamarem de *Mariah Carey*?

Reflito um pouco.

— Nesse caso, talvez eu processasse, sim.

Rocío me dirige um sorriso satisfeito, do tipo *eu te conheço*. Meu celular emite um alerta de mensagem.

REIKE: MDS vc tá no NOTICIÁRIO

REIKE: AQUI NA NORUEGA, NO BAR ONDE TO

REIKE: É isso que é ser famosa?

Fecho os olhos, o que vem a ser um erro. A imagem de Reike subindo no balcão de um pé-sujo em Bergen e apontando para a TV é perturbadoramente nítida.

BEE: Você nem fala norueguês.

REIKE: Não, mas a moça no noticiário disse Nasa e Houston, e mostraram as fotos de quando o gaiato do Guy foi preso

REIKE: kkk o gaiato do Guy... eu sou hilária

BEE: Você tá bêbada?

REIKE: OLHA SÓ MINHA IRMÃ FAVORITA QUASE FOI ASSASSINADA NA NOITE PASSADA TENHO O DIREITO DE AFOGAR MEU TRAUMA EM UM POUCO DE BEBIDA NORUEGUESA MAS NEM CONSIGO PRONUNCIAR O NOME DA BEBIDA

BEE: Sou sua única irmã.

REIKE: 😊

Bloqueio a tela do celular e o coloco embaixo do travesseiro. Não sei nem por que estou em um hospital. Os médicos disseram que meu desmaio era preocupante, e eu quase ri na cara deles. Eu só quero ir para casa. Olhar pela janela. Pensar melancolicamente na natureza efêmera da existência humana. Assistir a vídeos de gatos.

– Aqui diz que "auréola" significa "anel ou círculo luminoso" e não tem absolutamente nada a ver com peitos. – Rocío olha para a seção de vocabulário de sua apostila. – Parece falso.

Kaylee e eu trocamos um olhar preocupado.

– E "bombástico" é uma palavra de verdade? – continua ela. – Não pode ser.

– Baby, amanhã, assim que a Nasa não estiver mais sendo sabotada, a gente volta a estudar juntas.

Dirijo a Kaylee um sorriso agradecido. Ela e Rocío já estavam no quarto do hospital quando acordei hoje de manhã, e continuaram aqui, como os seres humanos incríveis que são. Agora sei mais sobre decomposição corporal *e* paletas de maquiagem do que pensei que saberia na vida, mas não me arrependo. Isso é quase legal.

Então Boris entra no quarto com uma expressão sombria. Seguido de perto por Levi.

Meu coração falha. Quando perguntei por ele essa manhã, as meninas me disseram que Levi estava com a polícia no Discovery Building. Os olhos dele encontram os meus, e Levi me dirige um breve sorriso, colocando uma bolsa e uma caixa de brownies veganos da minha marca favorita na mesinha de cabeceira.

Boris para ao lado da cama, esfregando a testa, parecendo cansado, perturbado, no limite. Eu me pergunto se ele dormiu. Pobre homem.

– Estou em um impasse, Bee. – Ele suspira. – A Nasa me instruiu firmemente a não pedir desculpas a você, porque seria uma prova admissível, se você decidir nos processar, mas... – Ele dá de ombros. – Eu peço desculpas, e...

– Não precisa. – Sorrio. – Não irrite seus advogados por isso. Eu pensei o mesmo que você, que o erro fosse meu. Não sabia que Guy estava completamente maluco, e eu trabalhava com ele todos os dias... Como você poderia saber?

– Guy vai... Ele está demitido, é claro. E haverá consequências legais.

Assim que o Discovery Building não estiver mais coberto por fitas de isolamento, vamos retomar o Blink e fazer outra demonstração. Expliquei tudo aos Institutos Nacionais e aos meus superiores, e é claro que estou implorando de joelhos para você voltar...

– Você está de pé – observa Rocío, indiferente.

Levi desvia o olhar, reprimindo um sorriso.

– Rocío – censuro-a gentilmente.

– O que foi? Faça com que ele se humilhe mais.

Olho para ela com afeto.

– Nada disso foi culpa dele. Além do mais, pense em como suas inscrições para o doutorado serão bem-vistas quando forem acompanhadas por uma carta de recomendação do Diretor de Pesquisas do Centro Espacial Johnson.

Sustento o olhar de Boris. Depois de um momento, ele assente, vencido. Ele está precisando de um cochilo. Ou de nove cafés.

– Será um prazer, Srta. Cortoreal. Você merece.

– Vai mencionar que eu transei no trabalho com a mulher mais bonita do mundo? – Ela olha para Kaylee, que enrubesce. É lindo.

– Eu... – Ele esfrega a têmpora. – Na verdade, já me esqueci disso.

– Tem certeza? Porque é um dos meus feitos que mais me enchem de orgulho.

Boris vai embora alguns minutos depois. Levi puxa uma cadeira e se senta ao meu lado para nos atualizar.

– Não sei por quais crimes ele vai responder, mas Guy tinha uma posição hierárquica tão alta e tinha acesso a tantas informações que vamos ter que verificar novamente cada parte do código que escrevemos, cada peça do hardware. É um retrocesso... considerável. Mas, no fim, o Blink vai ficar bem.

Ele não parece muito preocupado.

– Ele tem uma filha, não tem? – pergunta Kaylee.

– Tem. Passou por um divórcio complicado no ano passado, o que acho que não ajudou com... o que quer que tenha acontecido. Eu passava muito tempo com ele, mas não percebi nada. Não percebi mesmo.

– É óbvio – resmunga Rocío.

Levi e eu trocamos um olhar divertido, e...

Ficamos assim um pouco. É difícil para mim desviar os olhos, e para ele também. Desconfio que seja porque a última vez que o vi foi muito caótica, e a penúltima foi pior ainda. E agora estamos aqui, diante de toda essa confusão, e...

É difícil respirar.

– Bem – diz Kaylee, levantando-se de um pulo –, Rocío e eu precisamos ir.

Rocío franze a testa.

– Aonde?

– Ah, para a cama.

– Mas são três da tarde...

Kaylee a puxa pelo pulso, mas, quando estão na porta, Rocío se solta e para diante de Levi.

– Preciso te agradecer. Por salvar a vida de Bee – diz ela solenemente. – Ela é como uma mãe para mim. A mãe que eu nunca tive.

– Você tem uma mãe incrível que mora em Baltimore – comento. – E eu sou apenas cinco anos mais velha que você.

Rocío me ignora.

– Quero te dar um presente simbólico. Como reconhecimento de suas contribuições.

– Não precisa – diz Levi, no mesmo tom solene.

Rocío vasculha o bolso do jeans e oferece a ele um chiclete redondo e vermelho, desembrulhado e levemente esmagado.

– Obrigado. Isso é... – Ele olha para o chiclete. – Uma coisa que agora eu tenho.

Rocío assente, séria, e então Levi e eu ficamos sozinhos. Quer dizer, com o chiclete.

– Você quer? – ele me pergunta.

– De jeito nenhum. É sua recompensa por salvar minha vida.

– Acho que você salvou sua própria vida.

– Foi um trabalho de equipe. – Faz-se uma pequena pausa, um silêncio não exatamente desagradável. Percebo que não consigo encarar Levi, então passeio os olhos pelo quarto. – Os brownies são para mim?

– Eu não sabia se tinha comida decente aqui. – Ele umedece os lábios. – A bolsa também é pra você.

– Ah. – Dou uma espiada. No interior, há algo embrulhado em jornal. Coloco o pacote no colo e começo a abri-lo. – Não é o coração de Guy que você arrancou do peito dele, é?

Levi balança a cabeça.

– Esse eu já dei para o Schrödinger.

– Eu... – Paro o que estou fazendo. – Eu sinto muito. Nem imagino quanto isso tudo deve estar sendo difícil para você. Ele é um dos seus melhores amigos e o fato de ter tanta inveja de você e de Peter é...

– É, eu... eu vou conversar com ele. Quando tiver passado um tempo e eu não estiver mais com tanta vontade de socá-lo. Mas por ora... – Levi dá de ombros. – Você devia abrir o pacote.

Volto ao embrulho. São umas cinco camadas de papel antes que eu descubra o que é.

– Uma caneca? – Eu a viro e abro um sorriso. – Ai, meu Deus. *Melhor neurocientista você é!* Você mandou fazer!

– Olhe dentro também.

Eu olho.

– Um bonequinho? É a Marie Curie? – Eu o pego, sorrindo. – Ela está na bancada do laboratório! Usando... Sabia que esse foi o vestido de noiva dela?

– Não sabia. – Ele hesita antes de acrescentar: – Ganhei isso na escola. Segundo lugar na feira de ciências. As provetas que ela está segurando brilham no escuro.

Meu sorriso se apaga lentamente. Estou ocupada demais encarando o rosto bonito de Marie para me dar conta de que já ouvi essa história da feira de ciências uma vez. Não. Não, eu não a ouvi. Eu li. No meu...

Meus braços caem no colo.

– Você sabe. Você sabe sobre...

Levi faz que sim.

– Eu revi o vídeo de segurança. Não tinha percebido, mas, depois que você mandou aquela mensagem... Aliás, eu estava correndo, então, da próxima vez, me dê uns quinze minutos antes de se colocar em perigo *sozinha*... Bem, depois de ler sua mensagem, olhei o vídeo com mais atenção. E vi o seu computador.

Eu o encaro. Estou completamente despreparada para ter essa conversa.

– Eu...

– Você sempre soube?

– Não. – Balanço a cabeça com veemência. – Não, eu... A foto. Schrödinger, foi... Você tuitou. E então eu... Não tinha a menor ideia. Até ontem.

Levi se inclina para a frente, os cotovelos apoiados nos joelhos, e me olha pacientemente.

– Eu também não. – Ele sorri com ironia. – Ou não teria falado tanto *sobre* você *com* você.

– Ah. – Fico vermelha como um cardeal macho no pico do período de acasalamento. Meu coração se debate contra a caixa torácica... também como um cardeal macho no auge do período de acasalamento. – Certo.

As coisas que ele disse.

Quero empurrá-la contra uma parede e quero que ela empurre de volta.

As.

Coisas.

Que.

Ele.

Disse.

– Você está bem? – pergunta Levi, preocupado. Preocupação justificada: posso estar no meio de um ataque cardíaco.

– Eu... estou bem. Eu... Você já viu *Mensagem para você*?

– Não. – Ele me olha, hesitante. – Talvez a gente possa assistir juntos...

Sim, eu quero dizer. Até abro a boca, mas nenhum som sai do meu estúpido, teimoso e petrificado aparelho fonador. Tento novamente: nada. Ainda nada. Meus dedos agarram os lençóis, e eu estudo a expressão divertida e compreensiva nos olhos dele. Como se entendesse completamente o que está acontecendo dentro de mim.

– Você sabia que ela trabalhou como governanta? – pergunta Levi. – A Marie Curie?

Faço que sim, levemente surpresa.

– Ela tinha um acordo com a irmã. Marie trabalhou como governanta e ajudou a irmã a pagar a faculdade de medicina. Então, assim que a irmã conseguiu um emprego, elas inverteram os papéis – conto.

– Então você já ouviu falar de Kazimierz Żorawski?

Inclino a cabeça.

– O matemático?

– Ele acabou se tornando um matemático... e dos bons. Mas antes era apenas um dos filhos da família para a qual Marie trabalhou. Ele e Marie tinham a mesma idade, os dois eram incrivelmente...

– Nerds?

– Você conhece o tipo. – Levi abre um sorriso, que desaparece quase imediatamente. – Os dois se apaixonaram, mas ele era rico e ela não, e naquela época não bastava escolher alguém e se casar.

– Os pais dele os separaram – murmuro. – Eles ficaram arrasados.

– Talvez fosse o destino. Se ela tivesse ficado na Polônia, não teria conhecido Pierre. Os dois foram muito felizes juntos, pelo que dizem. A ideia da radioatividade foi dela, mas Pierre ajudou. Kazimierz era matemático; ele talvez não se envolvesse tanto na pesquisa dela. – Levi dá de ombros. – Tudo não passa de um monte de "e se".

Concordo com um gesto de cabeça.

– Mas ele nunca esqueceu Marie – continua Levi. – Żorawski, quero dizer. Ele se casou com uma pianista, teve filhos... deu a uma o nome de Maria, o que é curioso... estudou na Alemanha, tornou-se professor da Politécnica de Varsóvia, trabalhou com... geometria, eu acho. Ele viveu uma vida plena. E, no entanto, já na velhice, era sempre visto sentado diante da estátua de Marie Curie em Varsóvia. Fitando-a por horas. Pensando em sabe-se lá o quê. Em um monte de "e se", talvez. – O verde dos olhos de Levi brilha tanto que não consigo desviar o olhar. – Talvez em algum detalhe da personalidade de Marie que o fez se apaixonar por ela, algumas décadas antes.

– Você acha que... – Minhas bochechas estão molhadas. Eu não me preocupo em secá-las. – Você acha que ela fazia refogados horríveis?

– Imagino que sim. – Levi morde o interior da bochecha. – Talvez ela também insistisse em alimentar uma horda de gatos imaginários.

– Pois saiba que Félicette salvou minha vida.

– Eu vi. Aquilo foi muito impressionante.

Carrinhos passam no corredor lá fora. Uma porta se fecha e outra se abre. Alguém ri.

– Levi?

– Oi?

– Você acha que eles... Marie, Pierre e o matemático, e todo mundo... Você acha que em algum momento eles desejaram nunca terem se conhecido? Não terem se apaixonado?

Ele assente, como se já tivesse refletido sobre a questão antes.

– Eu realmente não sei, Bee. Mas sei que eu nunca desejei. Nem uma vez.

De repente, o corredor fica silencioso. Um estranho caos musical toca docemente dentro da minha cabeça. Estou diante de um precipício. Um oceano profundo e perigoso, e estou prestes a saltar. Talvez seja má ideia. Talvez eu devesse mesmo estar com medo. Talvez eu me arrependa. Talvez, talvez, talvez.

Talvez seja essa a sensação de estar em casa.

– Levi?

Ele me olha, calmo. Com esperança. Tão paciente, o meu amor.

– Levi, eu...

A porta se abre com um barulho súbito.

– Como está se sentindo hoje, Bee? – pergunta minha médica, entrando com uma enfermeira a reboque.

Os olhos de Levi se demoram em mim por mais um segundo. Ou cinco. Mas então ele se levanta.

– Eu já estava de saída.

Fico olhando seu sorriso enquanto ele dá adeus. Observo a maneira como seu cabelo faz cachos na nuca quando ele se vira. Fico olhando a porta depois que Levi sai e, quando a médica começa a me fazer perguntas sobre meu inútil sistema nervoso parassimpático, preciso fazer um grande esforço para não olhá-la de cara feia.

Dois dias.

Passo dois dias no maldito hospital. Então a médica me libera com um desconfiado "Não parece haver nada de errado com você". Rocío me busca com o nosso carro alugado ("No Egito antigo, os cadáveres das mulheres eram mantidos em casa até se decomporem para evitar necrofilia no local onde eram embalsamados. Você sabia disso?" "*Agora* eu sei.") e me olha igualmente desconfiada quando peço que ela me leve até o Discovery Building – e, por favor, deixe o carro no estacionamento.

Não há mais fitas de isolamento no prédio. Na verdade, encontro vários engenheiros que não são do Blink pelos corredores. Sorrio educadamente, ignorando seus olhares curiosos e intrigados, e sigo para a minha sala. Há uma placa sinalizando que a entrada ali não é permitida. Eu a ignoro também.

Saio seis horas depois, não muito graciosamente. Estou carregando uma caixa grande e não consigo ver meus pés, então tropeço muito. (Quem eu estou querendo enganar? Eu *sempre* tropeço muito.) No carro, mexo no meu celular, procurando uma música boa, mas não encontro nenhuma que queira ouvir.

Já está escuro, o sol já se pôs. Por alguma razão incompreensível, as luzes silenciosas do horizonte de Houston me fazem pensar em Paris na virada do século XX. Na chamada Belle Époque. Enquanto a Dra. Curie se escondia em seu barracão-barra-laboratório, Henri de Toulouse-Lautrec enchia a cara de absinto no Moulin Rouge. Edgar Degas stalkeava bailarinas e damas no banho. Marcel Proust debruçava-se sobre sua mesa, escrevendo livros que nunca vou ler. Auguste Rodin esculpia homens pensativos e cultivava barbas impressionantes. Os irmãos Lumière lançavam a base para obras-primas como *Cidadão Kane*, *O Império contra-ataca*, a franquia *American Pie*.

Eu me pergunto se Marie saía à noite. De vez em quando. Me pergunto se Pierre alguma vez tirou uma proveta cheia de urânio da mão dela e a arrastou para Montmartre para um passeio ou um espetáculo. Me pergunto se eles se divertiram nos poucos anos que tiveram juntos.

Sim. Tenho certeza que sim. Tenho certeza de que eles se divertiram muito. E tenho certeza, como nunca tive, de que ela nunca se arrependeu de nada. Que aproveitou cada segundo.

As lâmpadas solares estão acesas no quintal de Levi, iluminando o suficiente para que eu veja os hissopos de flores roxas, amarelas e vermelhas. Sorrio e pego a caixa grande e leve no banco do passageiro, parando para falar suavemente com ela. Sei da chave reserva escondida debaixo de um vaso de alecrim, mas toco a campainha mesmo assim. Enquanto espero, tento espiar pelos buracos de ventilação que abri no topo da caixa. Não dá para ver muito.

– Bee?

Levanto os olhos. Sem ar. Mas sem medo. Não sinto mais medo.

– Oi. Eu… Oi – falo, enfim.

Ele é tão bonito. Absurda e injustamente bonito. Quero olhar seu rosto absurda e injustamente bonito por… por todo o tempo que eu puder. Poderia ser um minuto. Tomara que sejam setenta anos.

– Você está bem?

Respiro fundo. Schrödinger veio me receber também; ele olha, curioso, para mim e minha carga.

– Oi.

– Oi. Você está…? – Levi se aproxima. Então para abruptamente. – Ei.

– Eu estava me perguntando… – Levanto a caixa e a estendo para ele. Pigarreio. – Eu estava me perguntando… Você acha que o pobre Schrödinger nos odiaria se adotássemos outro gato?

Levi hesita, confuso.

– O que você…?

Dentro da caixa, Félicette emite um miado longo e lamentoso. Seu focinho rosado se projeta de um dos buracos de ventilação, uma patinha de outro. Solto uma risada alta, borbulhante e feliz. Acontece que estou chorando de novo.

Através das lágrimas, vejo que Levi entendeu. Em seguida, em seus olhos, vejo uma alegria pura, avassaladora, do tipo que deixa os joelhos bambos. Mas é só um momento. No instante em que ele pega a caixa das minhas mãos, já está recomposto. Sólido. Profunda e tranquilamente feliz.

– Eu acho – diz ele, de forma lenta e cautelosa, a voz um pouco rouca – que só vamos saber se tentarmos.

EPÍLOGO

EIS A MINHA CURIOSIDADE FAVORITA de todos os tempos: a Dra. Marie Skłodowska-Curie e a Dra. Bee Königswasser-Ward compareceram à cerimônia do próprio casamento com os vestidos que usavam no laboratório.

Bem... Com a roupa. Vestidos não são mais obrigatórios. A menos que você esteja no tapete vermelho do Met Gala ou... bem, se casando, eu acho. Que era o meu caso. *Mas* eu estava usando um vestido da Target – sim, *aquele* vestido da Target – que às vezes uso no trabalho. E eu trabalho em um laboratório da Nasa, o que tecnicamente faz dele uma roupa de laboratório. Acho que também sou uma garota pragmática.

Levi e eu só vamos fazer a cerimônia de verdade no verão. Dia 26 de julho, para ser mais precisa. Eu poderia explicar por que escolhi essa data, mas talvez você deixe de me ver como "fã excêntrica de Marie Curie" e passe a me considerar "*stalker* perigosamente obsessiva". Então... sim, vou deixar que você pesquise no Google, se quiser. De qualquer forma, embora já estejamos casados, apenas algumas pessoas sabem. Reike, por exemplo ("Será que eu hifenizo meu nome também? Mareike Königswasser-Ward. Fica bonito, hein?"). Penny e Lily (nossas testemunhas de improviso). Schrödinger e Félicette, é claro, mas eles não deram muita bola quando contamos. Limitaram-se a piscar, sonolentos, e voltaram a cochilar um em cima do outro, se agitando apenas quando uma colherada comemorativa de chantilly apareceu.

Criaturas ingratas. Eu amo os dois.

É um pouco estranha a forma como acabamos nos casando. Percebi a frustração de Levi quando, por volta da nona vez que ele me pediu em casamento, eu disse que queria, *sim*, me casar com ele, mas que estava traumatizada com o rompimento súbito do meu noivado anterior (e pelos milhares de dólares desperdiçados em depósitos-caução). Mas a solução para esse problema me surgiu em um sonho. (Isso é mentira: eu estava fazendo as sobrancelhas.)

Dei entrada secretamente nos documentos para o casamento. Então, na manhã de uma quinta-feira aleatória, eu disse a Levi que queria dirigir a caminhonete (ele *não* gostou muito da ideia, mas disfarçou bem). Pensou que estivéssemos indo para o trabalho (daí o vestido da Target), mas em vez disso eu sorrateiramente segui para o tribunal. No estacionamento, já lotado de manhã cedo, enquanto ele olhava em volta para descobrir onde estávamos, contei que me casaria com ele naquele mesmo dia. Que não poderia ter medo de ser abandonada no altar se já tivéssemos assinado os papéis. Que eu nem o faria assinar um acordo pré-nupcial para impedi-lo de reivindicar direitos sobre o meu DVD da edição limitada de *O Império contra-ataca*, porque eu não estava planejando me divorciar dele. Nunca.

– Acho que devo pedir corretamente – falei, depois de explicar metodicamente meu raciocínio. – Você quer se casar comigo, Levi?

Ao que ele disse:

– Sim.

Rouco. Mudo de nervosismo. Sem fôlego.

Lindo, tão lindo que tive que beijá-lo, entre algumas lágrimas. E por "algumas" quero dizer "muitas". E por "lágrimas" quero dizer que havia até meleca na história. Foi feio, crianças.

E foi lindo.

Depois de uma cerimônia de 94 segundos, fomos para o Centro Espacial, inventamos uma desculpa para o nosso atraso, eu almocei comida congelada na minha mesa enquanto franzia a testa diante da terrível queda no sinal nos exames de ressonância magnética dos astronautas. Nesse dia, vi Levi apenas uma vez, em público, e a única interação que conseguimos ter foi sua mão roçando de leve minhas costas. Caramba, não?

Foi o melhor dia da minha vida.

Ao contrário de hoje. Que vai ser o *pior* dia da minha vida. São 8h43 e eu já sei disso.

– Você vai mesmo fazer isso? – pergunta Reike, olhando para a faixa CORRIDA #ADMISSÕESJUSTASNAPÓS – LARGADA acima de nossas cabeças.

– Meu coração diz que não.

– E o seu corpo?

– Meu corpo também diz que não. Só que mais alto.

Ela assente, nem um pouco surpresa.

– Você provavelmente vai conseguir. Correr os cinco quilômetros, quero dizer. Mas, pelo amor da deusa, não tente a meia maratona.

– Muita confiança, vindo de alguém que tem a mesma constituição mirrada que eu e deveria ter mais consciência da realidade.

– Não estou botando fé na sua constituição, e sim nos seus treinos com Levi há... o quê? Oito meses?

– Oito longuíssimos meses.

Então nos entreolhamos, rindo uma da outra. Eu amo que Reike esteja aqui. Eu amo que ela e Levi tenham organizado sua visita pelas minhas costas e me feito uma surpresa. Eu amo quando ela reclama que só temos comida vegana em casa e que está "cansada de competir com os gatos por uma mísera fatia de peito de frango!". Amo que, enquanto está aqui, ela esteja ficando com o cara que encosta a língua no nariz. Eu a amo. Amo tudo isso.

– E *você* vai correr? – pergunto.

– Vou. É por uma boa causa. Não que eu entenda completamente o que é um doutorado, o que são admissões na pós-graduação, ou até mesmo por que alguém queira voluntariamente estudar, mas, se você diz que está ajudando grupos tradicionalmente sub-representados, estou dentro. Rocío e eu vamos caminhar e conversar. Ela está planejando me falar sobre assassinos em série que ainda não foram capturados.

– Que fofo.

– Não é? Não acredito que você a deixou voltar para Baltimore.

– Eu sei, mas ela entrou na faculdade dos sonhos, está morando com a namorada dos sonhos, e tenho certeza de que é uma líder na comunidade wiccana local. Estou feliz que ela e Kaylee conseguiram vir para a corrida depois do tanto que se dedicaram para organizá-la.

Uma jovem se aproxima de Reike com um sorriso.

– Com licença... Dra. Königswasser?

– Ah – ela aponta para mim com o polegar –, não sou a Königswasser que você está procurando.

– É, na verdade esta é minha gêmea malvada. Eu sou a Bee.

– Kate. Sou doutoranda em psicologia na Universidade de Minnesota. – Ela aperta minha mão com entusiasmo. – Eu acompanho o perfil da @OQueMarieFaria há anos e só queria dizer o quanto isso é bacana.

Ela gesticula, apontando o ambiente ao redor. Três mil pessoas se inscreveram para a corrida, mas a impressão que dá é de que três milhões compareceram – talvez porque o evento tenha se transformado em uma espécie de feira de programas de pós-graduação. O comitê organizador decidiu permitir às universidades que se comprometeram a garantir um processo de admissão justo e holístico a oportunidade de montar estandes de recrutamento na linha de chegada. Olho para a multidão, vejo Annie e aceno para ela. Saímos para jantar ontem à noite, pois ela veio para a corrida um dia antes. É meio estranho comer com sua ex-melhor amiga que partiu seu coração, mas aos poucos estamos consertando as coisas. Além disso, ela ajudou muito com a logística da corrida.

Sempre pensei que revelar minha identidade arruinaria a diversão de administrar a OQMF, e fiquei frustrada quando as atitudes de Guy me impossibilitaram de continuar mantendo segredo. Lembra quando eu disse que tinha medo de ter minha vida exposta por algum participante aposentado do movimento Gamergate? Bem, isso aconteceu. Mais ou menos. Houve momentos desagradáveis quando a notícia se espalhou e eu vim a público – certo constrangimento, um período de adaptação. Mas um dia Rocío ligou e disse: "Sempre suspeitei que lá no fundo você fosse legal, mas achei que estava só me iludindo. Mas olhe só!" Foi quando eu soube que tudo ficaria bem. E, com o tempo, ficou. Ser notícia velha é um alívio e tanto.

– Muito obrigada por ter vindo de tão longe, Kate.

– Você também veio de longe, não foi? De Maryland?

– Na verdade, agora eu moro aqui. Em Houston. Troquei os Institutos pela Nasa no ano passado.

A demonstração do Blink foi um sucesso retumbante. Bem, a primeira foi um desastre retumbante. Mas correu tudo tão bem na segunda, o evento recebeu tanta atenção positiva – provavelmente *por causa* da primeira tentativa sabotada e da publicidade que gerou – que Levi e eu acabamos podendo escolher entre várias ofertas de trabalho. Sabe quando eu pensei que acabaria morando debaixo da ponte com um bando de aranhas furiosas? Um mês depois, me ofereceram o cargo de Trevor. E, quando recusei, me ofereceram a posição do chefe de Trevor. É assim a vida no meio acadêmico, eu acho: agonia e êxtase. Sobe e desce. Se fantasiei aceitar o emprego e forçar Trevor a me escrever um relatório sobre como os homens são mais burros porque seus cérebros têm densidade neuronal mais baixa? Muitas vezes. E com um prazer quase perverso.

No fim, Levi e eu consideramos os Institutos. Consideramos a Nasa. Pensamos em desistir, construir um laboratório em um barracão reformado, no estilo Curie, e sermos independentes. Consideramos posições acadêmicas como docentes. Consideramos a Europa. Consideramos o mercado privado. Consideramos tanto que, por um tempo, não fizemos nada além de considerar. (E transar. E rever *O Império contra-ataca*, tipo uma vez por semana.) E sempre voltávamos à Nasa. Talvez apenas porque temos boas lembranças aqui. Porque, no fundo, gostamos do clima. Porque adoramos irritar o Boris. Porque os beija-flores confiam que vamos prover hissopo.

Ou porque, como Levi disse certa noite na varanda, com minha cabeça em seu colo enquanto olhávamos as estrelas: "Esta casa fica em um distrito escolar muito bom." Ele me olhou nos olhos brevemente, e estou 74% certa de que ficou corado, e no dia seguinte aceitamos formalmente as ofertas da Nasa. Assim, agora tenho meu laboratório permanente, bem ao lado do dele. Há um ano, isso teria sido um pesadelo. Engraçado como as coisas mudam, não é?

O apito informando que faltam dois minutos soa, e as pessoas começam a se encaminhar para a linha de partida. Uma mão grande envolve a minha e me puxa em direção à multidão.

– Você veio buscá-la porque sabe que senão ela fugiria correndo? – pergunta Reike.

Levi sorri.

– Ah, ela não fugiria correndo. No máximo numa caminhada acelerada.

Suspiro.

– Pensei que tinha conseguido te despistar.

– O cabelo cor-de-rosa te denunciou.

– Acho que não consigo fazer isso.

– Estou sabendo.

– A maior distância que corri até hoje foi... menos de cinco quilômetros.

– Você pode passar a andar quando quiser. – A mão dele pressiona a base das minhas costas, onde está minha mais nova tatuagem: o contorno da casa de Levi, com dois gatinhos dentro. – Pelo menos tenta.

– Você não vai desacelerar o ritmo para me acompanhar, vai?

– Claro que vou.

Reviro os olhos.

– Eu sempre soube que você me odiava.

Olho para ele sorrindo. Quando Levi retribui o sorriso, meu coração dispara.

Eu te amo, penso. *E você é o meu lar.*

Alguém faz soar um apito longo. Olho para a frente, respiro fundo e começo a correr.

NOTA DA AUTORA

Este livro é minha carta de ódio aos testes padronizados. E é também minha carta de amor à neurociência, a *Star Wars*, às mulheres nas áreas STEM, às amizades que passam por períodos turbulentos, mas depois fazem de tudo para se recuperar, às assistentes de pesquisa, às colaborações científicas interdisciplinares, a Elle Woods, ao perfil ShitAcademicsSay, às sereias, aos bebedouros de beija-flores, às pessoas que têm dificuldade em manter uma rotina de exercícios e aos gatos. Mas vamos focar aqui na parte do ódio!

Eu me lembro de estudar para o GRE há cerca de dez anos, quando estava me candidatando a programas de doutorado, e de com frequência me sentir uma completa idiota (o que provavelmente sou, mas por outros motivos). Também me lembro de sentir muita raiva e frustração com a quantidade de dinheiro, tempo e energia que precisava investir para aprender a calcular em que momento exato dois trens saindo de estações diferentes se encontrariam, especialmente quando eu poderia usar esse tempo para ler sobre algo que fosse de fato relevante para a minha área. (Ou para dormir. Sejamos realistas, eu teria tirado um cochilo.)

Este livro é, claro, fictício, mas tudo o que Kaylee diz sobre o GRE é verdade, e testes como esse e o SAT não são apenas muito imprecisos quando se trata de prever o futuro desempenho acadêmico, mas tradicionalmente favorecem pessoas de origem economicamente abastada. O acesso ao ensino superior é, via de regra, mais escasso para aqueles que não são privilegiados, e os testes padronizados só contribuem para agravar o problema. Nos últimos anos, porém, está havendo uma mudança, com um número cada vez maior de instituições e programas de pós-graduação nos Estados Unidos deixando de exigir esses testes para a admissão, e isso é um passo fantástico na direção certa.

Obrigada por assistir ao meu TED Talk, e lembre-se: se o meio acadêmico em algum momento fizer você achar que não é bom ou inteligente o suficiente... o problema não é você, é o meio acadêmico.

Com amor,
Ali

AGRADECIMENTOS

Os prazos de publicação de um livro são muito estranhos e muito longos, o que significa que estou escrevendo os agradecimentos para o meu segundo livro em outubro de 2021, logo após a publicação do primeiro, e meu coração está pleno. Tudo de bom que aconteceu após o lançamento de *A hipótese do amor* eu devo à minha equipe na Berkley: Sarah Blumenstock, a melhor editora no multiverso (que me deixa adicionar cenas de sexo até o último minuto!); Jess Brock, minha fantástica publicista; Bridget O'Toole, minha incrível gestora de marketing; e, claro, minha amada agente, Thao Le, que me guiou até elas. Sejamos realistas: publicar um livro é um processo aterrorizante. Mas o apoio constante, o trabalho árduo e o talento dessas quatro mulheres o tornaram um pouco menos assustador. Além disso, através delas, pude trabalhar com a melhor editora do mundo. Basicamente: a todas as pessoas na Berkley e na Agência Literária Sandra Dijkstra que ajudaram com meus livros em qualquer função, obrigada, obrigada, OBRIGADA. Desculpa por sempre entregar as coisas às 23h58 do último dia do prazo. Desculpa por fazer as mesmas perguntas quarenta vezes. Desculpa por continuar abusando de letras maiúsculas. Eu juro que estou tentando melhorar! Agradecimentos especiais à Penguin Creative (em particular a

Dana Mendelson) e a Lilith, a capista dos meus sonhos mais loucos. E, naturalmente, obrigada a Jessica Clare, Elizabeth Everett, Christina Lauren e Mariana Zapata por fornecerem elogios ao meu primeiro livro (pedir que alguém faça isso é apavorante, gente) e pelo constante encorajamento.

A razão do amor não seria o que é sem o feedback das brilhantes Claire, Julie Soto, Lindsey Merril, Kat, Stephanie, Jordan e, naturalmente, Sharon Ibbotson, minha primeiríssima editora. Kate Goldbeck, Sarah Hawley, Celia, Rebecca e Victoria foram incríveis e me permitiram desabafar com elas durante o processo de escrita. As Grems, o Edge Chat, o TM, o Family Chat e as Berkletes foram cruciais para minha sobrevivência, e sou eternamente grata por ter essas pessoas incríveis na minha vida.

E, é óbvio, obrigada um milhão de vezes a todos os leitores, *booktokers*, *bookstagrammers*, blogueiros, jornalistas, críticos e companheiros Reylos, que apoiaram meu primeiro livro e demonstraram entusiasmo pelo segundo: o pânico do segundo livro definitivamente pega todo mundo (ou talvez não pegue e seja só eu!?), e passo algumas horas todos os dias pensando se as pessoas vão odiar o meu, mas a empolgação de todos tem ajudado muuuuito.

E por último, mas não menos importante: obrigada a Lucy, por ser o pai que eu não sabia que precisava, e a Jen, por segurar minha mão durante os altos e baixos. Todo mundo precisa de uma Jen, mas essa já é minha.

(Ah, e obrigada a Stefan, acho. Mas só um pouquinho.)

CONHEÇA OS LIVROS DE ALI HAZELWOOD

A hipótese do amor
A razão do amor
Odeio te amar
Amor, teoricamente
Xeque-mate
Noiva

Para saber mais sobre os títulos e autores da Editora Arqueiro,
visite o nosso site e siga as nossas redes sociais.
Além de informações sobre os próximos lançamentos,
você terá acesso a conteúdos exclusivos
e poderá participar de promoções e sorteios.

editoraarqueiro.com.br